Jardim de inverno

Kristin Hannah

Tradução
Sylvio Deutsch

Novo Conceito

4ª Impressão — 2014

Produção Editorial:
Equipe Novo Conceito
Impressão e Acabamento Sermograf 140314

Este livro segue as regras da Nova Ortografia da Língua Portuguesa.

Dados Internacionais de Catalogação na Publicação (CIP)
(Câmara Brasileira do Livro, SP, Brasil)

Hannah, Kristin
    Jardim de inverno / Kristin Hannah ; tradução Sylvio Deutsch.
– Ribeirão Preto, SP : Novo Conceito Editora, 2013.

    Título original: Winter garden
    ISBN 978-85-8163-035-9

1. Ficção norte-americana I. Título.

12-09326   CDD-813.5

Índices para catálogo sistemático:
1. Ficção : Literatura norte-americana 813.5

Rua Dr. Hugo Fortes, 1885 — Parque Industrial Lagoinha
14095-260 — Ribeirão Preto — SP
www.editoranovoconceito.com.br

Para meu marido, Benjamin, como sempre;

para minha mãe — eu queria ter ouvido mais histórias sobre
sua vida quando tive a oportunidade;

para meu pai e Debbie — obrigada pela viagem de uma vida e as
lembranças que vão durar para sempre; e

para meu amado Tucker — tenho tanto orgulho de você.
Sua aventura mal está começando.

Não, não é meu: é de outro esse machucado.
Eu nunca o teria suportado. Então pegue o
que aconteceu, esconda e mantenha enterrado.
Afaste a luz...
Noite.

Anna Akhmatova

Prólogo
1972

ÀS MARGENS DO PODEROSO RIO COLÚMBIA, naquela estação gelada quando cada respiração fica visível, o pomar chamado Belye Nochi estava quieto. Macieiras dormentes estendiam-se até onde a vista alcança, as raízes fortes e retorcidas bem profundas no solo frio e fértil. À medida que a temperatura caía e a cor sumia da terra e do céu, a paisagem embranquecida causava uma espécie de cegueira de inverno; um dia ficava impossível de distinguir do outro. Tudo congelava, ficando frágil.

Em lugar algum a quietude era mais perceptível do que na casa de Meredith Whitson. Aos 12, ela já havia descoberto os espaços vazios que cresciam entre as pessoas. Ela ansiava que sua família fosse como aquelas que via na televisão, nas quais tudo parecia perfeito e todos se entendiam. Ninguém, nem mesmo seu amado pai, compreendia como ela costumava se sentir solitária entre aquelas quatro paredes, sentindo-se invisível.

Mas, amanhã à noite, tudo isso ia mudar.

Ela tinha imaginado um plano brilhante. Escrevera uma peça baseada em um dos contos de fadas da mãe e a apresentaria na festa anual de Natal. Era exatamente o tipo de coisa que acontecia em um episódio da *Família Dó-Ré-Mi*.

— Por que eu não posso ser a estrela? — Nina reclamou. Era pelo menos a décima vez que ela fazia essa pergunta desde que Meredith terminara o roteiro.

Meredith virou-se na cadeira e olhou para a irmãzinha de 9 anos, que estava ajoelhada no assoalho de madeira do quarto delas, pintando um castelo verde--menta em uma colcha velha.

Meredith mordeu o lábio inferior, tentando não franzir a testa. O castelo estava muito esquisito, não estava certo de jeito nenhum.

— Temos mesmo que falar nisso de novo, Nina?

— Mas *por que* não posso ser uma camponesa que se casa com o príncipe?

— Você sabe por quê. Jeff vai ser o príncipe e ele tem 13 anos. Você ia parecer uma boba do lado dele.

Nina colocou o pincel na lata de sopa vazia e sentou-se sobre os calcanhares. Com o cabelo preto cortado curto, os olhos verdes brilhantes e a pele pálida, ela parecia um perfeito duende.

— Eu posso ser a princesa no ano que vem?

— Pode apostar — Meredith sorriu. Adorava a ideia de que estivesse criando uma tradição familiar. Todos os seus amigos tinham tradições, mas não os Whitson; eles sempre haviam sido diferentes. Não havia grupos de parentes que vinham à casa deles para os feriados de fim de ano, não havia peru no Dia de Ação de Graças nem pernil na Páscoa, não havia orações que fossem sempre repetidas. Puxa vida, elas nem mesmo sabiam qual era a idade da mãe delas.

Isso porque Mamãe era russa e estava sozinha nesse país. Ou pelo menos fora isso o que Papai dissera. Mamãe não falava muito sobre si mesma.

Uma batida na porta surpreendeu Meredith. Ela ergueu o rosto e viu Jeff Cooper e seu pai entrarem no quarto.

Meredith sentiu como se um daqueles imensos e fofos balões se enchesse lentamente de ar, assumindo uma nova forma com cada sopro, e nesse caso o sopro era Jeffrey Cooper. Haviam sido melhores amigos desde o quarto ano, mas ultimamente estava diferente ficar perto dele. Excitante. Às vezes, quando ele a olhava, ela mal conseguia respirar.

— Você chegou bem na hora do ensaio.

Ele lhe dirigiu um dos sorrisos que faziam seu coração parar.

— Só não conte pro Joey e pros outros caras. Eles iam acabar comigo por causa disso.

— Sobre o ensaio — disse o pai, adiantando-se. Ele ainda estava com a roupa do trabalho, um conjunto marrom com colarinho e mangas decorados em laranja. Surpreendentemente, não havia sorriso algum escondido por trás do imenso bigode negro, nem nos olhos. Ele pegou o roteiro. — É essa a peça que vocês vão fazer?

Meredith levantou-se da cadeira.

— Você acha que ela vai gostar?

Nina também se levantou. Seu rosto em formato de coração estava muito solene, o que era incomum.

— Ela vai?

Os três se entreolharam por cima do castelo verde no estilo de Picasso e das roupas sobre a cama. A verdade que compartilhavam, apenas com os olhares, era que Anya Whitson era uma mulher fria; todo o calor que demonstrava era dirigido ao marido. Muito pouco dele alcançava as filhas. Quando eram menores, Papai tentara fingir que não era assim, tentara desviar a atenção delas como se fosse um mágico, iludindo-as com o brilho de sua própria afeição, mas, como ocorre com todas as ilusões, a verdade acabara aparecendo por trás dela.

Então eles sabiam muito bem o que Meredith estava perguntando.

— Eu não sei, Meredoodle — disse Papai, pegando os cigarros no bolso. — As histórias da sua mãe...

— Eu adoro quando ela conta — disse Meredith.

— É só nessa hora que ela fala com a gente — acrescentou Nina.

Papai acendeu um cigarro e olhou para elas através das ondas de fumaça cinza, franzindo a testa.

— Sim — ele disse, exalando. — É só que...

Meredith se aproximou do pai, tomando cuidado para não pisar na pintura. Ela entendia a hesitação dele; nenhum deles nunca sabia realmente o que deixaria Mamãe animada, mas dessa vez Meredith estava certa de que tinha a resposta. Se havia algo que a mãe adorava era aquele conto de fadas sobre a agitada camponesa que ousava estar apaixonada por um príncipe.

— Só leva dez minutos, pai. Eu cronometrei. Todo mundo vai gostar.

— Então está bem — ele disse por fim.

a onda de orgulho e esperança. Pela primeira vez, não passaria algum canto escuro da sala ou na cozinha lavando pratos. Em vez disso, estaria no centro da atenção da mãe. A peça provaria que Meredith escutara cada uma das preciosas palavras que Mamãe já havia dito, mesmo aquelas pronunciadas com suavidade, no escuro, na hora da história.

Durante a hora seguinte, Meredith dirigiu seus atores ao longo da peça, apesar de que apenas Jeff realmente precisava de ajuda. Ela e Nina tinham escutado esse conto de fadas durante anos.

Mais tarde, quando o ensaio havia terminado e cada um tinha ido para um lado, Meredith continuou trabalhando. Fez um cartaz que dizia APENAS UMA NOITE: UMA GRANDE PEÇA PARA AS FESTAS e, embaixo, os nomes deles três. Ela retocou o fundo pintado (era impossível consertar inteiramente; Nina sempre pintava para fora das linhas) e então o colocou na sala. Quando o cenário ficou pronto, acrescentou lantejoulas à saia da roupa de balé transformada em vestido de princesa que vestiria no final. Eram quase 2 da manhã quando foi para a cama e, mesmo assim, estava tão animada que levou um longo tempo para conseguir dormir.

O dia seguinte pareceu passar lentamente, mas por fim, às 6 da tarde, os convidados começaram a chegar. Não era uma grande multidão, apenas as pessoas de sempre: homens e mulheres que trabalhavam no pomar e suas famílias, alguns vizinhos e a única parente viva de Papai, a irmã dele, Dora.

Meredith sentou-se no alto da escada, olhando para a porta de entrada abaixo. Não conseguia evitar ficar batendo com o pé no degrau, imaginando quando deveria agir.

Bem quando estava a ponto de se levantar, ouviu um barulho de bater e raspar.

Ah, não. Ela levantou depressa e desceu, mas era tarde demais.

Nina estava na cozinha, batendo numa panela com uma colher de metal e gritando:

— Está na hora do *show*! — Ninguém sabia como roubar os holofotes tão bem quanto Nina.

Ouviram-se risadas enquanto os convidados iam da cozinha para a sala, onde a pintura do castelo estava pendurada em uma tela de filme de alumínio montada ao lado da imensa lareira. À direita havia uma imensa árvore de Natal, decorada com luzes da loja de conveniência e ornamentos que Nina e Meredith tinham feito ao longo dos anos. Diante da pintura ficava o "palco" delas: uma pequena ponte de madeira apoiada no assoalho e um poste de luz feito de cartão, com uma lanterna presa no alto com fita prateada.

Meredith baixou a intensidade das luzes da sala, ligou a lanterna e então se abaixou por trás do fundo pintado. Nina e Jeff já estavam ali, em seus trajes.

Havia pouca privacidade ali. Inclinando-se para o lado, podia ver vários dos convidados e eles podiam vê-la, mas ainda assim a sensação era de estar separada. Quando o ruído na sala diminuiu, Meredith respirou fundo e começou a narração que havia composto com tanto esforço:

— O nome dela é Vera, e ela é uma camponesa pobre, uma ninguém. Ela vive num reino mágico chamado Reino das Neves, mas seu mundo amado está morrendo. Algo ruim chegou a essa terra; ele avança pelas ruas calçadas de pedra em carruagens negras enviadas por um cavaleiro negro malvado que quer destruir tudo.

Meredith fez sua entrada, tomando cuidado ao pisar no palco para não tropeçar na saia longa com várias camadas. Passou os olhos pelos convidados e viu a mãe no fundo da sala, conseguindo ficar sozinha mesmo naquela multidão, o rosto lindo distorcido pela fumaça de cigarro. E, para variar, ela olhava diretamente para Meredith.

— Vamos, irmã — Meredith disse alto, movendo-se para o poste de luz. — Não podemos deixar esse frio nos deter.

Nina saiu de trás da cortina. Usando uma camisola velha, ela torceu as mãos e olhou para Meredith.

— Você acha que é o Cavaleiro Negro? — ela gritou alto demais, arrancando uma risada da multidão. — É a mágica ruim dele que deixa tudo tão frio?

— Não, não. Eu estou sentindo frio por causa da ausência do nosso pai. Quando ele vai voltar? — Meredith levou as costas da mão à testa e suspirou de forma dramática. — As carruagens estão por todos os lados atualmente. O Cavaleiro Negro está ficando mais forte... as pessoas se transformam em fumaça diante dos nossos olhos...

— Veja — Nina disse, apontando para o castelo pintado. — É o príncipe... — Ela conseguiu parecer reverente.

Jeff avançou para seu posto no pequeno palco. Em seu paletó esportivo azul e jeans, com uma coroa dourada barata no cabelo loiro cor de trigo, ele parecia tão lindo que por um momento Meredith não conseguiu se lembrar de suas falas. Ela sabia que ele se sentia embaraçado e desconfortável — o vermelho nas faces dele deixava isso bem claro —, mas ainda assim ali estava ele, provando como era um bom amigo. E estava sorrindo ao olhá-la, como se ela fosse mesmo uma princesa. Ele estendeu um par de rosas de seda.

— Tenho duas rosas para você — disse ele para Meredith, a voz falhando.

Ela tocou a mão dele, mas antes que pudesse dizer sua fala ouviu-se um barulho alto.

Meredith se virou, vendo a mãe no meio dos convidados, imóvel, o rosto pálido, os olhos azuis faiscando. Sangue escorria de sua mão. Ela havia quebrado o copo de coquetel e mesmo dali Meredith podia ver um caco de vidro fincado na mão dela.

— Chega — disse a mãe em tom ríspido. — Isso não é entretenimento para uma festa.

Os convidados não sabiam o que fazer; alguns levantaram, outros permaneceram sentados. A sala ficou em silêncio.

Papai foi até Mamãe. Colocou o braço em torno dela e a puxou para si. Ou tentou fazê-lo; ela não cedeu, nem mesmo para ele.

— Eu nunca deveria ter contado para vocês esses ridículos contos de fadas — Mamãe disse, o sotaque russo acentuado por causa da raiva. — Esqueci como meninas podem ser românticas e cabeça oca.

Meredith sentia-se tão humilhada que não conseguia se mover.

Ela viu o pai conduzir a mãe para a cozinha, onde provavelmente a levou direto para a pia e começou a limpar a mão dela. Os convidados saíram como se ali fosse o Titanic e estivessem correndo para os botes salva-vidas localizados logo após a porta da frente.

Apenas Jeff olhou para Meredith, e ela viu como ele se sentia envergonhado por ela. Ele olhou para ela, ainda segurando as duas rosas.

— Meredith...

Ela passou por ele e correu para fora da sala. Parou em um canto escuro no final do corredor e ficou ali, respirando depressa, os olhos queimando com as lágrimas. Podia ouvir a voz do pai vindo da cozinha; ele tentava acalmar a raiva da esposa. Um minuto depois, a porta se fechou e ela soube que Jeff tinha ido para casa.

— O que você fez? — Nina perguntou baixinho, parando ao lado dela.

— Quem sabe? — Meredith disse, enxugando os olhos. — Ela é uma vaca!

— Isso é um palavrão.

Meredith percebeu o tremor na voz de Nina e entendeu a força que ela fazia para não chorar. Então, estendeu a mão e segurou a dela.

— O que nós fazemos agora? Vamos lá nos desculpar?

Meredith não conseguia parar de pensar na última vez que deixara a mãe brava e tinha ido se desculpar.

— Ela não vai ligar. Pode acreditar.

— Então, o que fazemos?

Meredith tentou ser tão madura quanto se sentia naquela manhã, mas a confiança tinha sumido. Sabia o que aconteceria: Papai acalmaria Mamãe e então iria ao quarto delas e as faria rir e as abraçaria com seus braços grandes e fortes e diria que a mãe as amava de verdade. Quando terminasse com as piadas e histórias, Meredith desejaria desesperadamente acreditar nelas. Novamente.

— Eu sei o que eu vou fazer — ela disse, avançando pelo corredor até a cozinha, até conseguir enxergar a mãe, apenas as costas do vestido esguio de veludo negro e o braço pálido, e o cabelo branco, muito branco. — Eu nunca mais vou ouvir os estúpidos contos de fadas dela novamente.

Não sabemos como dizer adeus:
vagamos, ombro a ombro.
O sol já está se pondo;
você é temperamental. Eu sou sua sombra.

ANNA AKHMATOVA

1

2000

É ASSIM QUE SÃO OS 40? Mesmo? No ano anterior, Meredith tinha passado de senhorita para senhora. Assim, sem mais, sem qualquer transição. Pior ainda, sua pele começara a perder a elasticidade. Havia algumas rugas em locais que costumavam ser lisos. O pescoço estava mais cheio, não havia dúvida disso. Ainda não estava grisalha; era a única coisa boa. O cabelo castanho, com um corte simples na altura dos ombros, continuava cheio e brilhante. Mas os olhos a entregavam. Parecia cansada. E não só às 6 da manhã.

Ela afastou-se do espelho, tirou a camiseta velha e vestiu um moletom preto, meias até os tornozelos e uma blusa preta de mangas compridas. Prendendo o cabelo em um rabo de cavalo, saiu do banheiro e entrou no quarto escuro, onde o som suave do roncar do marido a fazia quase querer voltar para a cama. Nos velhos tempos ela teria feito exatamente isso, teria se deitado bem encostada nele.

Saindo do quarto, fechou a porta com cuidado e seguiu pelo corredor na direção da escada.

À luz fraca de duas luminárias noturnas muito antigas, passou pelas portas fechadas dos quartos das crianças. Não que ainda fossem crianças. Jillian estava com 19, no segundo ano na Universidade da Califórnia, sonhando em ser doutora, e Maddy — o bebê de Meredith — com 18 e caloura na Vanderbilt. Sem elas, a casa — e a vida de Meredith — pareciam mais vazias e quietas do que esperava. Durante quase 20 anos havia se devotado a ser o tipo de mãe que não tinha tido, e dera certo. Ela e as filhas eram as melhores amigas. A ausência delas a deixava à deriva, um pouco sem propósito. Ela sabia que isso era besteira. Não era como se não tivesse muito que fazer. Apenas sentia falta das garotas; era só isso.

Seguiu em frente. Ultimamente, esse parecia ser o melhor modo de lidar com as coisas.

Lá embaixo, parou na sala apenas o suficiente para ligar as luzes da árvore de Natal. No canil, os cachorros pularam nela, ganindo e agitando as caudas.

— Luke, Leia, sem pular — ela ordenou aos *huskies*, acariciando as orelhas deles enquanto os levava para a porta dos fundos. Quando a abriu, o ar frio entrou. Havia nevado outra vez naquela noite e, apesar de ainda estar escuro naquela manhã no meio de dezembro, conseguia perceber os contornos da estrada e do campo. Sua respiração formava plumas de vapor.

Quando estavam todos lá fora e em seus caminhos, eram 6h10 e o céu tinha uma cor púrpura cinzenta.

Bem na hora.

Meredith começou a correr lentamente a princípio, aclimatando-se ao frio. Como fazia toda manhã dos dias da semana, correu ao longo da trilha de pedras que saía de sua casa, passava pela casa dos pais e seguia até a estrada de pista única que terminava cerca de um quilômetro e meio colina acima. Dali, ela seguia o caminho até o clube de golfe e volta. Exatamente 6 quilômetros. Era uma rotina que raramente deixava de cumprir; na verdade, não tinha opção. Tudo em Meredith era grande por natureza. Ela era alta, com ombros largos, quadris curvos e pés grandes. Mesmo suas feições pareciam um pouco demais para seu rosto oval pálido — ela tinha uma boca grande tipo Julia Roberts, com grandes olhos castanhos, sobrancelhas cheias e muito cabelo. Apenas o exercício constante, uma dieta vigilante, bons produtos para o cabelo e uma tesoura de tamanho industrial conseguiam manter sua boa aparência.

Quando começou a retornar pela trilha, o sol que se erguia iluminava as montanhas, deixando os picos nevados lavanda e rosa.

De ambos os lados, milhares de macieiras altas e esguias apareciam acima da neve como pontos marrons em tecido branco. Essa área de terreno fértil pertencia à família fazia 50 anos, e ali, no centro de tudo, alta e orgulhosa, ficava a casa na qual havia crescido. Belye Nochi. Mesmo à meia-luz, ela parecia ridiculamente deslocada e ostentadora.

Meredith continuou correndo colina acima, mais e mais depressa, até mal conseguir respirar e sentir uma pontada do lado.

Ela parou diante da varanda de sua casa enquanto o vale enchia-se com luz dourada brilhante. Alimentou os cachorros e em seguida correu escada acima. Estava entrando no banheiro quando Jeff saía de lá. Vestindo apenas uma toalha, com seu cabelo loiro ainda molhado, ele moveu-se para o lado para deixá-la passar e ela fez o mesmo. Nenhum dos dois disse nada.

Às 7h20, ela secava o cabelo e às 7h30 — bem na hora — estava vestida para o trabalho com um jeans negro e uma blusa verde justa. Um pouco de delineador, algum blush e rímel, uma camada de batom, e estava pronta para ir.

Lá embaixo, encontrou Jeff na mesa da cozinha, sentado em sua cadeira habitual, lendo o *The New York Times*. Os cachorros dormiam aos pés dele.

Ela foi até a cafeteira e se serviu.

— Você quer mais?

— Não, obrigado — ele disse sem tirar os olhos do jornal.

Meredith colocou leite de soja em seu café, observando a cor mudar. Ocorreu-lhe que ela e Jeff só se falavam a certa distância, como estranhos — ou parceiros desiludidos. E apenas sobre o trabalho e as crianças. Ela tentou lembrar-se da última vez em que tinham feito amor, mas não conseguiu.

Talvez isso fosse normal. Certamente era normal. Quando se está casado há tanto tempo quanto eles estavam, deveria haver períodos de silêncio. Ainda assim, ficava triste às vezes ao lembrar como costumavam ser apaixonados. Ela estava com 14 anos no primeiro encontro deles (tinham ido assistir a *O Jovem Frankenstein*; ainda era um de seus filmes prediletos) e, para ser honesta, aquela fora a última vez em que ela realmente olhara para outro rapaz. Era estranho quando pensava nisso agora; não se considerava uma mulher romântica, mas tinha se apaixonado praticamente à primeira vista. Ele tinha sido parte dela desde que conseguia se lembrar.

Casaram cedo — cedo demais, na verdade — e ela o seguira para a faculdade em Seattle, trabalhando à noite e nos fins de semana em bares fumacentos para pagar sua educação. Fora feliz no pequeno e apinhado apartamento deles no Distrito U. Então, quando estavam no último ano, ela ficara grávida. Isso a aterrorizara a princípio. Ficara apavorada com a ideia de que poderia ser como a mãe e pensara que ter filhos não seria uma boa ideia. Mas descobrira, para seu grande alívio, que era exatamente o oposto da mãe. Talvez sua juventude tivesse ajudado. Deus sabia que Mamãe não era jovem quando Meredith nascera.

Jeff balançou a cabeça. Foi um movimento mínimo, que mal podia ser chamado de movimento, mas ela viu. Sempre estivera conectada a ele, e ultimamente seus desapontamentos mútuos pareciam criar sons, como um assobio agudo que apenas ela conseguia ouvir.

— O que foi? — ela perguntou.

— Nada.

— Você não balança a cabeça por nada. Qual é o problema?

— Eu lhe fiz uma pergunta.

— Eu não ouvi. Pergunte de novo.

— Não importa.

— Está bem. — Ela pegou seu café e foi para a sala de jantar.

Era algo que tinha feito centenas de vezes, mas ainda assim, quando passou sob a luminária antiquada no teto com seu inútil ramo de visgo de plástico, a visão dela mudou.

Viu a si mesma como que a distância: uma mulher de 40 anos, segurando uma caneca de café, olhando para dois lugares vazios na mesa, depois para o marido que ainda estava ali, e por uma fração de segundo imaginou que outra vida essa mulher poderia ter vivido. E se não tivesse vindo para casa para dirigir o pomar e criar as filhas? E se não tivesse se casado tão jovem? Que tipo de mulher poderia ter se tornado?

E então aquilo sumiu como uma bolha de sabão que estoura, e ela estava de novo no lugar a que pertencia.

— Você vai estar em casa para o jantar?

— Eu não estou sempre?

— Sete horas — ela disse.

— Certamente — ele disse, virando a página. — Vamos marcar uma hora.

MEREDITH ENCONTRAVA-SE À SUA MESA às 8 horas. Como sempre, foi a primeira a chegar e andou pelo espaço do segundo andar acendendo as luzes do depósito transformado em cubículos. Passou pelo escritório do pai — agora vazio —, parando apenas para olhar as placas na porta. Ele havia sido eleito treze vezes como Plantador do Ano e seus conselhos ainda eram procurados pelos competidores de forma regular. Não importava que ele fosse ao escritório apenas ocasionalmente ou que estivesse semiaposentado havia dez anos. Ele ainda era o rosto do pomar Belye Nochi, o homem que fora o pioneiro das maçãs Golden Delicious no começo dos anos 1960, das Granny Smiths nos anos 1970 e das Braeburn e Fuji nos anos 1990. Seus projetos de estocagem a frio tinham revolucionado o negócio e ajudado a tornar possível a exportação das melhores maçãs para os mercados do mundo.

Ela tivera um papel a desempenhar no crescimento e sucesso da empresa, com certeza. Com sua liderança, o armazém de depósito a frio fora expandido e uma grande parte do negócio agora era estocar frutas de outros plantadores.

Ela havia transformado a pequena e velha banca de venda de maçãs em uma loja de presentes que vendia centenas de itens produzidos na região, comidas especiais e lembranças da Belye Nochi. Nessa época do ano — as festas —, quando vagões e mais vagões de trem de turistas desembarcavam em Leavenworth para a famosa cerimônia de iluminar a árvore, mais que alguns deles encontravam o caminho até a loja de presentes.

A primeira coisa que fez foi pegar o telefone para ligar para sua filha mais nova. Já passava das 10 no Tennessee.

— Alô? — gemeu Maddy.

— Bom dia — disse Meredith em tom animado. — Parece que alguém dormiu demais.

— Ah, mãe. Oi. Eu fiquei acordada até tarde ontem. Estudando.

— Madison Elizabeth — era tudo que Meredith precisava dizer para expressar o que queria.

Maddy suspirou

— Certo. Então, foi a festa da Lambda Chi.

— Eu sei como isso é divertido e como você quer experimentar cada momento da faculdade, mas seus primeiros exames são na semana que vem. Na terça de manhã, certo?

— Certo.

— Você precisa aprender a equilibrar o trabalho escolar e a diversão. Então, tire seu traseirinho branco da cama e vá para a aula. É uma habilidade importante ficar nas festas a noite inteira e ainda assim não perder as aulas.

— O mundo não vai acabar se eu perder uma aula de espanhol.

— Madison.

Maddy riu.

— Está bem, está bem. Estou levantando. Introdução ao Espanhol, aqui vou eu. *Hasta la vista... ba-by.*

Meredith sorriu.

— Eu ligo na quinta para descobrir como está sua pronúncia. E ligue para sua irmã. Ela está estressada por causa da prova de química orgânica.

— Certo, mãe. Amo você.

— Amo você também, princesa.

Meredith desligou o telefone sentindo-se melhor. Nas três horas seguintes, ela se lançou no trabalho. Estava relendo o último relatório da safra quando o interfone tocou.

— Meredith? Seu pai na linha 1.

— Obrigada, Daisy. — Ela atendeu a chamada. — Oi, pai.

— Mamãe e eu estamos pensando se você pode vir almoçar conosco hoje.

— Estou atolada aqui, pai...

— Por favor?

Meredith nunca conseguira dizer não para o pai.

— Está bem. Mas eu preciso estar de volta à 1 hora.

— Excelente — ele disse, e ela pôde ouvir o sorriso na voz dele.

Desligando o telefone, ela voltou ao trabalho. Recentemente, com a produção aumentando e a demanda diminuindo, e os custos tanto de exportação quanto de transportes mais altos do que nunca, era comum que passasse os dias apagando um incêndio atrás do outro, e aquele dia não era exceção. Ao meio-dia, uma dor de cabeça causada por estresse de baixo nível rastejara para o espaço na base do crânio e começara a grunhir. Mesmo assim, ela sorriu para os funcionários ao sair do escritório e caminhar pelo armazém frio.

Em menos de dez minutos, estacionava diante da garagem dos pais.

A casa parecia saída de um conto de fadas russo, com sua varanda com aspecto de torre com dois andares e ornamentação elaborada, especialmente nessa época do ano, quando os beirais e corrimãos brilhavam com as luzes de Natal. O telhado de cobre batido hoje estava baço por causa do tempo cinzento de inverno, mas em um dia claro brilhava como ouro líquido. Rodeada por altos e elegantes álamos e situada em uma elevação suave com vista para o vale deles, essa casa era tão famosa que turistas costumavam parar para fotografá-la.

Era coisa da mãe dela construir algo tão absurdamente deslocado. Uma *dacha* russa, ou casa de veraneio, no oeste do Estado de Washington. Até mesmo o nome da fazenda era absurdo. Belye Nochi.

Noites Brancas, realmente. As noites ali eram tão escuras quanto asfalto novo.

Não que Mamãe se importasse com o que estava a seu redor. Ela conseguia o que queria, e isso era tudo. O que quer que Anya Whitson desejasse, o marido dava para ela, e aparentemente ela desejara um castelo de conto de fadas e uma fazenda com um nome russo impronunciável.

Meredith bateu à porta e entrou. A cozinha estava vazia; uma grande panela de sopa fumegava no fogão.

Na sala de estar, a luz passava pelas janelas da parede curva de dois andares de altura no extremo norte da sala — a famosa torre Belye Nochi. As tábuas do assoalho brilhavam com a cera de abelha que Mamãe insistia em usar, apesar de transformar o chão em um rinque de patinação se você ousasse tentar andar ali apenas de meias. Uma imensa lareira de pedra dominava a parede central; aglomerado ao redor dela ficava um conjunto de sofás e poltronas com estofamento rico. Acima da lareira ficava pendurada uma pintura a óleo de uma *troika* russa — uma carruagem de aspecto romântico puxada por um par de cavalos idênticos — atravessando um campo nevado. Puro *Doutor Jivago*. À esquerda havia dúzias de imagens de igrejas russas, e abaixo delas o "Canto Sagrado" da mãe, onde uma mesa abrigava ícones antigos e uma única vela que queimava durante o ano inteiro.

Ela encontrou o pai no fundo da sala, junto da árvore de Natal com muita decoração, em seu lugar favorito. Ele estava estendido sobre as almofadas vinho de pelo de cabra do sofá otomano, lendo. O cabelo, ou o que restava dele aos 85, ficava espetado em tufos brancos na cabeça rosada. Décadas demais sob o sol haviam deixado a pele com pintas e marcas e ele tinha um aspecto de *basset hound* mesmo quando sorria, mas o ar triste não enganava ninguém. Todos amavam Evan Whitson. Era impossível não amá-lo.

Quando ela entrou, o rosto dele se iluminou. Levantando-se, ele apertou as mãos dela levemente e as soltou.

— Sua mãe vai ficar tão feliz em ver você.

Meredith sorriu. Era o jogo que faziam havia muitos anos. Papai fingia que Mamãe amava Meredith e Meredith fingia que acreditava.

— Ótimo. Ela está lá em cima?

— Não consegui mantê-la afastada do jardim esta manhã.

Meredith não ficou surpresa.

— Eu vou buscá-la.

Ela deixou o pai na sala e passou pela cozinha, chegando à sala de jantar formal. Através das portas francesas, viu uma área de solo coberto de neve, com acres de macieiras dormentes a distância. Mais perto, sob os pingentes de gelo nos galhos de uma velha magnólia, ficava o pequeno jardim retangular demarcado por uma cerca de ferro batido. O portão ornado estava coberto por vinhas marrons; quando o verão chegasse, aquele portão seria uma profusão de folhas verdes e flores brancas. Agora ele brilhava com o gelo sobre o metal.

E ali estava ela: sua mãe com oitenta e tantos anos, envolta em cobertores, sentada no banco negro em seu assim chamado jardim de inverno. Uma neve fina começou a cair; minúsculos flocos enevoaram a cena, transformando-a em uma pintura impressionista onde nada parecia sólido o bastante para ser tocado. Arbustos esculpidos e um único banho para pássaros estavam cobertos de neve, dando ao jardim uma aparência estranha, de outro mundo. Como era de se esperar, a mãe encontrava-se sentada no meio daquilo tudo, imóvel, as mãos cruzadas no colo.

Quando criança, aquilo assustara Meredith — toda a solidão da mãe —, mas à medida que crescera isso começara a ser um embaraço, depois a irritara. Uma mulher da idade da mãe não deveria ficar sentada sozinha no frio. A mãe dizia que era por causa de sua visão ruim, mas Meredith não acreditava. Era verdade que os olhos da mãe não processavam cores — ela via apenas em preto e branco e tons de cinza —, mas isso nunca parecera a Meredith, mesmo quando criança, um motivo para ficar olhando para o nada.

Ela abriu a porta e avançou pelo frio. As botas afundavam na neve até os tornozelos; aqui e ali, pedaços mais sólidos faziam barulho ao serem amassados e ela escorregou mais de uma vez.

— Você não deveria estar aqui fora, mãe — disse ela, aproximando-se. — Vai pegar uma pneumonia.

— É preciso mais do que frio para me causar uma pneumonia. Mal está abaixo do ponto de congelamento.

Meredith revirou os olhos. Era o tipo de comentário ridículo que a mãe sempre fazia.

— Eu só tenho uma hora para almoçar, então é melhor você entrar agora. — A voz soou dura na maciez da neve que caía, e ela se contraiu, desejando ter arredondado mais as vogais, ter temperado a voz. O que havia na mãe que fazia emergir o pior nela? — Você sabia que ele me convidou para almoçar?

— Claro — disse a mãe, mas Meredith percebeu a mentira.

A mãe levantou-se do banco com um único movimento fluido, como uma deusa ancestral acostumada a ser reverenciada e adorada. O rosto era incrivelmente liso e sem rugas, a pele impecável e quase translúcida. Ela tinha o tipo de estrutura óssea que deixava as outras mulheres com inveja. Mas eram os olhos que definiam sua beleza. Profundos e rodeados por cílios longos, eram de um maravilhoso tom de água com manchinhas douradas. Meredith tinha certeza de que qualquer um que tivesse visto aqueles olhos jamais os esqueceria. Que ironia que aqueles olhos com tons tão impressionantes não conseguissem ver cores.

Meredith segurou o cotovelo da mãe e a conduziu pelo jardim; só então, enquanto caminhavam, foi que ela notou que as mãos da mãe não tinham proteção alguma e estavam azuis.

— Meu Deus. Suas mãos estão azuis. Você devia usar luvas neste frio...

— Você não sabe o que é frio.

— Certo, mãe. — Meredith conduziu a mãe para os degraus dos fundos e para dentro do calor da casa. — Talvez fosse melhor você tomar um banho para se aquecer.

— Não quero me aquecer, obrigada. Hoje é catorze de dezembro.

— Está bem — disse Meredith, observando a mãe ir trêmula até o fogão para mexer a sopa. O cobertor velho de lã cinza caiu no chão, amontoando-se ao redor dela.

Meredith pôs a mesa, e durante alguns momentos preciosos houve ruídos na cozinha, pelo menos algo que se aproximava de um relacionamento.

— Minhas meninas — disse Papai, entrando na cozinha. Ele parecia pálido e delicado, os ombros antes largos agora caídos e reduzidos a nada pela perda de peso. Adiantando-se, ele colocou uma mão no ombro de cada uma das mulheres, puxando Meredith e a mãe para mais perto. — Eu adoro quando estamos juntos para almoçar.

Mamãe sorriu de forma tensa.

— Eu também — disse ela naquela voz contida e com sotaque.

— E eu também — disse Meredith.

— Bom. Bom — Papai assentiu e foi para a mesa.

Mamãe levou uma bandeja de fatias de pão de milho com queijo feta ainda quentes e cobertas com manteiga, colocou uma fatia em cada prato e então pegou os pratos de sopa.

— Andei pelo pomar hoje cedo — Papai disse.

Meredith assentiu e sentou-se ao lado dele.

— Imagino que reparou no fundo do Campo A?

— Sim. Aquela encosta está nos dando algum trabalho.

— Coloquei Ed e Amanda nisso. Não se preocupe com a colheita.

— Eu não estou preocupado. Estava pensando em outra coisa.

Ela tomou um pouco da sopa; estava forte e deliciosa. Almôndegas de cordeiro feitas em casa em um caldo de açafrão saboroso e sedosos ovos de macarrão. Se não tivesse muito cuidado, tomaria a sopa toda e teria que correr mais um quilômetro e meio de tarde.

— É mesmo?

— Quero mudar aquele campo para uvas.

Meredith baixou a colher lentamente.

— Uvas?

— As Golden Delicious não são mais nossas melhores maçãs. — Antes que ela pudesse interromper, ele ergueu a mão. — Eu sei. Eu sei. Construímos este lugar com as Golden Delicious, mas as coisas mudam. Diabos, estamos quase em 2001, Meredith; vinho é o melhor agora. Acho que podemos fazer vinho congelado e colher bem na última hora.

— Atualmente, pai? Os mercados asiáticos estão ficando mais apertados e está nos custando uma fortuna transportar nossas frutas. A competição está aumentando. Nossos lucros caíram 12% no ano passado e este ano não está parecendo melhor. Mal estamos nos aguentando.

— Você devia escutar seu pai — Mamãe disse.

— Ah, por favor, mãe. Você não entrou no armazém desde que modificamos o sistema de resfriamento. E quando foi a última vez que olhou para um relatório de final de ano?

— Chega — disse Papai com um suspiro. — Não quero começar uma discussão.

Meredith levantou.

— Eu preciso voltar para o trabalho.

Levando o prato para a pia, Meredith o lavou. Então, colocou o que sobrara da sopa em uma Tupperware, guardou-a na geladeira incrivelmente cheia e lavou a panela. Ela bateu no filtro, produzindo um barulho que pareceu muito alto na cozinha silenciosa.

— Estava uma delícia, mãe. Obrigada. — Ela se despediu rapidamente e saiu da cozinha. Na entrada, vestiu novamente o casaco. Estava na varanda, respirando o ar frio e cortante, quando o pai surgiu atrás dela.

— Você sabe como ela fica em dezembro e janeiro. Os invernos são duros para ela.

— Eu sei.

Ele a abraçou com força.

— Vocês duas têm que tentar mais.

Meredith não conseguiu evitar ficar magoada com o comentário. Ela o ouvira a vida toda; só por uma vez, desejava que ele dissesse que Mamãe tinha que tentar mais.

— Eu vou — ela disse, completando o pequeno conto de fadas deles como sempre fazia. E ela tentaria. Sempre tentava, mas ela e a mãe jamais seriam próximas. Tinha passado muita água sob a ponte. — Amo você, pai — disse ela, beijando-o no rosto.

— E eu amo você, Meredoodle. — Ele sorriu. — E pense nas uvas. Talvez eu consiga ser um vinicultor antes de morrer.

Ela odiava piadas como essa.

— Muito engraçado. — Virando-se, ela foi até o carro e ligou o motor. Engatando a ré no SUV, fez a manobra. Através do rendilhado da neve no para-brisa, viu os pais pela janela da sala. Papai abraçou Mamãe e a beijou. Eles começaram a dançar de forma hesitante, apesar de provavelmente não haver música tocando. O pai não precisava de música; ele sempre dizia que carregava músicas românticas no coração.

Meredith dirigiu para longe da cena íntima, mas a lembrança do que vira permaneceu com ela. Durante o restante do dia, enquanto analisava diferentes aspectos da operação, procurando modos de maximizar o lucro, e enquanto atravessava intermináveis reuniões e remarcava reuniões, descobriu-se lembrando como os pais pareciam apaixonados.

A verdade era que nunca conseguira compreender como uma mulher podia ser capaz de adorar apaixonadamente o marido enquanto ao mesmo tempo desprezava as filhas. Não, isso não era verdade. A mãe não desprezava Meredith e Nina. Ela apenas não se importava com elas.

— Meredith?

Ela ergueu o rosto subitamente. Por um instante, estivera tão perdida em sua própria vida que esquecera onde estava. Em sua mesa. Lendo um relatório sobre insetos.

— Ah, Daisy. Desculpe. Acho que não ouvi você bater.

— Estou indo para casa.

— Já está tarde assim? — Meredith olhou para o relógio. Eram 6h37. — Merda. Quer dizer, que droga. Estou atrasada.

Daisy deu uma risada.

— Você sempre fica até mais tarde.

Meredith começou a organizar os papéis em pilhas perfeitas.

— Dirija com cuidado, Miss Daisy — era uma piada velha, mas as duas sorriram —, e lembre-se que Josh, da Comissão da Maçã, estará aqui às nove para uma reunião. Precisaremos de *donuts* e café.

— Pode deixar. Boa noite.

Meredith arrumou a mesa para o dia seguinte e saiu.

A neve caía com mais ímpeto agora, enevoando a visão através do para-brisa. Os limpadores moviam-se o mais depressa que conseguiam, mas ainda estava difícil de enxergar. Cada par de faróis vindo na direção contrária a cegava por um momento. Apesar de conhecer aquela estrada como a palma de sua mão, diminuiu a velocidade e ficou mais perto do acostamento. Lembrou-se da única vez em que tentara ensinar Maddy a dirigir na neve. A recordação a fez sorrir. *É neve, mãe. Não é gelo negro. Não tenho que guiar assim devagar. Eu poderia ir mais depressa a pé.*

Assim era Maddy. Sempre com pressa.

Em casa, Meredith bateu a porta ao passar e correu para a cozinha. Uma olhada rápida no relógio informou que estava atrasada. De novo. Ela colocou a bolsa no balcão.

— Jeff?

— Estou aqui.

Seguiu a voz dele até a sala. Ele estava sentado ao bar que haviam instalado no final dos anos 1980, preparando uma bebida.

— Desculpe eu estar atrasada, a neve...

— Sim — disse ele. Os dois sabiam que ela tinha saído muito tarde do escritório. — Você quer uma bebida?

— Claro. Vinho branco. — Ela o olhou, sem saber o que sentia. Ele estava mais lindo do que nunca, com o cabelo loiro escuro que só agora começava a ficar grisalho nas têmporas, um queixo forte e quadrado, e olhos cinza-aço que sempre pareciam estar sorrindo. Ele não malhava e comia como um cavalo, mas continuava a ter um daqueles corpos secos, em estado natural, que pareciam não envelhecer nunca. Estava vestido em seu estilo habitual — jeans Levi's desbotado e uma velha camiseta do Pearl Jam.

Ele entregou a ela uma taça de vinho.

— Como foi seu dia?

— Papai quer plantar uvas. E Mamãe estava no jardim de inverno novamente. Ela vai pegar uma pneumonia.

— Sua mãe é mais fria que qualquer campo nevado.

Por um momento, ela sentiu os anos que os uniam, todas as conexões criadas pelo tempo. Ele formara uma opinião sobre a mãe dela mais de duas décadas atrás e nada acontecera para mudá-la.

— Amém para isso. — Ela se encostou na parede. De repente, o padrão louco/agitado/apressado do dia — da semana, do mês — caiu sobre ela e Meredith fechou os olhos.

— Escrevi um capítulo hoje. É curto. Apenas cerca de sete páginas, mas acho que está bom. Fiz uma cópia para você. Meredith? Mere?

Ela abriu os olhos e percebeu que ele a fitava. Uma pequena ruga cortava a pele entre os olhos, fazendo-a imaginar se ele havia dito alguma coisa importante. Tentou lembrar, mas não conseguiu.

— Desculpa. O dia foi longo.

— Você vem tendo muitos desses dias ultimamente.

Ela não podia dizer se havia um tom de acusação na voz dele ou se era apenas honestidade.

— Você sabe como é o inverno.

— E a primavera. E o verão.

Ali estava a resposta: acusação. Até o ano passado ela teria perguntado o que estava errado entre eles. Teria dito como se sentia perdida nas minúcias cinzentas de seu dia a dia e como sentia falta das meninas. Mas ultimamente esse tipo de intimidade parecia impossível. Não sabia dizer direito como acontecera, ou quando, mas a distância parecia estar se espalhando entre eles como tinta derramada, manchando tudo.

— Sim, acho que sim.

— Vou para o escritório — ele disse subitamente, pegando a jaqueta que deixara no encosto de uma cadeira.

— Agora?

— Por que não?

Ela imaginou se aquilo era mesmo uma pergunta. Ele queria que o detivesse, que desse uma razão para ficar, ou queria mesmo ir? Não estava certa e, realmente, não se importava no momento. Seria bom tomar um banho quente e beber uma taça de vinho e não ter que tentar pensar no que dizer no jantar. Seria ainda melhor não ter que fazer o jantar. — Nenhum motivo.

— Sim — disse ele, beijando-a no rosto. — Foi o que pensei.

2

Foram duas semanas avançando pela floresta até encontrar o alvo.

Insetos os alertaram; e o cheiro de morte.

Nina parou ao lado do guia que a conduzira até ali. Por um instante terrível, ela experimentou aquilo tudo: as moscas voando na clareira, os vermes que deixavam a carcaça sangrenta quase branca em alguns pontos, a imobilidade da selva africana que significava que predadores e limpadores estavam por perto, observando.

Então, começou a compartimentar a cena, vendo-a como uma fotógrafa. Pegou o fotômetro e fez uma verificação rápida. Quando terminou, escolheu uma das três câmeras penduradas no pescoço e focou o corpo destruído e sangrento do gorila da montanha.

Clique.

Ela andou ao redor, mantendo o foco e tirando fotos. Mudando de câmera, ajustando lentes, verificando a luz. Sua adrenalina começou a surgir. Era o único momento em que se sentia realmente viva, quando estava tirando fotos. Seu olho era seu grande dom; isso e sua habilidade de se separar do que estava acontecendo ao redor. Não se podia ter uma coisa sem a outra. Para ser uma grande fotógrafa, era preciso ver antes e sentir depois.

Parou um momento para colocar mais Vicks sob o nariz e se abaixou mais para focalizar o pescoço cortado. Vindo de algum lugar, ouviu o barulho de alguém vomitando; era provavelmente o jovem jornalista que a acompanhava. Mas não se preocuparia com isso agora.

Clique. Clique.

Os ladrões queriam apenas cabeça, mãos e pés. Os itens que davam dinheiro. Havia lugares no mundo onde a mão de um gorila virava um cinzeiro na biblioteca de algum imbecil rico.

Clique. Clique.

Durante a hora seguinte, Nina focou e disparou, mudando de câmera e lentes sempre que precisava, colocando os filmes usados nas caixinhas e rotulando-as antes de guardá-las no colete cheio de bolsos. Quando finalmente o crepúsculo chegou, eles começaram a longa, quente e escorregadia caminhada de volta através da selva. O ar estava eletrificado com os sons — insetos, aves, macacos — e o céu da cor de sangue fresco. Um sol cor de laranja brincava de esconde-esconde por trás das árvores. Apesar de eles todos conversarem enquanto caminhavam na vinda, o retorno foi feito em silêncio, solene. Aquele momento depois das fotos era sempre o pior para Nina. Às vezes, era difícil esquecer o que havia visto. Era comum, no meio da noite, que as imagens voltassem como pesadelos e a acordassem do sono profundo. Ela despertava com lágrimas no rosto mais vezes do que gostava de admitir.

No sopé da montanha, o grupo chegou ao pequeno posto que servia de cidade nessa parte remota de Ruanda. Ali, subiram no jipe e viajaram por várias horas até o centro de conservação, onde fizeram mais perguntas e ela tirou mais fotos.

— Senhorita Nina?

Ela estava parada junto da porta central, limpando uma lente, quando ouviu alguém dizer seu nome. Afastando a câmera, ergueu os olhos e viu o guia principal ali, a seu lado. Ela sorriu o mais abertamente que conseguiu, considerando o quanto estava cansada.

— Olá, senhor Dimonsu.

— Desculpe incomodar quando coisas urgentes estão acontecendo, mas esquecemos de dar o recado de um telefonema muito importante. Da senhorita Sylvie. Ela disse para você ligar.

— Obrigada.

Nina pegou o grande telefone via satélite na mochila e levou o equipamento para uma área aberta no centro do acampamento. Uma rápida verificação da bússola indicou a direção onde estava o satélite. Ela desdobrou o prato da antena e o colocou no chão, apontado para 60 graus a nordeste. Então, conectou o fone ao prato e o ligou. Um painel de cristal líquido piscou e ganhou vida em um tom de laranja, indicando que o sinal estava forte. Quando ficou tudo certo, ela fez a chamada.

— Ei, Sylvie — disse ela quando a editora atendeu —, consegui as fotos dos ladrões hoje. Canalhas doentes. Me dá mais, digamos, dez dias para elas chegarem até você?

— Você tem seis dias. Estamos pensando na capa.

A capa. Suas duas palavras prediletas. Algumas mulheres gostam de diamantes; ela gostava da capa da revista *Time*. Ou da *National Geographic*. Não era exigente. Na verdade, esperava um dia conseguir a capa e 16 páginas para seu ensaio fotográfico intitulado "Mulheres lutadoras ao redor do mundo". Seu grande projeto. Assim que terminasse — o que quer que *isso* quisesse dizer —, ela o apresentaria como *freelance*.

— Pode deixar. E depois vou encontrar Danny na Namíbia.

— Garota de sorte. Faça sexo por mim. Mas esteja pronta para voltar na sexta que vem. A violência na Serra Leoa está crescendo novamente. As reuniões diplomáticas estão desmontando. Quero você aqui antes do Natal.

— Você me conhece — Nina disse. — Estou pronta para voar a qualquer instante.

— Eu não vou ligar a não ser que a guerra comece. Eu juro — disse Sylvie. — Agora, vá transar enquanto tento lembrar como é isso.

ALGUNS DIAS MAIS TARDE, Nina encontrava-se na Namíbia, em um Land Rover alugado, com Danny na direção.

Eram apenas 7 da manhã e o sol de dezembro já estava forte e quente. À 1 da tarde, a temperatura estaria perto dos 45 graus, talvez até mais quente. A estrada — se era possível chamá-la assim — era realmente um rio de areia grossa cinza-avermelhada que sugava os pneus do carro e os empurrava primeiro para um lado e depois para o outro. Nina segurou-se na maçaneta da porta e sentou-se empertigada, tentando fazer o corpo trabalhar como um amortecedor, acompanhando o movimento.

Usou a outra mão para segurar a câmera pendurada para a alça não beliscar seu pescoço. Havia uma camiseta enrolada ao redor da câmera e da lente — não era uma forma muito profissional de combater a poeira, mas, em todos os seus anos na África, provara ser o melhor equilíbrio entre proteção e eficiência de uso. Ali, às vezes, tinha-se apenas um instante para pegar a máquina e tirar uma foto. Não dava para ficar lutando com alças e capas.

Ela olhou para a paisagem desolada e quente. À medida que as horas passavam, levando-os para mais e mais distante de qualquer semelhança com a civilização e penetrando mais na última zona realmente selvagem do sul da África, ela notou mais manadas de animais famintos junto dos leitos de rios secos. No calor desse verão, eles estavam de joelhos, morrendo onde se encontravam enquanto esperavam as chuvas chegarem. Viam-se ossos brancos por todos os lados.

— Você tem certeza de que quer encontrar os himbas? — perguntou Danny, lançando-lhe um sorriso quando deslizaram de lado e quase ficaram atolados na areia. O pó no rosto dele fez os dentes brancos e os olhos azuis parecerem incrivelmente brilhantes. O pó cobria também o cabelo negro até os ombros e a camisa. — Não tivemos uma semana para nós mesmos em meses.

A assim chamada estrada ficou melhor novamente, e ela ergueu a câmera, estudando-o através do visor. Focando nele, ampliou o campo de visão apenas um pouquinho e o viu tão claramente como se fosse um estranho: um atraente irlandês de 39 anos com malares salientes e um nariz que fora quebrado mais de uma vez. *Brigas em* pubs *quando era jovem*, ele sempre dizia, e agora, quando estava olhando para a frente, concentrado na estrada, ela pôde ver as pequenas rugas ao redor da boca dele. Estava preocupado que pudesse ter seguido uma indicação ruim e pegado a estrada errada, apesar de que jamais admitiria algo assim. Ele era um correspondente de guerra e estava acostumado a estar "na merda", como gostava de dizer; sabia como seguir uma história até o inferno, se fosse preciso. Apesar de aquilo não ser uma história.

Ela bateu a foto. Ele lhe lançou um sorriso e ela tirou outra.

— Da próxima vez que quiser fotografar mulheres, eu sugiro garçonetes em um clube de *striptease*.

Nina riu e pôs a câmera no colo outra vez, colocando a tampa na lente.

— Eu lhe devo uma.

— Deve mesmo, amor, e eu vou cobrar, pode ter certeza.

Nina se recostou no assento velho e desconfortável, tentando não fechar os olhos, mas estava cansada. Depois de duas semanas perseguindo ladrões na selva e quatro semanas antes em Angola assistindo a pessoas se matarem, sentia-se completamente exausta.

Mas, ainda assim, amava aquilo. Não havia outro lugar no mundo onde preferisse estar e nenhuma outra coisa que quisesse fazer mais que aquela. Encontrar "a" foto era uma aventura cheia de adrenalina, uma da qual nunca se cansava, não importavam os sacrifícios que precisasse fazer ao longo do caminho. Ela soubera disso 16 anos antes, aos 21, quando, com um diploma de jornalismo debaixo do braço e uma câmera usada na mochila, havia saído em busca de seu destino.

Por um tempo, aceitara qualquer trabalho que precisasse de uma fotógrafa, mas em 1985 tivera uma grande chance. No Live Aid, um concerto para ajudar os famintos, conhecera Sylvie Porter, então uma editora novata da *Time,* e Sylvie a apresentara a um mundo diferente. No momento seguinte, Nina estava a caminho da Etiópia. O que vira lá mudara tudo.

Quase imediatamente, suas fotos deixaram de ser apenas imagens e começaram a contar histórias. Em 1989, quando o tufão Gay atingira a Tailândia, deixando mais de 100 mil pessoas sem casa, fora a foto de Nina de uma única mulher, com água suja até o pescoço, carregando um bebê que chorava acima da cabeça, que ilustrara a capa da revista *Time.* Dois anos depois, ela vencera o Prêmio Pulitzer por sua cobertura da fome no Sudão.

Não que fosse fácil, essa carreira dela.

Como a tribo himba dessa região, ela precisara se tornar uma nômade. Colchões macios, lençóis limpos e água corrente eram luxos sem os quais aprendera a viver.

— Olhe. Ali — Danny disse, apontando.

A princípio, tudo que viu foi o céu laranja e vermelho, cheio de poeira. O mundo parecia queimar e cheirava a fumaça. Aos poucos, as silhuetas sobre uma encosta foram se materializando na forma de pequenas pessoas, em pé, olhando lá para baixo para o Land Rover sujo e seus tripulantes ainda mais sujos.

— São eles? — perguntou ele.

— Devem ser.

Assentindo, ele percorreu o resto da distância até a encosta e, na curva de um leito seco do rio, parou o carro e desceu.

A tribo himba permaneceu a distância, observando.

Danny caminhou lentamente, sabendo que o chefe se apresentaria. Nina seguiu seu exemplo.

Eles pararam diante da cabana do chefe. O fogo sagrado queimava do lado de fora, produzindo um fluxo de fumaça que subia para o céu agora púrpura. Os dois se curvaram, movendo-se cautelosamente, tomando cuidado para não passar na frente do fogo. Isso seria considerado falta de respeito.

O chefe se aproximou e, num suaíli hesitante, Nina pediu permissão para tirar fotos, enquanto Danny mostrava para a tribo os 15 galões de água que levaram como presente. Para uma gente que caminhava quilômetros para achar um pouquinho de água, era um presente fenomenal e, de súbito, Nina e Danny foram recebidos como velhos amigos. As crianças correram até eles, rodeando Nina em um grupo alegre que não parava de pular. Os himbas os levaram até a aldeia, onde foram alimentados com uma refeição tradicional de um mingau de milho e leite azedo e foram entretidos pela tribo. Mais tarde, quando a noite estava azul com o luar, eles os levaram para uma cabana redonda de barro, chamada rondoval, onde deitaram em um tapete de mato e folhas trançadas. O ar cheirava a doce, a milho assado e terra seca.

Nina virou-se de lado para ver Danny. Na luz fraca azulada, o rosto dele parecia jovem, apesar de que, como ela, tinha olhos velhos. Era uma consequência da profissão. Tinham visto coisas terríveis demais. Mas fora isso que os aproximara. O que tinham em comum. O desejo de ver tudo, de conhecer tudo, não importava quão terrível fosse.

Os dois se conheceram em uma cabana abandonada no Congo, durante a primeira guerra, ambos protegendo-se do pior dos combates; ela, para recarregar a câmera, ele, para tratar de um ferimento no ombro.

Isso não parece bom, ela dissera. *Quer que eu passe uma bandagem para você?*

Ele havia erguido os olhos para ela. *Todo aquele tempo rezando deve ter dado certo. Deus me mandou meu próprio anjo.*

Dali em diante, os dois foram juntos para todos os cantos do mundo. Sudão, Zimbábue, Afeganistão, Congo, Ruanda, Nepal, Bósnia. Tornaram-se especialistas em África e, sempre que aparecia uma grande notícia, era provável que estivessem por lá. Ambos tinham apartamentos em Londres que serviam praticamente apenas para juntar cartas, recados e poeira. Era comum que seus interesses os levassem cada um para um local diferente — ele, para guerras civis, ela, para tragédias humanitárias — e passassem meses sem se ver, o que não era problema para Nina. Só tornava o sexo melhor.

— Vou fazer 40 mês que vem — ele disse calmamente.

Ela adorava o sotaque dele. A frase mais simples parecia destacada e *sexy* quando dita por ele.

— Não se preocupe, as garotas de 25 ainda desmaiam quando veem você. É esse seu ar de eu-fiz-parte-de-uma-banda-de-rock.

— Era uma banda de punk rock, meu bem.

Ela se aninhou mais perto e beijou seu pescoço enquanto a mão deslizava pelo peito nu. O corpo dele respondeu tão depressa quanto ela esperava, e em momentos ele tirara toda a roupa dela e estavam fazendo o que sempre fizeram de melhor.

Depois, Danny a puxou para perto.

— Como podemos conversar sobre qualquer coisa menos sobre nós?

— Quem estava falando sobre nós?

— Eu disse que estou quase com 40.

— E eu devo interpretar isso como o começo de uma conversa? Eu tenho 37.

— E se eu sentir sua falta quando você partir?

— Você sabe quem eu sou, Danny. Eu disse no começo.

— Isso faz mais de quatro anos, pelo amor de Deus. Tudo no mundo muda, exceto você, ao que parece.

— Exatamente. — Ela rolou para o lado, encostando seu corpo contra o dele. Sempre se sentia segura nos braços dele, mesmo quando disparos explodiam ao redor e a noite se enchia de gritos. Aquela noite, no entanto, havia apenas o som do fogo queimando do lado de fora e dos insetos voando e zunindo no escuro.

Ela moveu-se só um pouquinho para longe dele, mas os braços dele a envolveram, impedindo que se afastasse.

— Eu não estou pedindo nada — ele sussurrou no ouvido dela.

Está sim, ela pensou, fechando os olhos. Uma ansiedade incomum surgiu na boca de seu estômago. *Você só não sabe disso ainda.*

EM UMA ENCOSTA BEM ACIMA da pequena aldeia, Nina estava abaixada junto da margem que desbarrancava de um rio seco. As coxas queimavam com o esforço para permanecer imóvel. Eram 6 da manhã e o céu tinha uma mistura maravilhosa de azul e laranja; o sol já ganhava força.

Abaixo dela, uma mulher himba caminhava através da aldeia com um grande tacho equilibrado na cabeça e um bebê mantido seguro contra seu peito por um sling, uma faixa de tecido colorido que a rodeava e era cruzada e amarrada no ombro. Nina ergueu a câmera e usou a lente teleobjetiva para aproximar a imagem até poder ver a mulher perfeitamente. Como todas as mulheres dessa tribo nômade africana, a jovem deixava os seios à mostra e vestia uma saia de pele de cabra. Um grande colar de conchas — que era passado de mãe para filha através de gerações, uma posse valiosa — mostrava ao mundo que ela era casada, o que também era indicado pelo estilo do cabelo. Coberta da cabeça aos pés por gordura misturada com pó vermelho para proteger a pele do sol aterrorizador, a pele da jovem mãe era da cor de tijolos velhos. Os tornozelos, considerados as partes mais privativas do corpo, ficavam escondidos sob uma sequência de finos anéis de metal que faziam barulho quando ela andava.

Sem perceber Nina, a mulher parou à margem do rio e olhou para a cicatriz na terra onde deveria correr água. A expressão dela ficou dura, então desesperada quando ergueu as mãos para tocar a criança. Era uma expressão que Nina tinha visto em mulheres do mundo todo, especialmente em períodos de guerra e destruição. Um medo profundo pelo futuro de seu filho. Não havia aonde ir em busca de água.

Nina capturou a imagem e continuou a bater mais fotos até a mulher se afastar, indo de volta para sua cabana redonda de barro, sentar-se em um círculo de outras mulheres. Juntas, falando, as mulheres começaram a amassar pedras de cor ocre, coletando o pó resultante em cabaças.

Nina colocou a tampa na lente e levantou, alongando as juntas doloridas. Havia tirado centenas de fotos naquela manhã, mas não precisava olhar todas para saber que a da mulher junto do rio era "a" foto.

Em sua mente, ela recortou, enquadrou, imprimiu e pendurou a imagem entre as grandes que havia produzido. Algum dia, seus retratos mostrariam ao mundo como as mulheres podiam ser fortes e poderosas, assim como qual era o preço pessoal dessa força.

Tirou o filme da máquina, rotulou a caixinha, guardou-a e colocou um filme virgem; depois, caminhou até a aldeia, sorrindo para as pessoas, dando de presente os doces, fitas e braceletes que sempre carregava. Tirou outra grande foto de quatro mulheres himbas emergindo da sauna de fumaça e ervas, que era o modo de elas se manterem limpas em uma terra onde não havia água. Na foto, as mulheres estavam de mãos dadas e riam. Era uma imagem que capturava uma conexão feminina universal.

Ela escutou Danny se aproximar por trás dela.

— Ei, você.

Nina se encostou nele, sentindo-se satisfeita com seu trabalho.

— Eu adoro como elas lidam com as crianças, mesmo em uma situação como essa. Eu só choro quando as vejo olhando para os bebês. Por que isso, com tudo que vimos?

— Então você está seguindo mães. Eu pensava que fossem lutadoras.

Nina franziu a testa. Não pensara naquilo dessa forma e o comentário era perturbador.

— Não apenas mães. Mulheres lutando por alguma coisa. Triunfando contra probabilidades impossíveis.

Ele sorriu.

— Então, no final das contas, você é mesmo uma romântica.

Ela riu.

— Certo.

— Está pronta para ir?

— Acho que peguei tudo de que preciso, sim.

— Isso quer dizer que podemos ir nos deitar na beirada de uma piscina por uma semana?

— Não há nada que eu queira fazer mais que isso. — Ela colocou a câmera e o equipamento de lado e reembalou suas coisas enquanto Danny falava com o ancião da tribo e agradecia a ele pelas fotos. Ela montou o telefone via satélite no chão do deserto, desdobrando as asas prateadas e mudando a posição delas até encontrar um sinal.

Como esperava, a redação da revista estava fechada, por isso deixou uma mensagem para a editora e prometeu ligar do Hotel Rio Chobe, na Zâmbia. Em seguida, ela e Danny embarcaram no Land Rover velho e atravessaram a paisagem lunar de Kaokoveld, depois embarcaram em um avião rumo ao sul. Ao cair da noite, estavam no Hotel Rio Chobe, em seu deque privativo, olhando o sol se pôr atrás de uma manada de elefantes na margem oposta. Beberam seus gins com tônica enquanto, a centenas de metros dali, leões caçavam em meio ao mato alto.

Em um biquíni que já havia visto dias melhores, Nina baixou o encosto da espreguiçadeira para duas pessoas e fechou os olhos. A noite cheirava a água barrenta, mato seco e lama assada até virar pedra pelo sol inclemente. Pela primeira vez em semanas, seu cabelo curto de elfo estava limpo e não havia sujeira vermelha por baixo das unhas. Puro luxo.

Escutou Danny atravessando o quarto até o deque. Ele parou de forma quase imperceptível antes de cada passo, favorecendo só um pouquinho a perna direita, onde fora baleado em Angola. Ele fingia que isso não o incomodava, dizia para todo mundo que não sentia dores, mas Nina sabia das pílulas que ele tomava e das vezes em que não conseguia encontrar uma posição confortável para dormir. Quando fazia massagem no corpo dele, realizava um esforço extra naquela perna, apesar de ele não pedir, e ela jamais admitiria que fazia isso.

— Aí está você — disse ele, colocando duas taças na mesa de teca ao lado da espreguiçadeira.

Ela ergueu o rosto para agradecer e notou várias coisas ao mesmo tempo: ele não trouxera um gim tônica. Em vez disso, era uma dose imensa de tequila pura. Tinha esquecido o sal e, pior de tudo, não estava sorrindo.

Nina sentou-se.

— O que houve?

— Talvez seja melhor você beber um gole antes.

Quando um irlandês dizia que era preciso tomar um gole antes, significava que más notícias estavam a caminho.

Ele sentou-se ao lado dela na espreguiçadeira. Ela se afastou para lhe dar espaço.

As estrelas estavam visíveis. Ao brilho prateado pálido, Nina conseguia ver as feições fortes e as bochechas fundas dele, os olhos azuis e o cabelo crespo. Ela percebeu naquele momento, quando ele assumira esse aspecto tão triste, como era habitual que estivesse rindo e sorrindo, mesmo quando o sol grelhava ou a poeira fazia engasgar ou os tiros cortavam o ar. Ele conseguia sorrir sempre.

Mas agora não estava sorrindo.

Ele lhe entregou um envelope amarelo pequeno.

— Telegrama.

— Você leu?

— Claro que não. Mas não podem ser boas notícias, podem?

Jornalistas, produtores e fotojornalistas do mundo todo sabiam a respeito dos telegramas. Era como sua família dava más notícias, mesmo nessa era de telefones por satélite e internet. As mãos dela estavam trêmulas quando pegou o envelope. Seu primeiro pensamento foi *graças a Deus* quando viu que o telegrama era de Sylvie, mas o alívio não durou muito.

NINA.
SEU PAI TEVE ATAQUE CARDÍACO.
MEREDITH DISSE QUE NÃO ESTÁ NADA BEM.
SYLVIE.

Ela olhou para Danny.

— É o meu pai... eu tenho que ir agora...

— Impossível, amor — ele disse gentilmente. — O primeiro voo que sai daqui é às 6. Eu vou comprar passagens para nós até Seattle a partir de Johannesburgo. É melhor ir até lá de carro.

— Nós?

— Sim. Eu quero estar lá com você, Nina. Isso é assim tão terrível?

Ela não sabia como responder a isso, o que dizer. Apoiar-se nos outros em busca de conforto nunca fora natural para ela. A última coisa que queria era dar a alguém o poder de machucá-la. A autopreservação era a única coisa que aprendera com a mãe. Por isso ela fez o que sempre fazia em momentos como esse: baixou a mão até os botões da calça dele.

— Me leve para a cama, Daniel Flynn. Me ajude a suportar esta noite.

INTERMINÁVEL FOI A PALAVRA QUE VEIO à sua mente para descrever a espera, mas isso só fez Meredith pensar em *terminal*, o que a fez pensar em *morte*, o que fez emergir todas as emoções que ela tentava suprimir. Seu método habitual de lidar com os problemas — manter-se ocupada — não estava funcionando, e ela havia tentado para valer. Mantivera-se enterrada em informações sobre seguro, pesquisara ataques cardíacos e sobrevivência e terminara com uma lista dos melhores cardiologistas do país. No segundo em que baixou a caneta e afastou os olhos da tela, a tristeza voltou com toda força. As lágrimas eram uma pressão constante nos olhos. Até o momento, no entanto, impedira que elas caíssem. Chorar seria sua própria derrota e ela se recusava a ceder.

Cruzou os braços com força, olhando para os peixes multicoloridos no aquário da sala de espera. Com sorte, um deles chamaria sua atenção e por um nanossegundo esqueceria que seu pai poderia estar morrendo.

Sentiu Jeff se aproximar por trás dela. Apesar de não ouvir os passos no carpete, sabia que ele estava ali.

— Mere — disse ele baixinho, colocando as mãos nos ombros dela. Ela sabia o que ele queria: que ela se encostasse nele, que se deixasse levar. Havia uma parte dela que também queria isso, ansiava por esse conforto, de fato, mas a maior parte dela — a parte que se agarrava à esperança no ritmo de uma respiração por vez — não ousava relaxar. Nos braços dele ela poderia ceder, e que bem isso faria?

— Deixe-me abraçar você — ele murmurou em seu ouvido.

Ela fez que não com a cabeça. Como era possível que ele não entendesse?

Estava preocupada com o pai de uma forma que a consumia. Era como se houvesse uma faca cravada em seu peito, passando por ossos e músculos; a ponta afiada chegando ao coração. Um movimento errado e o frágil órgão seria perfurado.

Atrás dela, escutou-o suspirar. Ele removeu as mãos.

— Você conseguiu falar com sua irmã?

— Deixei recados em todos os lugares possíveis. Você conhece Nina. Ela vai estar aqui quando estiver aqui. — Ela olhou novamente para o relógio. — Por que esse maldito médico está demorando tanto? Ele deveria vir nos dizer alguma coisa. Em dez minutos vou ligar para o diretor do departamento.

Jeff começou a dizer alguma coisa (honestamente, ela mal ouviu; seu coração batia tão depressa que o som abafava tudo mais), mas antes que terminasse, a porta da sala de espera abriu e o dr. Watanabe apareceu. Em um instante, Meredith, Jeff e Mamãe levantaram e foram até ele.

— Como ele está? — perguntou a mãe em uma voz que atravessou a sala. Como ela podia parecer tão forte em um momento como aquele? Apenas a intensidade do sotaque demonstrava como estava perturbada. Fora isso, parecia tão calma quanto de hábito.

O dr. Watanabe sorriu rapidamente e disse:

— Não está bem. Ele teve um segundo ataque cardíaco quando o conduzíamos para a cirurgia. Conseguimos ressuscitá-lo, mas ele está muito fraco.

— O que o senhor pode fazer? — perguntou Meredith.

— Fazer? — repetiu o dr. Watanabe, franzindo a testa. A compaixão nos olhos dele era algo terrível. — Nada. Os danos no coração são extensos demais. Agora, só podemos esperar... e torcer para que ele aguente esta noite.

Jeff passou o braço pela cintura de Meredith.

— Vocês podem vê-lo se quiserem. Ele está na unidade de tratamento cardíaco. Mas uma pessoa por vez, está bem? — disse o dr. Watanabe, pegando Mamãe pelo cotovelo.

Detalhes, pensou Meredith, observando a mãe afastar-se pelo corredor. *Focalize nos detalhes. Encontre um jeito de arrumar isso.*

Mas era algo que não conseguia fazer.

Lembranças se juntaram na periferia de sua visão, esperando ser convidadas para se aproximarem. Ela viu o pai na arquibancada dos encontros de ginástica de seu colégio, torcendo com um vigor embaraçoso, e em seu casamento, chorando abertamente ao conduzi-la pela igreja. Ainda na semana anterior ele a puxara para o lado e dissera:

— Vamos tomar umas cervejas, Meredoodle, só nós dois, como costumávamos fazer.

E ela dissera que não, que fariam isso logo...

Tinha sido assim tão importante levar as roupas à lavanderia?

— Acho que devemos ligar para as garotas — disse Jeff. — Para elas virem de avião.

Com isso, Meredith sentiu algo quebrar lá dentro e, apesar de saber que era irracional, odiou Jeff por dizer isso. Ele já tinha desistido.

— Mere? — Ele a tomou nos braços e a abraçou. — Eu amo você — ele sussurrou.

Ela ficou nos braços dele o quanto conseguiu aguentar e então se afastou. Sem dizer nada, sem nem mesmo olhar para ele, ela seguiu o caminho que a mãe percorrera, sentindo-se completa e perigosamente sozinha na atribulada UTC. Pessoas de aventais azuis entravam e saíam de seu campo visual, mas ela só tinha olhos para o pai.

Ele estava em uma cama estreita, rodeado por tubos, soros e máquinas. Ao lado dele, a mãe mantinha vigilância. Mesmo naquela situação, com o marido conectado à vida pelos fios mais finos, ela parecia estranhamente, quase desafiadoramente, serena. A postura era perfeita e, se havia algum tremor em suas mãos, seria preciso um sismólogo para detectar.

Meredith enxugou os olhos, sem perceber até aquele momento que as lágrimas estavam jorrando. Ficou ali enquanto conseguiu. O médico havia dito uma pessoa por vez e Meredith não queria quebrar as regras, mas por fim não conseguiu resistir. Foi até ele, parou aos pés da cama. O ruído das máquinas parecia absurdamente alto.

— Como ele está?

A mãe suspirou de forma pesada e se afastou. Meredith sabia que ela iria direto até alguma janela em algum lugar para olhar para a noite nevada, sozinha.

Normalmente, a mãe ser assim solitária incomodava Meredith, mas nesse momento não se importou e, por uma vez, não julgou a mãe de forma dura. Todos cediam — e se mantinham inteiros — a seu modo.

Ela tocou a mão do pai.

— Ei, Papai — ela sussurrou, fazendo o máximo para sorrir. — É sua Mere-doodle. Estou aqui e amo você. Fale comigo, Papai.

A única resposta foi o vento, batendo na janela enquanto a neve caía e dan-çava sob a luz da noite.

3

Nina encontrava-se na confusão ruidosa que era o aeroporto de Johannesburgo e olhou para Danny. Sabia que ele queria ir junto, mas não entendia por quê. Não tinha nada para dar a ele no momento, nada para dar a ninguém. Apenas precisava ir, estar lá, ir para casa.

— Preciso fazer isso sozinha.

Ela pôde ver que o magoou.

— Claro que sim — ele disse.

— Me desculpe.

Ele passou a mão muito bronzeada pelo cabelo longo e despenteado e olhou para ela com uma intensidade que a fez segurar a respiração. Aquele olhar a atravessou, atingiu-a com força. Ele estendeu a mão lentamente, puxou-a para seus braços como se estivessem sozinhos, dois amantes com todo o tempo do mundo. Ele a tomou com um beijo que foi profundo e íntimo, com uma força quase primal. Ela sentiu o coração acelerar e as faces ficarem quentes, apesar de aquela reação não fazer nenhum sentido. Ela era uma mulher crescida, não uma virgem assustada, e sexo era a última coisa em sua mente.

— Lembre-se disso, amor — ele disse, afastando-se mas mantendo os olhos fixos nela.

Foi um beijo que quase suavizou sua tristeza por um segundo, diminuiu o peso da carga. Ela quase disse alguma coisa, quase mudou de ideia, mas, antes que conseguisse encontrar uma palavra para começar, ele já estava se afastando, de costas para ela, e então sumiu. Ela ficou ali um minuto, quase congelada; daí, pegou a mochila no chão junto de seus pés e começou a andar.

Trinta e quatro horas mais tarde, parou o carro alugado no estacionamento escuro e coberto de neve do hospital e correu para dentro, rezando — como havia feito a cada hora do voo transcontinental — para não chegar tarde demais.

Na sala de espera do terceiro andar, encontrou a irmã posicionada como uma sentinela perto de um aquário absurdamente alegre, cheio de peixes tropicais. Nina parou de súbito, repentinamente com medo de dizer qualquer coisa. Elas sempre lidavam com as coisas de forma diferente, ela e Meredith. Mesmo quando garotas, Nina sempre caía e levantava depressa; Meredith movia-se com cautela, raramente perdia o equilíbrio. Nina quebrava coisas; Meredith as consertava.

Nina precisava disso agora, precisava que a irmã a mantivesse inteira.

— Mere? — ela disse baixinho.

Meredith virou-se para ela. Mesmo com o comprimento da sala de espera entre elas e a péssima luz fluorescente no alto, Nina pôde ver como a irmã parecia abatida e cansada. O cabelo castanho-escuro de Meredith, usualmente penteado com perfeição, estava uma confusão. Ela não usava maquiagem, e sem ela os olhos castanhos pareciam grandes demais no rosto pálido, a boca muito grande não tinha cor.

— Você está aqui — ela disse, avançando, abraçando a irmã.

Quando Nina se afastou, estava hesitante, a respiração um pouco errática.

— Como ele está?

— Nada bem. Teve outro ataque cardíaco massivo. A princípio eles iam tentar operar... mas agora estão dizendo que ele não sobreviveria. Os danos foram extensos demais. O dr. Watanabe acha que ele não vai aguentar até o fim de semana. Mas eles também achavam que não ia aguentar a primeira noite.

Nina fechou os olhos com a dor que sentiu. Graças a Deus, havia conseguido chegar em casa a tempo de vê-lo.

Mas como podia perder o pai? Ele era sua base, sua Estrela do Norte, aquela pessoa que estava sempre esperando que voltasse para casa.

Lentamente, abriu os olhos e olhou outra vez para a irmã.

— Onde está Mamãe?

Meredith afastou-se para o lado.

E ali estava ela — uma bela mulher de cabelos brancos sentada em uma poltrona de estofamento barato. Mesmo dali, Nina podia ver como a mãe estava controlada, assustadoramente contida. Não havia se levantado para receber a filha mais nova, nem mesmo olhara em sua direção. Em vez disso, ela olhava direto para a frente; aqueles estranhos olhos azuis parecendo brilhar em contraste com a palidez da pele. Como sempre, estava fazendo tricô. Elas provavelmente tinham 300 suéteres e cobertores, cada um deles dobrado em pilhas no sótão.

— Como ela está? — perguntou Nina.

Meredith deu de ombros e Nina sabia o que aquele movimento queria dizer. Quem sabia sobre Mamãe? Ela era uma estranha para as duas, indecifrável, e Deus sabia como haviam tentado. Meredith especialmente.

Até a noite da peça de Natal, tantos anos atrás, Meredith seguia Mamãe como um cachorrinho ansioso, implorando para ser notado. Depois daquela noite humilhante, a irmã se fechara, mantendo distância. Desde então até agora, nada mudara; nem ficara melhor. Se tanto, a distância entre elas havia crescido. Nina lidara com o problema de outra forma. Desistira de esperar ter alguma intimidade e escolhera aceitar a solidão da mãe. De muitas formas, elas eram iguais, ela e Mamãe. Não precisavam de ninguém além de Papai.

Assentindo para a irmã, Nina a deixou e cruzou a sala. Ao lado da mãe, ela se ajoelhou. Um desejo incomum a pegou desprevenida. Ela queria que dissessem que ele ficaria bem.

— Oi, mãe — ela disse. — Vim para cá o mais depressa que pude.

— Bom.

Ela escutou uma pequena fissura na voz da mãe e aquela leve fraqueza as conectou. Ela ousou tocar o pulso fino e pálido da mãe. As veias eram azuis e grossas sob a pele branca, e os dedos bronzeados de Nina pareciam quase absurdamente vibrantes em contraste. Talvez, por uma vez, fosse a mãe quem precisava de conforto.

— Ele é forte e tem vontade de viver.

A mãe baixou os olhos até ela tão lentamente que foi como se fosse um robô com a pilha acabando. Nina ficou chocada com quanto a mãe parecia cansada, mas ainda assim forte. Deveria ser uma combinação impossível, mas a mãe sempre fora uma mulher de contradições. Preocupava-a profundamente deixar as filhas saírem do quintal, mas mal olhava para elas quando estavam em casa; afirmava que não havia Deus mesmo enquanto decorava seu canto sagrado e mantinha a lamparina acesa; comia apenas o suficiente para manter o corpo funcionando, mas queria que as filhas comessem mais do que aguentavam.

— Você acha que é isso que importa?

Nina ficou chocada com a ferocidade na voz da mãe.

— Acho que temos que acreditar que ele vai melhorar.

— Ele está no quarto 434. Ele chamou por você.

Nina respirou fundo e abriu a porta do quarto do pai.

Havia silêncio, exceto pelo som mecânico das máquinas. Ela avançou lentamente até ele, tentando não chorar.

Ele parecia pequeno, um homem grande que encolhera o bastante para caber em uma cama de criança.

— Nina. — A voz dele estava tão suave e rascante que ela mal a reconheceu. A pele dele parecia assustadoramente pálida.

Ela forçou-se a sorrir, torcendo para que parecesse um sorriso real. O pai era um homem que valorizava a risada e alegria. Ela sabia que ficaria magoado se a visse sentindo dor.

— Oi, paizinho — a palavra de criança escapou; ela não a usava fazia muitos anos.

Ele sabia; ele soube e sorriu. Foi uma versão desbotada e cansada do sorriso dele e Nina estendeu a mão para enxugar a saliva dos lábios dele.

— Eu amo você, paizinho.

— Eu quero... — ele respirava com dificuldade agora — ir... para casa.

Ela teve que se aproximar para ouvir as palavras pronunciadas muito baixo.

— Você não pode ir para casa, pai. Eles estão cuidando de você aqui.

Ele segurou a mão dela com força.

— Morrer em casa.

Dessa vez ela não conseguiu conter as lágrimas. Sentiu que escorriam pelo rosto e caíam como pequenas pétalas cinza no lençol branco.

— Não...

Ele a fitou, ainda respirando com dificuldade; ela viu a luz sumir dos olhos dele e a determinação ficar fraca, e aquilo a machucou mais que as palavras.

— Não vai ser fácil — ela disse. — Você sabe que Meredith gosta de tudo no lugar. Ela vai querer que você fique aqui.

O sorriso dele foi tão triste e inconsistente que partiu seu coração.

— Você... odeia facilidade.

— É verdade — ela concordou, sendo atingida pelo pensamento súbito de que, sem ele, ninguém a conheceria assim tão bem.

Ele fechou os olhos e exalou lentamente. Por um segundo, Nina pensou que o havia perdido, que ele simplesmente deslizara para longe e caíra na escuridão, mas dessa vez as máquinas a tranquilizaram. Ele continuava respirando.

Caindo na cadeira ao lado dele, pensou que sabia por que ele pedira a ela esse favor. A mãe poderia cuidar disso, claro, poderia fazer com que o movessem para casa, mas Meredith a odiaria por isso. O pai passara a vida tentando criar amor onde não havia nenhum — entre a esposa e as filhas — e não podia parar agora. Tudo que lhe restava era fazer o pedido para ela e torcer que conseguisse realizá-lo. Ela lembrou como ele costumava dizer que ela era sua quebradora de regras, sua menina terrível, e como tinha orgulho da coragem dela de ir para a batalha.

Claro que ela faria o que ele pedia. Era provavelmente a última coisa que ele lhe pediria.

NAQUELA NOITE, DEPOIS DE FAZEREM os arranjos para tirar o pai do hospital, Nina foi para seu carro alugado. Ficou ali sentada por um longo tempo, sozinha no escuro do estacionamento, tentando se recuperar da discussão que tivera com Meredith sobre remover o pai. Nina vencera, mas não tinha sido fácil. Por fim, com um suspiro cansado, ela ligou o motor e afastou-se do hospital. A neve caía no para-brisa, desaparecendo e reaparecendo com cada movimento do limpador. Mesmo com visibilidade limitada, a primeira visão de Belye Nochi a deixou sem ar.

A casa parecia tão linda e deslocada como sempre naquele vale nevado, que lembrava um V de terra entre o rio e as encostas. As luzes de Natal tornavam tudo mais belo, quase mágico.

A casa sempre a fazia lembrar-se dos contos de fadas que ouvira no passado, cheios de magia perigosa e belos príncipes e dragões. Quer dizer, a casa a lembrava da mãe.

Na varanda, ela bateu os pés para tirar a neve das botas de couro para caminhadas e abriu a porta. A entrada estava cheia de casacos e botas. Os balcões da cozinha pareciam um cemitério de xícaras de café e pratos usados. O precioso samovar[1] de latão da mãe brilhava à luz de uma luminária no alto.

Encontrou Meredith na sala, sozinha, olhando para a lareira.

---

[1] Utensílio doméstico de origem russa que consiste de um grande recipiente de metal com uma torneira, usado para aquecer e ferver água. Os originais usavam carvão como fonte de calor, enquanto os atuais são na maioria elétricos. Como a água em geral é usada para fazer chá, muitos samovares têm no alto uma abertura redonda onde se encaixa uma chaleira que, assim, é mantida aquecida (N.T.).

Nina percebeu como a irmã estava frágil naquele momento. Seu olho de fotógrafa notou cada pequeno detalhe: as mãos trêmulas, os olhos cansados, as costas duras.

Ela foi abraçar a irmã.

— Como vamos ficar sem ele? — Meredith sussurrou, agarrando-se a ela.

— Menores. — Foi tudo que Nina conseguiu pensar para dizer.

Meredith enxugou os olhos, subitamente endireitando-se, afastando-se como se tivesse percebido que havia sido fraca por um momento.

— Vou passar a noite aqui. Caso Mamãe precise de alguma coisa.

— Eu cuido dela.

— Você?

— Sim. Vamos ficar bem. Vá fazer sexo selvagem com aquele seu marido sexy.

Meredith ficou surpresa com aquilo, como se talvez a ideia de prazer fosse algo impossível de contemplar.

— Você tem certeza de que vai ficar bem?

— Tenho.

— Está bem. Venho para cá amanhã cedo para arrumar o lugar para receber Papai. Ele virá à 1 hora, lembra?

— Eu lembro — disse Nina, indo com Meredith até a porta. Assim que ela saiu, pegou sua mochila e sacolas com as câmeras na mesa da cozinha e subiu a escada estreita e inclinada até o segundo andar. Passando pelo quarto dos pais, entrou no quarto que ela e Meredith haviam dividido. Apesar de parecer simétrico — duas camas, duas mesas iguais, dois armários brancos —, um olhar mais atento revelava as duas meninas muito diferentes que viveram ali e os caminhos diferentes que suas vidas tomariam. Mesmo quando eram pequenas, elas tinham muito pouco em comum. A última coisa de que Nina se lembrava delas fazendo realmente juntas era a peça.

Mamãe havia mudado aquele dia, e Meredith também. Fiel à sua palavra, a irmã nunca mais ouvira os contos de fadas da mãe, mas essa fora uma promessa fácil de cumprir, já que Mamãe jamais voltara a contar uma história. Fora disso que Nina mais sentira falta. Ela amava aqueles contos de fadas. A Árvore Branca, a Dama da Neve, a cachoeira encantada, a camponesa e o príncipe. Na hora de dormir, nas raras noites em que Mamãe podia ser convencida a lhes contar uma história, Nina lembrava-se de ficar fascinada pela voz da mãe e reconfortada pela familiaridade das palavras. Todas as histórias estavam decoradas e eram as mesmas a cada vez, mesmo sem um livro do qual ler. Mamãe contara que a habilidade de contar histórias era uma tradição russa.

Depois da peça, Nina tentara reparar o rompimento causado pela ira de Mamãe e os sentimentos feridos de Meredith, assim como o pai. Não tinha dado certo, claro, e, quando Nina estava com 11 anos, ela compreendeu. A essa altura, seus próprios sentimentos eram feridos com tanta frequência que ela também recuara.

Ela saiu do quarto e fechou a porta.

No quarto dos pais, parou e bateu.

— Mãe? Está com fome?

Não houve resposta. Ela bateu de novo.

— Mãe?

Mais silêncio.

Abrindo a porta, ela entrou. O quarto estava arrumado de forma impecável em sua decoração espartana. Uma grande cama *king size*, uma penteadeira antiga, um daqueles baús russos e uma estante transbordando com aqueles romances de capa dura do clube do qual a mãe fazia parte.

A única coisa faltando era a mãe.

Franzindo a testa, Nina desceu novamente, chamando por ela. Estava começando a ficar assustada quando olhou para fora por acaso.

Ali estava ela, sentada no banco do jardim de inverno, olhando para as próprias mãos. Pequenas luzes brancas de Natal estavam trançadas no portão de ferro batido, fazendo o jardim parecer uma caixa mágica no meio de toda aquela noite. A neve caía suavemente ao redor dela, fazendo o substancial parecer ilusório. Nina foi até a entrada e pegou botas de neve e um casaco. Vestindo-se depressa, ela saiu, tentando ignorar as pequenas sensações de queimaduras quando flocos de neve tocavam sua pele e lábios. Era exatamente por causa disso que ela trabalhava perto do equador.

— Mãe? — ela chamou, aproximando-se. — Você não deveria ficar aqui, está frio.

— Não está frio.

Nina percebeu a exaustão na voz da mãe e aquilo a fez pensar em como estava cansada, e como o dia havia sido terrível, e como seria péssimo o dia seguinte; por isso, ela se sentou ao lado da mãe.

Pelo que pareceu uma eternidade, nenhuma das duas disse nada. Por fim, Mamãe falou:

— Seu pai pensa que não posso lidar com a morte dele.

— E você pode? — Nina perguntou com simplicidade.

— Você ficaria surpresa com o que o coração humano pode suportar.

Nina havia visto a verdade disso pelo mundo afora. Ironicamente, era exatamente esse o tema de suas mulheres lutadoras.

— Isso não quer dizer que a dor não seja insuportável. No Kosovo, durante a luta, eu falei com...

— Não me fale sobre seu trabalho. Essas são discussões que você tem com seu pai. A guerra não me interessa.

Nina não ficou magoada com isso; pelo menos, foi o que disse a si mesma. Sabia que não deveria tentar estabelecer contato com a mãe.

— Desculpe. Só estava conversando.

— Não faça isso. — Mamãe estendeu a mão e tocou a coluna de cobre em meio a uma confusão de vinhas mortas enroladas. Aqui e ali, bolas vermelhas de Natal apareciam em meio à neve, emolduradas por folhas verdes brilhantes. Não que a mãe pudesse ver essas cores, é claro. O defeito de nascimento a impedia de ver a verdadeira beleza de seu jardim. Meredith nunca compreendera por que uma mulher que via o mundo em preto e branco dava tanta importância para flores, mas Nina sabia do poder de imagens em preto e branco. Às vezes, uma coisa ficava mais verdadeira quando se removiam as cores.

— Vamos, mãe — Nina disse. — Vou fazer o jantar para nós.

— Você não sabe cozinhar.

— E de quem é a culpa? — Nina retrucou de forma automática. — Uma mãe supostamente deve ensinar a filha a cozinhar.

— Eu sei, eu sei. É minha culpa. Tudo é minha culpa. — Mamãe se levantou, pegou as agulhas de tricô e saiu andando.

4

Os cachorros receberam Meredith como se ela tivesse ficado longe por uma década. Ela fez carinho atrás das orelhas deles sem nenhum entusiasmo real e entrou em casa, acendendo as luzes ao passar pela cozinha a caminho da sala.

— Jeff? — chamou ela.

O silêncio foi quem respondeu.

Diante disso, ela fez exatamente o que não queria fazer: preparou um copo de rum com Coca *diet* (exagerando no rum) e foi para a varanda. Ali, sentou-se no banco branco e olhou para o vale iluminado pela lua. Nessa luz, o pomar parecia quase sinistro, todos aqueles galhos nus e retorcidos erguendo-se da camada de neve suja.

Estendendo a mão para a esquerda, pegou o velho cobertor de lá de seu lugar na cesta e se enrolou nele. Não sabia como sobreviver a essa tristeza, como aceitar o que estava para acontecer.

Sem o pai, Meredith temia tornar-se como uma daquelas macieiras dormentes: nua, vulnerável, exposta. Queria acreditar que não seria deixada sozinha com sua dor, mas quem estaria ali para lhe dar apoio? Nina? Jeff? Suas filhas? Mamãe?

Aquela era a maior piada de todas. Mamãe nunca a apoiara. Agora, seriam apenas elas duas, ligadas pelo fio fino do amor de um homem morto e praticamente mais nada.

Atrás dela, a porta rangeu ao abrir.

— Mere? O que você está fazendo aqui? Está congelando. Eu estava esperando você.

— Eu preciso ficar sozinha. — Ela percebeu que o magoou e desejou desfazer aquilo, retirar o que disse, mas o esforço estava além de suas capacidades. — Eu não queria dizer isso.

— Queria, sim.

Ela levantou tão depressa que o cobertor escorregou de seus ombros e caiu amassado no banco. Forçando um sorriso, passou por ele e foi para dentro.

Na sala, sentou-se em uma das poltronas perto da lareira, sentindo gratidão por ele ter acendido o fogo. Subitamente, sentia que estava congelando. Os dedos apertaram o copo e ela tomou um grande gole da bebida. Não foi senão quando ele se aproximou por trás e olhou para baixo que ela percebeu que deveria ter se sentado no sofá, onde haveria espaço para ele a seu lado.

Jeff preparou uma bebida e sentou-se em outra poltrona. Parecia cansado. E também desapontado.

— Pensei que você quisesse falar sobre isso — ele disse calmamente.

— Deus, não.

— Como posso ajudar?

— Ele está morrendo, Jeff. Pronto, eu disse. Estamos falando. Me sinto muito melhor agora.

— Mas que droga, Mere.

Ela olhou para ele, sabendo que estava bancando a idiota e também sendo injusta, mas não poderia se obrigar a parar. Só queria ficar sozinha, rastejar para um lugar escuro onde pudesse fingir que aquilo não estava acontecendo. Seu coração estava sendo partido. Por que ele não via isso? E por que pensava que podia de alguma forma juntar os pedaços?

— O que você quer de mim, Jeff? Eu não sei como lidar com isso.

Ele se aproximou dela, fez com que se levantasse. O gelo bateu dentro do copo dela — Meredith estava tremendo; por que não tinha percebido? — e ele tirou a bebida de sua mão, colocando o copo na mesinha do lado.

— Falei com Evan hoje.

— Eu sei.

— Ele está preocupado.

— Claro que ele está preocupado. Ele está... — ela não conseguiu dizer de novo.

— Morrendo — Jeff disse suavemente. — Mas não é isso que o está incomodando. Ele está preocupado com você e com Nina e sua mãe e eu. Está com medo que a família se desmonte sem ele.

— Isso é ridículo — ela disse, mas a suavidade em sua voz a traiu.

— É mesmo?

Com o contato dos lábios dele nos seus, ela lembrou como o amara no passado e quanto desejava amá-lo agora. Queria colocar os braços ao redor dele e abraçá-lo com força, mas estava com tanto frio. Entorpecida.

Ele a abraçou como não fazia há anos, como se fosse se desfazer em pedaços se ela o soltasse, e beijou a orelha dela, sussurrando:

— Me abrace.

Ela quase cedeu ali mesmo, quase desmontou. Tentou erguer os braços, mas não conseguiu.

Jeff recuou, soltando-a. Olhou para ela por um longo tempo, tão longo que ela imaginou o que ele estaria vendo.

Por um momento, ele pareceu estar a ponto de dizer alguma coisa, mas no fim apenas se afastou dali.

O que havia para dizer, afinal?

O pai dela estava morrendo. Nada podia mudar isso. Palavras eram como moedinhas, caíam nos cantos e rachaduras, não valia a pena recuperá-las.

✺

Nina passara muito tempo com gente ferida ou morrendo, testemunhando, revelando a dor universal através do sofrimento individual. Era boa nisso, conseguia ao mesmo tempo estar ali no momento e ficar distante o suficiente para fazer o registro. Por mais terrível que tivesse sido estar ao lado de camas de hospital improvisadas, observando gente com ferimentos catastróficos, tudo que viera antes empalidecia em comparação a esse momento, quando ela mesma estava sofrendo. Nesse dia, quando seu pai veio para casa do hospital, ela não podia se distanciar, não podia colocar sua tristeza em uma caixinha e trancá-la em algum lugar.

Estava parada no quarto dos pais, junto da grande janela que dava para o jardim de inverno e o pomar além. Lá fora, o céu era de um forte azul cerúleo; sem nuvens. Um sol pálido de inverno brilhava no alto, seu bafo quente derretendo a camada superior da neve que amarelava. Água pingava dos beirais, sem dúvida perfurando a neve ao longo da beirada da varanda lá embaixo.

Ela ergueu a câmera e focalizou Meredith, que estava cuidando do pai, tentando sorrir; Nina capturou a fragilidade no rosto da irmã, a tristeza em seus olhos. Em seguida, focalizou a mãe, parada junto da cama, parecendo uma rainha como Lauren Bacall, tão fria quanto Barbara Stanwyck.

De seu lugar na cama grande, com travesseiros absolutamente brancos e cobertores empilhados ao redor, Papai parecia magro e velho e desvanecente. Ele piscou lentamente, as pálpebras cheias de pintas caindo como bandeiras indo até o meio do mastro e então subindo outra vez. Através do visor, Nina viu os olhos castanhos remelentos dele se focalizarem nela. O choque daquilo, do olhar direto, a surpreendeu.

— Nada de câmeras — ele disse. Sua voz soou fraca e cansada. Não era de jeito nenhum a voz dele, e de alguma forma aquela perda, do *som* verdadeiro dele, foi pior que todo o resto. Ela sabia por que ele havia dito isso. Ele a conhecia, sabia por que a câmera era importante para ela agora.

Nina baixou a máquina fotográfica lentamente, subitamente sentindo-se nua, vulnerável. Sem a fina camada de uma lente de vidro, ela estava *aqui* em vez de ali, olhando para o pai, que estava morrendo. Ela se aproximou da cama, parando junto de Meredith. Mamãe estava do outro lado. As três se encontravam bem próximas.

— Eu volto já — disse Mamãe.

Papai assentiu para ela. O olhar que passou entre os dois foi algo tão íntimo que Nina se sentiu quase como uma intrusa.

Assim que Mamãe saiu, Papai olhou para Meredith.

— Sei que você está com medo — ele disse calmamente.

— Não precisamos falar sobre isso — Meredith disse.

— A menos que você *queira* falar sobre isso — disse Nina, segurando a mão dele. — Você deve estar com medo, pai... de morrer.

— Ah, pelo amor de Deus! — exclamou Meredith, afastando-se da cama.

Nina não queria explicar para a irmã, não agora, mas vinha convivendo com a morte fazia anos. Sabia que havia passagens tranquilas e outras raivosas, desesperadas. Por mais difícil que fosse para ela contemplar a morte dele, queria ajudá-lo. Afastou o cabelo branco da testa cheia de manchas da idade, lembrando subitamente como ele fora quando mais jovem, quando o rosto vivia bronzeado por causa do trabalho no pomar. Tudo menos a testa, que ficava sempre pálida por causa dos chapéus que ele usava.

— Sua mãe — ele disse, falando com esforço evidente. — Ela não vai aguentar sem mim...

— Eu cuido dela, pai. Prometo — disse Meredith com a voz instável. — Você sabe disso.

— Ela não pode fazer isso novamente... — disse o pai. Ele fechou os olhos e emitiu um suspiro de cansaço. A respiração ficou mais pesada.

— Não pode fazer o que de novo? — Nina repetiu.

— Quem é você, Barbara Walters[2]? — interrompeu Meredith. — Pare com isso. Deixe-o dormir.

— Mas ele disse...

---

[2] Apresentadora de programa jornalístico na televisão americana (N.T.).

— Ele nos disse para cuidar de Mamãe. Como se precisasse pedir. — Meredith se ocupou ajeitando as cobertas e travesseiros. Parecia uma daquelas enfermeiras supercompetentes. Nina compreendia; Meredith estava com tanto medo que precisava se manter ocupada. Em seguida, ela sabia, a irmã correria dali.

— Fique — Nina disse. — Precisamos conversar...

— Eu não posso — disse Meredith. — O trabalho não para só porque eu quero. Volto em uma hora.

E então ela saiu.

Nina pegou a câmera por instinto e começou a tirar fotos; não para mostrar para ninguém, só para si mesma. Ao olhar para ele, focalizando o rosto pálido, as lágrimas que vinha combatendo o transformaram em uma mancha cinza e branca no meio daquela imensa cama de madeira com quatro postes. Ela queria dizer *Eu amo você, paizinho,* mas as palavras tinham ganchos que não as deixavam sair.

Em silêncio, ela saiu do quarto e fechou a porta. No corredor, passou pela mãe e, por uma fração de segundo, quando seus olhares cheios de dor se encontraram, Nina estendeu a mão.

Mamãe se afastou da mão de Nina e entrou no quarto, fechando a porta ao entrar.

Ali estava. Toda a infância dela repetida em um corredor silencioso demais. E a pior parte era que Nina sabia que isso aconteceria.

Sua mãe não era uma mulher que aceitasse compaixão.

MEREDITH E JEFF ENCONTRARAM AS meninas na estação de trem naquela noite. Foi uma recepção sem alegrias, cheia de olhares tristes e palavras não ditas, muito diferente de como devia ser.

— Como está Vovô? — Jillian perguntou quando as portas do carro foram fechadas e estavam todos juntos em silêncio.

Meredith quis mentir, mas era tarde demais para protegê-las.

— Não está bem — ela disse bem baixo. — Mas ele vai ficar feliz em ver vocês.

Os olhos de Maddy se encheram de lágrimas. Claro que sim; a filha mais nova sempre fora a emocional. Ninguém ria mais alto nem chorava mais do que Maddy.

— Podemos vê-lo essa noite?

— Claro, meu bem. Ele está nos esperando. E sua tia Nina também está aqui.

Maddy sorriu com essa notícia, mas não foi o sorriso real dela; foi uma versão esfarrapada dele.

— Legal.

E, de alguma forma, com tudo aquilo, aquele *legal* desanimado foi o que mais atingiu Meredith. Nele estava a mudança que se aproximava, a tristeza que reconfiguraria toda a família. Maddy e Jillian adoravam Nina. Geralmente, tratavam-na como uma estrela do rock.

Mas agora era apenas aquele *legal* desanimado e sussurrado.

— Talvez devêssemos consultar outro especialista — Jillian sugeriu. Sua voz soou suave e calma, e nela Meredith ouviu um eco da médica que um dia a filha seria. Calma e segura. Assim era Jillian.

— Ele foi examinado por vários médicos muito bons — Jeff disse. Ele esperou um minuto, deixando as palavras assentarem; então, ligou o carro.

Geralmente, eles teriam conversado e rido e contado histórias no caminho, e ao chegar em casa sentariam à mesa da cozinha para um jogo de copas ou na sala para assistir a um filme.

Nessa noite, no entanto, a viagem foi silenciosa. As meninas tentaram iniciar conversas, contaram histórias sem graça sobre classes e regras das fraternidades e até sobre o tempo, mas suas palavras não conseguiram se erguer acima do clima sombrio que havia dentro do carro.

Chegando a Belye Nochi, entraram na casa e subiram a escada estreita até o segundo andar. No alto, Meredith virou-se para elas e quase as advertiu de que a aparência dele não estava boa. Mas isso era algo que uma mãe fazia com crianças pequenas. Em vez de fazer isso, ela abriu a porta com um aceno de cabeça e entrou na frente.

— Ei, Papai. Veja quem veio ver você.

Nina estava sentada junto da lareira, de costas para o laranja do fogo. Com a entrada deles, ela se levantou.

— Essas não podem ser minhas sobrinhas — disse ela, mas sua usual risada ribombante não se fez ouvir.

Ela foi até as meninas, abraçou-as com força. Em seguida, abraçou o cunhado.

— Seu avô estava esperando por vocês duas — Mamãe disse, levantando de seu lugar na cadeira de balanço perto da janela. — E eu também.

Meredith imaginou se foi a única a perceber a mudança na voz da mãe quando falou com as meninas.

Tinha sido sempre assim. Mamãe era tão calorosa com as netas quanto era fria com as filhas. Durante anos isso magoara Meredith, essa óbvia preferência por Jillian e Maddy, mas no fim ela sentia-se grata que a mãe fizesse as meninas se sentirem queridas.

As duas se revezaram abraçando a avó e depois voltaram-se para a grande cama com quatro postes. Nela, Papai encontrava-se imóvel, o rosto imensamente pálido, o sorriso instável.

— Minhas netas — ele disse baixinho. Meredith pôde ver como elas foram afetadas pela visão do avô. Durante toda a vida delas, ele tinha sido como uma das macieiras da propriedade. Forte e confiável.

Jillian foi a primeira a se curvar e beijá-lo.

— Oi, Vovô.

Os olhos de Maddy estavam cheios de lágrimas. Ela procurou a mão da irmã e a segurou. Quando abriu a boca para falar, não saiu som algum. Papai ergueu a mão trêmula cheia de manchas e acariciou o rosto dela.

— Não precisa chorar, princesa.

Maddy enxugou os olhos e assentiu.

Papai tentou se sentar. Meredith foi até ele para ajudá-lo. Em seguida ajeitou as cobertas e travesseiros. Tossindo muito, ele disse:

— Estamos todos aqui. — Então, ele olhou para Mamãe. — Está na hora, Anya.

— Não — disse Mamãe em tom forte.

— Você prometeu — ele disse.

Meredith sentiu algo girando no quarto como se fosse fumaça. Olhou para Nina, que assentiu. Ela também sentia.

— *Agora* — disse Papai com uma dureza que Meredith nunca havia ouvido antes.

Mamãe cedeu diante da ordem, deixando-se cair na cadeira de balanço.

Meredith mal teve tempo de processar a chocante capitulação quando o pai voltou a falar.

— Sua mãe concordou em nos contar um dos contos de fadas dela. Depois de todos esses anos. Como costumava fazer. — Ele olhou para Mamãe; seu sorriso foi tão amoroso que vê-lo partiu o coração de Meredith. — A camponesa e o príncipe, eu acho. Esse sempre foi meu favorito.

— Não — disse Meredith. Ou talvez só tenha pensado. Ela deu um passo, afastando-se da cama.

Nina cruzou o quarto e sentou-se no chão perto da mãe, como costumava fazer anos atrás. Como as duas costumavam fazer.

— Aqui, Mad — Nina disse, indicando o chão. — Sente ao meu lado.

Jeff foi o próximo a se mover. Escolheu a grande poltrona perto da lareira e Jillian se aconchegou junto dele. Apenas Meredith ainda continuava em pé e não conseguia fazer as pernas funcionarem. Por décadas, havia dito para si mesma que os contos de fadas da mãe não significavam nada; agora, ela tinha que admitir que era mentira. Adorava ouvir aquelas histórias e, quando as ouvia, ela acidentalmente amava a mãe. Esse era o verdadeiro motivo por que Meredith deixara de ouvir. Doía demais.

— Sente-se... Meredoodle — disse Papai com gentileza e, ouvindo o apelido, ela sentiu a resistência se esvair. Com passos duros, cruzou o quarto e sentou-se no tapete oriental, tão distante da mãe quanto possível.

Na cadeira de balanço, Mamãe mantinha-se muito ereta, as mãos nodosas juntas no colo.

— O nome dela é Vera e ela é uma pobre camponesa. Uma ninguém. Não que ela saiba disso, é claro. Ninguém tão jovem pode saber de algo assim. Ela tem 15 anos e vive no Reino das Neves, uma terra encantada que agora está apodrecendo por dentro. O mal chegou ao reino; ele é um cavaleiro negro e raivoso que quer destruir tudo.

Meredith sentiu um arrepio percorrer o corpo. Lembrou-se subitamente de como havia sido: Mamãe ia de noite até o quarto delas e contava as histórias de corações de pedra e árvores congeladas e garças que engoliram a luz das estrelas. Sempre no escuro. Sua voz era mágica naquela época, assim como agora. Ela as reunia durante algum tempo, mas pela manhã esses laços haviam desaparecido; elas nunca mencionavam as histórias.

— Ele se move como um vírus, esse cavaleiro; quando os habitantes da aldeia começam a ver a verdade, já é tarde demais. A infecção já está ali; a neve do inverno com uma cor negra e púrpura horrível, as poças nas ruas de onde saem tentáculos que pegam viajantes desavisados e os arrastava na sujeira, árvores brigando entre si e deixando de dar frutos. Os honestos aldeões não podem fazer nada para deter esse mal. Eles amam o reino e são o tipo de gente que

mantém a cabeça abaixada para evitar perigos. Vera não entende isso. Como poderia, na idade dela? Ela sabe apenas que o Reino das Neves é parte dela, como a sola de seus pés ou a palma das mãos. Nessa noite, por algum motivo que não consegue determinar, ela acorda à meia-noite e sai da cama silenciosamente, para não acordar a irmã, e vai até a janela do quarto, abrindo-a completamente. Dali, pode ver todo o caminho até a ponte. Em junho, quando o ar cheira a flores e a noite é tão curta quanto o bater das asas de uma borboleta, ela não pode evitar imaginar seu próprio futuro brilhante.

Esse é o período de noites brancas, quando o céu está mais escuro do que nunca, de um azul real pontilhado por estrelas. Nesses meses, as ruas nunca estão quietas. A todas as horas, aldeões reúnem-se nas ruas; amantes atravessam a ponte. Cortesões deixam os cafés bem tarde, bêbados de hidromel e luz do sol.

Mas enquanto inspira a noite de verão, ela escuta os pais brigando na sala. Vera sabe que não deve escutar, mas não consegue evitar. Ela vai na ponta dos pés até a porta, abrindo-a só um pouquinho. A mãe está junto do fogo, retorcendo as mãos enquanto olha para Papa.

— Você não pode continuar fazendo essas coisas, Petyr. É perigoso demais. O poder do Cavaleiro Negro está crescendo. A cada noite, parece, escutamos falar dos aldeões que foram transformados em fumaça.

— Você não pode me pedir para fazer isso.

— Eu peço. Peço, sim. Escreva o que o Cavaleiro Negro pede para você escrever. São apenas palavras.

— Apenas palavras?

— Petyr — diz a mãe, agora chorando, e isso assusta Vera; ela nunca tinha visto a mãe chorar. — Estou com medo por você — e então, ainda mais suavemente —, estou com medo de você.

Ele a toma nos braços.

— Eu tomo cuidado, sempre.

Vera fecha a porta, confusa com o que ouviu. Ela não compreende parte daquilo, ou talvez nenhuma parte daquilo, mas sabe que sua forte mãe está com medo e que se trata de algo que ela nunca viu antes.

Mas Papa nunca deixaria algo ruim acontecer com eles...

No dia seguinte, ela quer perguntar para a mãe sobre a discussão, mas, quando acorda, o sol está brilhando e ela esquece tudo. Em vez disso, corre para fora.

Seu amado reino está florescendo, assim como ela. Como poderia haver algo de ruim enquanto o sol brilha?

Ela está tão feliz que mesmo levar a irmãzinha até o parque não a incomoda.

— Vera, veja! Olhe! — Olga, com 12 anos, a chama, realizando uma série de estrelas.

— Bom — diz Vera para a irmã, mas de fato ela mal olhou. Ela se recosta no banco e inclina o queixo para cima, para o sol, fechando os olhos. Depois de um inverno longo e frio, aquele calor no rosto é maravilhoso.

— Duas rosas eu lhe trago.

Vera abre os olhos lentamente e se vê fitando o rapaz mais lindo que jamais vira.

O Príncipe Aleksandr. Todas as garotas reconhecem seu rosto.

As roupas dele são feitas com perfeição e decoradas com fios de ouro. Atrás dele está uma reluzente carruagem branca, puxada por quatro cavalos brancos. E, em sua mão, duas rosas.

Ela responde com a linha seguinte do poema, grata porque o pai a fez ler tanto.

— *Você é jovem demais para conhecer poesia* — *ele diz, e ela pode ver que está impressionado.* — *Quem é você?*

Ela se endireita, ainda sentada, esperando que ele note seus novos seios.

— *Veronika. E não sou assim tão jovem.*

— *Mesmo? Posso apostar que seu pai não a deixaria andar comigo.*

— *Não preciso da permissão de ninguém para sair, Sua Alteza* — *ela mente, sentindo o rosto ficar vermelho.*

Ele ri, e o som parece com música.

— *Bem, então, Veronika, vou vê-la esta noite. Às 11 horas. Onde posso encontrá-la?*

Onze horas. Ela deveria estar na cama a essa hora. Mas não pode dizer isso. Talvez possa fingir que está doente e colocar cobertores em seu lugar na cama e sair pela janela. E precisará de algum tipo de magia para conseguir um vestido digno de um príncipe. Certamente ele não quererá andar com uma camponesa pobre em um vestido velho. Talvez ela possa se esgueirar até o pântano Alakee, onde as bruxas vendem amor pelo preço de um dedo. Com isso, seu olhar cai sobre a irmã, que notou o príncipe e está caminhando na direção deles.

— *Na Ponte Encantada* — *ela diz.*

— *Acho que você vai me deixar lá sozinho.*

Olga se aproxima, chamando o nome dela.

— *Não. Honestamente, não vou.* — *Ela olha para Olga, descontente com a aproximação da irmã.* — *Eu não vou. Vá agora, Príncipe Aleksandr. Eu o verei então.*

— *Pode me chamar de Sasha* — *ele diz.*

E, sem mais, ela se apaixona por esse jovem homem sorridente que é completamente inadequado para ela. Acima de seu nível. E também perigoso para sua família. Ela olha para as mãos esguias e pálidas, vendo os calos de lavar roupas nas pedras abrasivas, e imagina: que dedo perderia por amor... e de quantos outros precisaria para fazer o príncipe amá-la também?

Mas estas são perguntas que não têm resposta e não importam, não para Vera, pois o amor já começou. Ela e o belo príncipe fogem juntos e se casam. E vivem felizes para sempre.

MAMÃE LEVANTOU-SE.

— E fim.

— Anya — Papai disse com aspereza. — Nós combinamos...

— Chega. — Mamãe sorriu brevemente para as netas e saiu do quarto.

Honestamente, Meredith ficou aliviada. Contra sua vontade, o conto de fadas a seduzira novamente.

— Vamos, meninas. Seu avô precisa descansar.

— Não fuja correndo — o pai disse para ela.

— Fugir? São quase 10 horas, Pai. As meninas viajaram o dia todo. Estão exaustas. Voltamos amanhã cedo. — Ela foi até a cama, curvou-se e beijou o rosto com a barba crescendo. — Durma um pouco, está bem?

Ele tocou o rosto dela, deixando a palma ali enquanto a fitava.

— Você escutou?

— Claro.

— Você precisa escutá-la. Ela é sua mãe.

Ela queria dizer que não tinha tempo para contos de fadas e que escutar uma mulher que mal falava não era fácil, mas em vez disso ela sorriu.

— Está bem, pai. Amo você.

Ele retirou a mão lentamente.

— Eu também amo você, Meredoodle.

Os contos de fadas sempre estiveram entre as melhores lembranças da infância de Nina e, apesar de não ter ouvido nenhum em décadas, ainda se lembrava bem deles.

Mas por que o pai as trouxera de volta agora? Certamente ele sabia que aquilo terminaria mal. Meredith e Mamãe não conseguiriam deixar o quarto depressa o bastante.

Ela foi até ele. Estavam sozinhos agora. Atrás dela, o fogo crepitava e uma acha caiu, desfazendo-se em pedaços de carvão alaranjado.

— Eu adoro o som da voz dela — disse ele.

E Nina compreendeu subitamente. O pai usara a única forma de fazer a mãe falar.

— Você queria que estivéssemos todos juntos.

O pai suspirou. Era um som fino como papel, e depois ele pareceu ficar ainda mais pálido.

— Você sabe o que um homem pensa em um momento como... agora?

Ela segurou a mão dele.

— O quê?

— Erros.

— Você não cometeu muitos.

— Ela tentou falar com vocês. Até aquela maldita peça... Eu não devia ter deixado que ela se escondesse. É que ela sofreu tanto e eu a amo tanto.

Nina se curvou e beijou a testa dele.

— Isso não importa, Papai. Não se preocupe.

Ele segurou a mão dela e fitou os olhos marejados da filha.

— Importa, sim — disse ele, os lábios tremendo, a voz tão fraca que ela mal conseguia ouvir. — Ela precisa de vocês... e vocês precisam dela. Prometa.

— Prometer o quê?

— Depois que eu me for. Conheça sua mãe.

— Como? — Ambos sabiam que não havia forma de se aproximar da mãe dela. — Eu tentei. Ela não fala conosco. Você sabe disso.

— Faça-a contar a história da camponesa e do príncipe. — Ao dizer isso, ele fechou os olhos novamente e sua respiração ficou ainda mais pesada. — Mas a história inteira.

— Sei o que você está pensando, Papai. As histórias dela nos reuniam. Durante algum tempo, eu até pensei... mas eu estava errada, ela não...

— Apenas tente, está bem? Você nunca ouviu a história toda.

— Mas...

— Prometa.

Ela tocou o rosto dele, sentindo as pontinhas da barba por fazer e a trilha úmida das lágrimas dele. Ela pôde ver que o pai estava quase dormindo. Aquela tarde, e talvez essa conversa, tinham custado muito para ele e o faziam adormecer novamente. Ele sempre quisera que as filhas e a esposa se amassem. Queria tanto que estava tentando acreditar que uma boa sessão de histórias faria isso acontecer.

— Está bem, Pai...

— Amo você — ele sussurrou, com a voz empastada. Apenas a familiaridade das palavras as tornou discerníveis.

— Eu também amo você. — Curvando-se, ela beijou a testa dele novamente e puxou as cobertas até o queixo. Desligando a luz de cabeceira, passou a câmera pelo pescoço e saiu.

Respirando fundo para se recuperar, ela desceu. Na cozinha, encontrou a mãe parada diante do balcão, cortando beterrabas e cebolas amarelas. Uma panela imensa de *borscht* fumegava no fogão.

Claro. Em momentos problemáticos, Meredith se ocupava, Nina tirava fotos e Mamãe cozinhava. A única coisa que as mulheres Whitson nunca faziam era conversar.

— Ei — disse Nina, apoiando-se no batente da porta.

A mãe virou-se lentamente. O cabelo branco estava puxado para trás em um coque de bailarina na nuca. Contra a palidez da pele, aqueles olhos de um azul-ártico pareciam agudos de uma forma impossível em uma mulher da idade dela. Ainda assim, havia algo de frágil nela que Nina não se lembrava de ter visto antes, e aquela nova fragilidade a tornava ousada.

— Eu sempre adorei suas histórias — ela disse.

Mamãe limpou as mãos no avental.

— Contos de fadas são para crianças.

— Papai as adora. Uma vez ele me disse que você contava uma história para ele toda véspera de Natal. Talvez você possa me contar uma amanhã. Eu adoraria ouvir o resto da história da camponesa e do príncipe.

— Ele está morrendo — disse Mamãe. — Está um pouco tarde para contos de fadas, eu diria.

Nina soube então: sua promessa não poderia ser realizada, não importava quanto tentasse. Não havia como conhecer a mãe. Nunca houvera como.

5

MEREDITH AFASTOU AS COBERTAS E levantou da cama. Pegando o robe na porta do banheiro, ela tomou cuidado para escovar os dentes sem olhar no espelho. Superfícies reflexivas não seriam suas amigas hoje.

No minuto em que deixou o quarto, escutou barulho: os cachorros estavam pulando, latindo, e ouvia-se a televisão. Meredith sorriu. Pela primeira vez em meses, aquele lugar se parecia novamente com sua casa.

Lá embaixo, encontrou Jillian na cozinha, arrumando a mesa. Os cachorros estavam ao lado dela, esperando pelos restos do café da manhã.

— Papai disse para deixar você dormir — Jillian disse.

— Obrigada — agradeceu Meredith. — Onde está sua irmã?

— Ainda na cama.

Jeff passou uma xícara de café para a esposa.

— Você está bem? — perguntou ele.

— Foi uma noite dura — ela disse, olhando para ele por cima da beirada da xícara. O conto de fadas havia feito muitas emoções retornarem à superfície, e isso, combinado à sua preocupação com a fraqueza do pai, tinha causado uma noite agitada. — Eu atrapalhei seu sono?

— Não.

Ela lembrou-se de como costumavam dormir enrodilhados um no outro. Recentemente, dormiam tão afastados que uma noite agitada de um não afetava o sono do outro.

— Mãe? — disse Jillian, colocando os guardanapos na mesa. — Podemos ver Vovô e Baba novamente essa manhã?

Meredith passou diante do marido para alcançar a pilha de torradas com manteiga no balcão. Quebrando um pedacinho da torrada, ela disse:

— Eu estou indo agora. Por que vocês não vão depois do café?

Jeff concordou.

— Vamos levar os cachorros para passear e então descemos.

Ela assentiu, pegou seu café e subiu, trocou o pijama e o robe por um jeans confortável e um suéter de gola olímpica tricotado. Dando um tchauzinho rápido, ela correu para fora de casa.

O dia estava surpreendentemente ensolarado. Meredith podia ver sua respiração ao percorrer os 400 metros colina abaixo até a casa dos pais. Havia sonhado com o pai a noite toda. Talvez estivesse na verdade acordada e tivessem sido lembranças passando por sua mente. Ou talvez uma combinação dos dois. Tudo que sabia com certeza era que precisava ficar perto dele, deixar que contasse algumas histórias da vida dele para que ela se lembrasse desse conhecimento e o passasse adiante algum dia. Tinham se esquecido de fazer isso — passar adiante histórias da família, colocar fotos em álbuns, esse tipo de coisa. Sabiam um pouco sobre os parentes de Papai em Oklahoma e como a Grande Depressão os deixara arruinados. Sabiam que ele havia entrado para o exército e conhecido Mamãe enquanto servia, mas era basicamente isso. A maioria das histórias da família era de depois do começo de Belye Nochi, e Meredith, como muitas crianças, estivera mais preocupada com sua própria vida do que com a dele.

Agora, precisava consertar esse erro. E queria pedir desculpas por sair correndo depois do conto de fadas. Sabia que havia ferido os sentimentos dele e odiava isso. Naquela manhã, daria um beijo nele e diria como o amava e como lamentava. Se fosse importante para ele, ela escutaria cada história idiota que a mãe tivesse para contar.

Na porta da frente, ela bateu e foi entrando.

— Mãe? — chamou, fechando a porta. Percebeu imediatamente que não haviam feito café.

— Muito bom, Nina — ela murmurou.

Colocando a cafeteira no fogo, subiu para o segundo andar. Diante da porta fechada do quarto dos pais, ela bateu.

— Ei, pessoal. Estou aqui. Vocês estão aí dentro? — Não houve resposta, então ela abriu a porta e viu os pais abraçados na cama.

— Bom dia. Estou fazendo café lá embaixo e iniciei o samovar. — Ela foi até a janela e abriu as cortinas pesadas. — O médico disse que Papai deve tentar comer. Que tal ovos mexidos com torrada?

A luz do sol entrou pelas imensas janelas curvas, iluminado as tábuas enceradas do assoalho e caindo na cama ornamentada do Leste Europeu que dominava o quarto. Assim como na maior parte da casa, havia pouca cor ali. Apenas o branco da roupa de cama e madeira escura. Até mesmo a poltrona e descanso para os pés no canto eram estofados em damasco branco-neve. Mamãe havia feito a decoração e, como ela não via cores, tendia a não usá-las. A única arte nas paredes eram as fotos mais famosas de Nina, todas em preto e branco, emolduradas em nogueira negra.

Virando-se, ela olhou novamente para os pais. Eles estavam grudados um no outro, com Papai deitado sobre o lado esquerdo, voltado para a penteadeira, e Mamãe atrás, com os braços em volta dele. Ela sussurrava para ele; Meredith precisou de um segundo para perceber que ela falava em russo.

— Mãe? — Meredith disse, franzindo a testa. Apesar de todas as coisas russas da mãe, ela nunca falava o idioma em casa.

— Estou tentando aquecê-lo. Ele está tão frio. — Mamãe passou as mãos com vigor pelos braços de Papai e nas laterais do corpo. — Tão frio.

Meredith não conseguiu se mover. Pensava que sabia antes o que era dor, mas não sabia; não até aquele momento.

O pai estava imóvel na cama, o cabelo despenteado, a boca relaxada, os olhos fechados. Parecia em paz, como se estivesse apenas dormindo até mais tarde, mas uma mancha azul pálida contornava os lábios; mal dava para notar, mas ela, que olhara para aquele rosto por tanto tempo, percebeu que o homem que amava não estava mais ali. A pele estava de um tom cinzento horrível. Ele nunca a tocaria novamente e a abraçaria como um urso e sussurraria *Eu amo você, Meredoodle.* Pensando nisso, os joelhos dela enfraqueceram. Ela permaneceu em pé apenas por causa da força de vontade.

Meredith foi até a cama e tocou o rosto pálido dele, pálido e frio.

Ele estava gelado.

Mamãe soluçou e esfregou os ombros dele com mais força.

— Eu guardei pão para você. Acorde.

Meredith nunca tinha visto a mãe falar em um tom assim tão desesperado. Na verdade, nunca tinha visto *ninguém* falar assim, mas compreendia: era o som que você faz quando o chão some sob seus pés e você cai.

A última coisa na qual Meredith queria pensar era no que devia ter dito para o pai, mas ali estava um lembrete sombrio da noite anterior, parado ao lado dela, sussurrando coisas venenosas. Ela havia dito que o amava?

Ela sentiu vontade de chorar, mas sabia que não poderia ceder naquele momento. Se o fizesse, estaria perdida. Desejou ardentemente, desesperadamente, que pudesse ser diferente, apenas dessa vez, que pudesse ser criança, ser tomada nos braços pela mãe, mas isso não aconteceria. Ela foi até o telefone e discou 911.

— Meu pai morreu — ela disse suavemente ao telefone. Depois de dar todas as informações necessárias, voltou para a cama e tocou o ombro da mãe. — Ele se foi, mãe.

A mãe olhou para ela, com ar selvagem.

— Ele está tão frio — disse Mamãe, lamentosa e com medo, soando quase como uma criança. — Eles sempre morrem gelados...

— Mãe?

A mãe recuou, olhando para o marido sem compreender.

— Vamos precisar do trenó.

Meredith ajudou a mãe a se levantar.

— Vou fazer um chá para você, mãe. Podemos tomar enquanto... eles o levam.

— Você encontrou alguém para levá-lo? Quanto vai custar?

— Não se preocupe com isso, mãe. Vamos. Vamos descer. — Ela pegou a mãe pelo braço, sentindo que era a mais forte das duas pela primeira vez na vida.

— Ele é meu lar — a mãe disse, balançando a cabeça. — Como vou viver sem ele?

— Nós estamos aqui, mãe — Meredith disse, enxugando as próprias lágrimas. Eram palavras vazias de conforto que não ajudavam em nada a diminuir a dor que sentia no peito. A mãe estava certa. Ele era o lar, o coração delas. Como suportariam a vida sem ele?

NINA ESTAVA NO POMAR DESDE ANTES do amanhecer, tentando se perder nas fotografias. Durante algum tempo isso havia dado certo. Estava mesmerizada pelas árvores frutíferas que pareciam esqueletos, transformadas em trabalhos cristalinos de arte pelos pingentes de gelo pendurados nos galhos. Contra o céu laranja e rosa da madrugada, ficavam incríveis. O pai adoraria essas fotos de suas amadas árvores.

Estava fazendo hoje o que deveria ter feito décadas atrás — ampliaria e colocaria em molduras uma série de fotos de macieiras. Cada árvore era uma representação do trabalho da vida do pai e ele adoraria essas recordações de tudo que havia realizado. Talvez devesse dar uma olhada nas fotos da família (não que houvesse muitas) e procurar fotos antigas do pomar.

Colocando a tampa na lente, ela virou-se um pouco e ali estava Belye Nochi, o telhado pontudo de cobre parecendo em chamas na luz do dia que nascia. Ainda estava cedo demais para levar café para o pai e Deus sabia que a mãe não quereria ficar sentada à mesa da cozinha com a filha mais nova, então Nina pegou seu equipamento e foi pelo caminho mais longo até a casa da irmã. Havia começado a andar em um lugar bem lá para trás do pomar; quando chegou à estrada, estava ofegando.

Realmente, não conseguia acreditar que a irmã percorria aquele trajeto correndo todo dia.

Quando chegou à velha casa de fazenda, não pôde evitar sorrir. Cada pedaço do lugar estava coberto por decorações de Natal. O pobre Jeff deveria ter passado meses instalando aquelas luzes.

Não era uma surpresa. Meredith sempre adorara as festas de fim de ano.

Nina bateu na porta da frente e entrou.

Os cachorros apareceram de imediato, cumprimentando-a com entusiasmo.

— Tia Nina! — Maddy correu até ela, lançando os braços a seu redor e abraçando-a. O encontro da noite anterior havia sido reservado demais para as duas.

— Ei, Mad — disse Nina, sorrindo. — Eu mal reconheci você, garota. Você está linda.

— E o que eu era antes, alguma espécie de monstro? — provocou Maddy.

— Exatamente. — Nina sorriu. Maddy pegou a mão dela e a levou para a cozinha, onde Jeff encontrava-se à mesa lendo o *The New York Times* e Jillian fazia panquecas.

Nina fez uma pausa. A noite anterior tinha sido tão artificial — com o quarto escuro e o conto de fadas e toda a dor não mencionada — que Nina não tivera tempo de ver *de verdade* as sobrinhas. Agora, podia fazer isso. Maddy parecia jovem, ainda desengonçada e com os membros muito compridos, o cabelo castanho longo e selvagem, as sobrancelhas largas e a boca grande demais, mas Jillian era uma mulher, séria e composta. Já era fácil imaginá-la como uma médica. Havia uma linha invisível, reta e definida, da menina loira gordinha, que pegava insetos o verão inteiro e os estudava em jarros, até a jovem mulher alta ali, diante do fogão. E Maddy continuava sendo uma cópia perfeita de Meredith naquela idade, mas mais alegre do que Meredith jamais se permitira ser.

Estranhamente, Nina sentiu a passagem de seus próprios anos ao contemplar os rostos adultos das sobrinhas. Ocorreu-lhe pela primeira vez que estava avançando para a metade de sua vida. Não era mais uma criança. Claro, já havia pensado nisso antes, mas quando se vive sozinha e se faz o que quer e quando quer, o tempo de alguma forma parece não passar.

— Ei, tia Neens — disse Jillian, tirando a última panqueca da forma.

Nina abraçou Jillian, pegou uma caneca de café e foi até Jeff.

— Onde está Meredith? — perguntou ela, dando um aperto suave no ombro dele.

Ele colocou o jornal na mesa.

— Ela foi ver seu pai. Faz uns 20 minutos.

Nina olhou para Jeff.

— Como ela está?

— Não é para mim que você deve perguntar — ele disse.

— Como assim?

Antes que Jeff respondesse, Maddy estava a seu lado.

— Você quer panquecas, tia Nina?

— Não, obrigada, meu bem. É melhor eu ir para a casa de seus avós. Sua mãe vai acabar comigo por não ter feito café ainda.

A boca larga de Maddy abriu-se em um sorriso.

— Ela vai mesmo. Vamos estar lá em meia hora.

Nina beijou as meninas, despediu-se de Jeff e saiu novamente. Chegando à casa, ela pendurou o casaco no cabide da entrada e chamou pela irmã. O cheiro de café fresco a atraiu até a cozinha. A irmã estava junto da pia com a cabeça baixa, olhando a água correr.

— Você não vai gritar comigo porque não fiz café?

— Não.

Algo no modo como a irmã falou fez Nina parar. Ela olhou para a escada.

— Ele acordou?

Meredith virou-se lentamente. A expressão nos olhos dela foi tudo de que Nina precisava; o mundo saiu dos eixos.

— Ele se foi — Meredith disse.

Nina inspirou com força. Uma dor diferente de tudo que já sentira apareceu em seu peito, talvez no coração. Uma lembrança absurda passou por sua mente. Estava com 8 ou 9 anos, uma menina agitada com cabelos negros seguindo o pai pelo pomar, desejando estar em qualquer outro lugar. Então, ela caiu — o dedão prendeu em algo e ela saiu voando. *Belo voo, Neener Beaner. Vejo você no outono.* Rindo, ele a pegou nos braços e a colocou sobre os ombros, levando-a dali.

Ela avançou, a visão embaçada pelas lágrimas, e se lançou nos braços da irmã mais velha. Quando fechou os olhos, ele estava ao lado delas, ali, na cozinha, com elas. *Lembra quando ele nos ensinou a empinar papagaio em Ocean Shores?* Mas, como a outra, essa era uma lembrança idiota, de jeito nenhum a melhor possível, mas estava aqui e agora, fazendo-a chorar. Ela havia dito tudo para ele na noite passada? Tinha dito como o amava profundamente, explicado direito por que estava sempre distante?

— Eu não lembro se disse que o amava — Meredith disse.

Nina se afastou, olhou para o rosto abatido de sua irmã tão forte, parando nos olhos cheios de lágrimas.

— Você disse, sim. Eu ouvi. E de qualquer forma, ele sabia disso. Ele sabia.

Meredith assentiu, enxugando os olhos.

— Eles... eles virão logo buscá-lo.

Nina observou a irmã recuperar a compostura.

— E Mamãe?

— Ela está lá em cima com ele. Não consegui afastá-la dele.

Elas trocaram um olhar que dizia tudo e Nina disse:

— Eu vou tentar. E depois... o quê?

— Começamos a fazer planos. E a telefonar.

Essa ideia, de ver a vida dele se transformar em detalhes da morte, era quase mais do que Nina podia suportar. Não que tivesse escolha. Ela disse à irmã que voltaria logo e saiu da cozinha. Cada passo foi um grande esforço e, ao chegar no segundo andar, estava chorando novamente. Suavemente, em silêncio, sem parar.

Ela bateu na porta e esperou. Com o silêncio, virou a maçaneta e entrou.

Para sua surpresa, o quarto estava vazio exceto pelo pai, deitado na cama, com as cobertas tão apertadas ao redor dele que parecia uma camada de neve recém-caída sobre seu corpo.

Ela tocou o rosto dele, puxou um cacho de cabelo branco que caíra sobre os olhos e então se curvou e beijou a testa dele. O frio da pele a chocou e um pensamento apareceu: *Ele nunca mais vai sorrir para mim.*

Respirando fundo, ela se ergueu, olhou para ele por um longo tempo, decorando cada detalhe.

— Adeus, Papaizinho — disse suavemente. Havia mais palavras, claro, centenas delas, e ela sabia quando as diria, mais tarde: de noite, quando estivesse sozinha e desconectada e bem longe de casa.

Afastando-se da cama (ela tinha que fazer isso, tinha que se forçar a se mover, sair, antes que desabasse completamente), pegou o telefone para ligar para Danny, mas desligou antes que começasse a tocar. O que diria para ele? Como palavras poderiam suavizar uma dor assim? Com o canto dos olhos, ela percebeu um movimento no quintal; algo escuro passando pelo branco.

Nina foi até a janela.

Mamãe estava lá, na neve, marchando para a estufa.

Nina correu para baixo e vestiu rapidamente o casaco emprestado e as botas para neve; então, cruzou a varanda, passando diante da janela da cozinha. Lá dentro, viu Meredith falando ao telefone, o rosto branco, os lábios trêmulos. Nina não notou se a irmã a viu passar.

Descendo pela escada lateral, avançou pela neve grossa a partir da quina da casa. Depois de alguns metros, chegou à trilha deixada pela mãe e a seguiu.

Na estufa, parou apenas o bastante para reunir coragem e abriu a porta.

A mãe estava de camisola e botas de neve, ajoelhada na terra, pegando pequenas batatas e juntando-as em uma pilha.

— Mãe?

Nina repetiu duas vezes e não obteve resposta; por fim, falou em tom duro:

— Anya. — E se aproximou.

Mamãe parou e olhou para trás. Seu longo cabelo branco estava solto e caía despenteado ao redor do rosto.

— Temos batatas. A comida vai ajudá-lo...

Nina se ajoelhou ao lado da mãe na terra. Ficou assustada de vê-la assim, mas de certo modo aquilo também a confortou. Pela primeira vez, estavam sentindo a mesma coisa.

— Ei, mãe — ela disse, tocando o ombro dela.

Mamãe olhou para ela, franzindo a testa lentamente. Confusão nublava aqueles olhos azuis brilhantes. Ela balançou a cabeça e fez um som, como um soluço. Novas lágrimas surgiram em seus olhos e a confusão sumiu.

— Batatas não vão ajudar.

— Não — Nina concordou suavemente.

— Ele se foi. Evan se foi.

— Vamos — Nina disse, segurando-a pelo braço, ajudando-a a se levantar. Elas saíram da estufa para o quintal coberto de neve.

— Vamos para dentro — disse Nina.

Mamãe ignorou-a e andou pela neve que ia até as panturrilhas, o cabelo e a camisola ondulando atrás dela na brisa suave. Por fim, sentou-se no banco negro do jardim dela.

É claro.

Nina seguiu a mãe. Desabotoando o casaco, ela o tirou e o colocou sobre os ombros magros da mãe.

Tremendo, Nina sentou-se. Pensou que sabia o que a mãe amava naquele jardim: era controlado e ordenado. Na vastidão do pomar com suas árvores, aquele espaço estava seguro. A única cor no jardim, além das folhas de verão e outono, estava em uma única coluna de cobre, de desenho simples e realçada por gravuras, a qual sustentava uma bacia de mármore que, na primavera, ficaria cheia de flores brancas.

— Eu não quero que ele seja enterrado — disse a mãe. — Não em um terreno que congele. Vamos espalhar as cinzas dele.

Nina percebeu o tom de aço reaparecer na voz da mãe e quase esqueceu a loucura de um minuto atrás. Pelo menos a mulher na estufa *sentia* alguma coisa. Essa mulher, sua mãe, estava novamente no controle. Nina desejava se encostar nela, sussurrar *eu vou sentir falta dele, Mamãe*, como poderia ter feito quando criança, mas alguns hábitos estavam tão arraigados desde a infância que não havia como se livrar deles, mesmo décadas depois.

— Está bem, Mamãe — disse ela por fim. Um minuto depois, ela levantou.

— Eu vou para dentro. Meredith vai precisar de ajuda. Não fique aqui fora muito tempo.

— Por que não? — disse a mãe, olhando para a coluna de cobre.

— Você vai pegar uma pneumonia.

— Você acha que posso morrer de frio? Eu não sou uma mulher de sorte.

Nina colocou a mão no ombro da mãe, sentindo-a contrair-se com o contato. Por mais ridículo que fosse, aquela pequena contração feriu os sentimentos de Nina. Mesmo agora, com a morte de Papai entre elas, Mamãe só queria ficar sozinha.

Nina voltou para dentro de casa e encontrou Meredith ainda na cozinha, fazendo telefonemas. Quando ela entrou, Meredith desligou e se voltou.

No olhar que passou entre elas havia a percepção de que era isso que eram agora. Havia três delas — ela, Mamãe e Meredith. De agora em diante, seriam um triângulo, com conexão distante, em vez do círculo que ele criava. Pensar nisso a fez ter vontade de correr para o aeroporto.

— Me dê uma lista de números. Eu ajudo com as ligações.

Mais de 400 pessoas enchiam a pequena igreja para dizer adeus a Evan Whitson; várias dúzias delas voltaram a Belye Nochi para demonstrar respeito e brindar. A julgar pela louça que Meredith havia lavado, muitos brindes foram feitos. Como esperado, Nina tinha sido uma anfitriã maravilhosa, bebendo com facilidade e deixando as pessoas falarem sobre Papai; Mamãe movia-se pela multidão com a cabeça erguida, raramente parando por mais que um instante; e Meredith fizera todo o trabalho pesado. Tinha organizado e servido toda a comida que as pessoas levaram; garantira que houvesse guardanapos, pratos, talheres e copos à disposição o tempo todo, assim como gelo; e lavara pratos praticamente sem parar. Não havia dúvidas de que estava fazendo o que sempre fazia quando sob tensão: esconder-se por trás de intermináveis organizações e atribulações. Mas, honestamente, ainda não estava pronta para conversar com amigos e vizinhos, para ouvir as lembranças sobre o pai. Sua tristeza ainda estava muito nova, frágil demais para ser jogada de um lado para outro em mãos bêbadas.

Estava até os cotovelos em água com sabão quando, perto da meia-noite, Jeff entrou na cozinha à sua procura. Ele a tomou nos braços e a abraçou. Era como voltar para casa depois de uma longa viagem e as lágrimas que estava controlando durante os últimos dias, e o excruciante serviço na igreja naquele dia, jorraram para fora. Ele a abraçou, acariciando seu cabelo como se ela fosse uma menina, enquanto dizia uma grande mentira, *vai ficar tudo bem,* de novo e de novo. Quando não restava mais nada dentro dela, Meredith recuou, sentindo-se trêmula, e tentou sorrir.

— Acho que eu estava segurando isso dentro de mim.

— É assim que você faz.

— Você diz isso como se fosse algo ruim. Eu deveria desmontar?

— Talvez.

Meredith balançou a cabeça. Ele dizer coisas assim só a fazia se sentir mais distante. Ele parecia pensar que ela era um vaso que poderia quebrar e depois ser colado de novo, mas ela sabia que, se o pior ocorresse — se ela quebrasse como vidro —, algumas peças se perderiam para sempre.

— Eu passei por isso — ele disse. — Você me ajudou com a morte dos meus pais. Deixe-me ajudar você.

— Eu estou bem. De verdade. Vou desmontar mais tarde.

— Meredith...

— Não. — Ela não pretendia falar de forma tão dura e podia ver que o magoara, mas estava em uma situação bem ruim. Não tinha energia para se preocupar com mais ninguém. — Quero dizer, não se preocupe com isso. Eu cuido das coisas aqui. As meninas estão cansadas. Por que você não as leva para casa?

— Está bem — ele disse, mas havia uma expressão de cautela nos olhos dele que Meredith não conhecia.

Depois que todos foram embora, Meredith ficou ali, na cozinha limpa e arrumada, sozinha, desejando quase que imediatamente ter feito uma opção diferente. Seria muito difícil dizer *claro, Jeff, me leve para casa e me abrace...*

Ela jogou o pano de prato no balcão e deixou o esconderijo que era a cozinha de sua mãe.

Na sala, encontrou Nina sozinha, parada diante de uma grande imagem do pai em um cavalete. De calça cáqui e malha preta, com o cabelo negro e curto despenteado, ela parecia mais uma adolescente pronta para seu primeiro safári do que uma fotógrafa de renome mundial.

Mas Meredith viu a tristeza nos olhos verde-garrafa da irmã. Era como água demais em um copo, derramando, e ela sabia que Nina era como ela: nenhuma das duas sabia como expressar aquilo ou sequer sentir de verdade tão completamente como deveriam, e ficou com pena delas duas e da mulher que estava lá em cima, na cama vazia, sentindo a mesma perda. Desejou que pudessem se juntar, dissipar parte da dor reunindo-se. Mas elas não eram assim. Colocou a taça de vinho de lado e foi até Nina, a irmãzinha que no passado implorara para que ela se lembrasse dos contos de fadas da mãe e os contasse para ela no escuro quando não conseguia dormir.

— Nós temos uma à outra — Meredith disse.

— Sim — Nina concordou, apesar de seus olhos traírem a ambas. Elas sabiam que não bastava.

Mais tarde, naquela noite, quando Meredith estava em casa, enfiada na cama ao lado do marido, ocorreu-lhe que havia cometido um erro terrível e o arrependimento a assombrou, mantendo-a acordada. Tinha errado ao ficar cuidando da comida no velório do pai, em vez de agir como filha. Estava com tanto medo de seus sentimentos que os enfiara em uma caixinha e a enterrara longe, mas isso fez com que perdesse o velório. Ao contrário de Nina, Meredith não escutara as histórias que os amigos tinham a contar.

Por volta das 3 da manhã, ela levantou da cama e foi até a varanda, onde sentou-se embrulhada em um cobertor, olhando um pouco além do vapor de sua própria respiração. Mas não estava frio o suficiente para entorpecer sua dor.

NOS TRÊS DIAS SEGUINTES, Nina tentou ser parte integrante da família, mas cada tentativa resultava em falha. Sem Papai, elas eram como peças aleatórias em um jogo de tabuleiro, sem um objetivo comum ou livro de regras. Mamãe ficava na cama, olhando direto para a frente, fazendo tricô. Recusava-se a descer para comer e apenas Meredith conseguia convencê-la a tomar banho.

Nina sempre se sentira vagamente incompetente perto da competência total da irmã, mas isso nunca ficara tão aparente quanto naquele momento. Meredith era como a senhora Pac-Man, movendo-se para a frente sem parar, completando tarefas de sua lista. De alguma forma, mesmo parecendo impossível, ela voltara ao trabalho no dia seguinte ao do funeral, então estava controlando o pomar e os armazéns, tomando conta da família, e ainda conseguia ir até Belye Nochi pelo menos três vezes por dia para administrar o que Nina fazia ali.

Nada do que Nina fazia estava certo; Meredith fazia tudo de novo. Passar o aspirador, lavar os pratos, lavar a roupa. Tudo. Nina tinha vontade de dizer algo a respeito, mas, para dizer a verdade, ela não dava a mínima, e Meredith movia-se como um passarinho assustado, batendo as asas e piando sem parar. Ela também parecia assustada, como uma mulher à beira de um penhasco e a ponto de pular.

Mas Nina conseguia lidar com tudo isso.

Era a tristeza que a estava matando.

Ela pensava *ele se foi* nos momentos mais estranhos, e doía tanto que parava de respirar ou tropeçava ou derrubava um copo. (Meredith tinha *adorado* isso.)

Precisava dar o fora dali. Era isso que deveria fazer. Não estava fazendo nenhum bem para ninguém, muito menos para si mesma.

Assim que teve esse pensamento, não conseguiu mais se livrar dele. Durante todo aquele dia, tentou afastá-lo, tentou se convencer a esquecer a ideia, disse para si mesma que não poderia fugir, certamente não assim tão perto do Natal; mas, às 3 horas, foi lá para cima, para seu quarto, fechou a porta e ligou para Sylvie em Nova York.

— Oi, Sylvie — disse ela quando a editora atendeu.

— Oi, Nina. Estive pensando em você. Como está seu pai?

— Ele se foi. — Ela tentou não reagir à palavra, mas não foi fácil. Foi até a janela de seu quarto de infância e olhou para a neve que caía. Estava no meio da tarde e o dia já estava terminando.

— Ah, Nina. Eu lamento.

— Sim, eu sei. — Todo mundo lamentava. O que mais havia para dizer? — Preciso voltar ao trabalho.

Houve uma pausa.

— Mas já?

— Sim.

— Você tem certeza? Você não vai ter como recuperar esse tempo.

— Acredite, Sylvie, a última coisa que desejo é ter este período de volta.

— Está bem. Deixe-me ver. Sei que preciso de alguém em Serra Leoa.

— Uma zona de guerra parece perfeita — disse Nina.

— Você tem problemas sérios, sabe disso, não é?

— Sim — ela disse. — Eu sei.

Elas conversaram por mais alguns minutos e então desligaram. Sentindo-se melhor — e pior — ela desceu e encontrou Meredith na cozinha, lavando os pratos. *É claro.*

Nina pegou um pano de prato.

— Eu ia fazer isso, você sabe.

— Estes pratos são do almoço e jantar de ontem, Nina. Quando exatamente você pretendia lavá-los?

— Opa, calma aí. São apenas pratos, não...

— Pessoas estão morrendo de fome, eu sei. Eu entendo. Você faz coisas que *importam.* Eu, eu só cuido do negócio da família e cuido de nossos pais e limpo a sujeira que minha irmã importante deixa para trás.

— Eu não quis dizer isso.

Meredith olhou para ela.

— Claro que não.

Nina sentiu-se empalada por aquele olhar, como se todos os seus defeitos tivessem sido expostos.

— Eu estou aqui, não estou?

— Não. Não de verdade. — Meredith pegou o spray e começou a limpar a porcelana branca da pia.

Nina aproximou-se da irmã.

— Eu lamento. — Foi tudo que conseguiu pensar em dizer.

Meredith virou-se para ela novamente. Passou as costas da mão na testa, deixando uma trilha de espuma de sabão.

— Até quando você vai ficar?

— Não muito tempo. A situação em Serra Leoa...

— Me poupe disso. Você está fugindo. — Meredith, por fim, quase sorriu. — Droga, eu faria o mesmo se pudesse.

Nina se sentiu mal como nunca se sentira na vida. Ela *estava* fugindo — da mãe gélida, daquela casa vazia demais, da irmã competente e frágil, e das lembranças que viviam ali. Talvez principalmente das lembranças. Ficava preocupada com o que seu egoísmo custaria à irmã e com a promessa que tinha feito ao pai e que estava ignorando, mas que Deus a ajudasse, não se importava com isso o bastante para ficar.

— E quanto às cinzas dele?

— Ela quer espalhá-las no aniversário dele, em maio. Quando o chão não estiver congelado.

— Eu venho pra isso.

— Duas vezes em um só ano? — disse Meredith.

Nina olhou para ela.

— É um ano e tanto.

Por um momento, pareceu que Meredith desmontaria, que desistiria e choraria, e Nina sentiu seus olhos marejarem também. Então, Meredith disse:

— Não esqueça de se despedir das meninas. Você sabe como elas a idolatram.

— Não vou esquecer.

Meredith assentiu e enxugou os olhos.

— Tenho que voltar ao trabalho em uma hora. Vou passar o aspirador antes de ir.

Nina queria dizer que cuidaria disso — fazer um último esforço —, mas, agora que havia decidido partir, era como um puro-sangue no portão de partida. Queria correr.

— Eu vou fazer as malas.

MAIS TARDE, NAQUELA NOITE, quando as poucas coisas de Nina estavam na mochila, que já se encontrava no carro alugado, ela por fim foi procurar a mãe.

Encontrou-a embrulhada em cobertores, sentada diante do fogo.

— Então você vai partir — disse a mãe sem erguer os olhos.

— Minha editora ligou. Eles precisam de mim. É terrível o que está acontecendo em Serra Leoa. — Ela sentou-se perto do fogo; o corpo tremeu com o calor súbito. — Alguém precisa mostrar ao mundo o que está acontecendo lá. Pessoas estão morrendo. É tão trágico.

— Você acha que as *suas* fotos podem fazer isso?

Nina sentiu-se atingida pelo comentário e pelo insulto.

— A guerra é uma coisa terrível, mãe. É fácil ficar aqui sentada em sua casa linda e segura e julgar meu trabalho. Mas, se tivesse visto o que vi, você pensaria outra coisa. O que eu faço *pode* fazer diferença. Você não pode imaginar como algumas pessoas sofrem pelo mundo, e se ninguém vir...

— Vamos espalhar as cinzas do seu pai no aniversário dele. Com ou sem você.

— Certo — Nina disse sem mudar o tom, pensando *Papai entendia*, e sentindo toda a dor novamente. — Então adeus. Feliz Natal para você.

Com esse clima, Nina deixou Belye Nochi. Parou na varanda, olhando para o vale, assistindo à neve cair. Seu olho treinado absorveu tudo, catalogando e lembrando de cada detalhe. Em 39 horas, seria poeira que cairia em seus ombros e rodopiaria ao redor das botas, e as imagens desse lugar se dissolveriam como ossos sob um sol inclemente, até que, em pouquíssimo tempo, ficariam pálidas demais para serem vistas. Sua família — e especialmente a mãe — se tornariam lembranças de seres sombrios a quem Nina poderia amar... de longe.

6

Nas semanas seguintes à morte do pai, Meredith conseguiu se manter funcionando apenas por causa da força de vontade. Isso, e uma agenda tão apertada e lotada quanto a de um recruta do exército.

A tristeza tornou-se sua acompanhante silenciosa. Sentia a sombra dela a seu lado o tempo todo. Sabia que, se se virasse para aquela escuridão apenas uma vez, se se entregasse a ela como ansiava fazer, estaria perdida.

Por isso, continuou em movimento. Fazendo.

O Natal e Ano-Novo foram desastrosos, é claro, e sua insistência em seguir a tradição não ajudou. O jantar com peru-e-tudo-mais apenas realçou o lugar vazio na mesa.

E Jeff não compreendia. Ele ficava dizendo que, se chorasse, ela ficaria bem. Como se algumas lágrimas pudessem ajudar.

Era ridículo. Sabia que chorar não adiantaria nada, porque chorava enquanto dormia. Noite após noite, acordava com lágrimas no rosto e isso não ajudava em nada. De fato, era ao contrário. A expressão da tristeza não ajudava. Apenas a supressão dela faria com que atravessasse esse período tão duro.

Ela seguiu adiante, sorrindo abertamente no trabalho e indo de uma tarefa para a próxima com um zelo desesperado. Não foi senão quando as meninas voltaram para a escola que ela percebeu como estava exausta por causa daquela pretensa vida normal. E não ajudava, é claro, que não tivesse dormido uma noite inteira desde o funeral, nem que ela e Jeff estivessem tendo problemas para encontrar algum assunto sobre o qual conversar.

Ela tentou explicar para ele como se sentia, como estava entorpecida, mas ele se recusava a entender. Ele achava que ela deveria "extravasar". O que quer que isso quisesse dizer.

Porém, ela não estava fazendo muita força para falar com ele, e isso era verdade. Às vezes, passavam dias inteiros com pouco mais que um aceno de cabeça quando cruzavam um com o outro. Ela precisava mesmo tentar com mais empenho.

Meredith lavou a caneca de café, colocou-a no secador e foi para o escritório no porão que ele usava para escrever. Batendo uma vez, ela abriu a porta.

Jeff estava sentado à mesa — aquela que compraram fazia uma década, chamaram de o *espaço de escritor* dele e batizaram fazendo amor sobre ela.

Você vai ser famoso um dia. O novo Raymond Chandler.

Ela sorriu com a lembrança, apesar de se entristecer pensando que em algum ponto ao longo do caminho os sonhos de ambos tinham se separado, seguindo caminhos diferentes.

— Como está indo o livro? — ela perguntou, apoiando-se no batente.

— Uau. Você não pergunta isso há semanas.

— Mesmo?

— Mesmo.

Meredith franziu a testa diante disso. Sempre adorara o que o marido escrevia. Nos primeiros dias do casamento, quando ele era um jovem jornalista lutando para se estabelecer, lia cada palavra que ele escrevia. Até alguns anos atrás, quando ele ousara tentar escrever ficção, ela fora sua primeira e melhor crítica. Pelo menos, era o que ele dizia. Aquele livro não tinha sido vendido para nenhuma editora, mas Meredith acreditava nele de todo o coração. E estava feliz que ele finalmente começara outro livro. Havia dito isso para ele?

— Lamento, Jeff — ela disse. — Tenho estado terrível ultimamente. Posso ler o que você escreveu até agora?

— Mas claro.

Ela viu como era fácil fazê-lo sorrir e sentiu uma pontada de culpa. Queria se curvar e dar um beijo nele. Beijá-lo costumava ser tão fácil quanto respirar, mas agora parecia algo estranhamente ousado, e ela não conseguia se aproximar dele. Mentalmente, ela acrescentou *ler livro de Jeff* à sua lista de coisas a fazer.

Ele se inclinou para trás na cadeira. O sorriso que dirigiu para ela foi um bom esforço; apenas os 20 anos de convívio permitiam que ela visse a vulnerabilidade por trás do sorriso.

— Vamos jantar e ver um filme hoje. Você precisa de um descanso.

— Talvez amanhã. Hoje, tenho que pagar as contas de Mamãe.

— Você está queimando a vela dos dois lados.

Meredith odiava quando ele dizia coisas ridículas como essa. O que exatamente ela deveria deixar de fazer? Seu trabalho? Cuidar da mãe? As tarefas de casa?

— Faz apenas algumas semanas. Me dê um descanso.

— Só se você se der algum.

Ela não tinha ideia do que ele queria dizer com isso, e no momento não se importava.

— Eu preciso ir. Vejo você de noite. — Curvando-se, ela deu um tapinha no ombro dele e saiu. Colocou os cachorros no cercado do jardim e seguiu para a casa dos pais.

A casa da mãe.

Esse lembrete veio com uma pontada de tristeza que ela pôs de lado.

Lá dentro, fechou a porta e chamou pela mãe.

Não houve resposta, o que não era de surpreender.

Encontrou a mãe na sala de jantar formal que raramente era usada, murmurando consigo mesma em russo. Na mesa, espalhadas diante dela, estavam joias que o pai comprara para ela ao longo dos anos, assim como uma caixa de joias decorada que tinha sido um presente de Natal das filhas, muito tempo atrás.

Meredith viu a confusão que a tristeza havia causado no belo rosto da mãe: as faces estavam encovadas e os ossos apareciam de forma proeminente; a cor sumira da pele ao ponto dela estar quase com a cor do cabelo. Apenas os olhos — de um azul chocante em meio a toda aquela palidez — guardavam alguma semelhança com a mulher que ela era um mês atrás.

— Oi, Mamãe — disse Meredith, aproximando-se. — O que você está fazendo?

— Temos essas joias. E a borboleta está em algum lugar.

— Você vai se vestir para alguma coisa?

A mãe a fitou com ar duro. Apenas então, quando os olhares delas realmente se encontraram, foi que Meredith percebeu a confusão naqueles olhos de um azul-elétrico.

— Podemos vendê-las.

— Não precisamos vender suas joias, Mamãe.

— Eles vão parar de entregar dinheiro logo. Você vai ver.

Meredith inclinou-se e com gentileza pegou uma das joias. Não havia nada realmente de valor ali: os presentes de Papai foram sempre mais de coração do que caros.

— Não se preocupe com as contas, Mamãe. Eu vou pagá-las para você.

— Você?

Meredith assentiu e ajudou a mãe a se levantar, surpresa por ela consentir. Mamãe se deixou levar escada acima sem problemas.

— A borboleta está em segurança?

Meredith assentiu.

— Está tudo seguro, Mamãe — garantiu ela, ajudando a mãe a se deitar na cama.

— Graças a Deus — disse Mamãe com um suspiro. E fechou os olhos.

Meredith ficou ali por um longo tempo, olhando para a mãe que dormia. Por fim, estendeu a mão e tocou a testa dela (não estava quente) e afastou com gentileza o cabelo dos olhos.

Quando por fim ficou certa de que Mamãe dormia profundamente, ela desceu e ligou para o escritório.

Daisy atendeu ao primeiro toque.

— Escritório de Meredith Whitson Cooper.

— Oi, Daisy — disse Meredith, ainda franzindo a testa. — Vou trabalhar aqui de Belye Nochi hoje. Minha mãe está agindo de uma forma um pouco estranha.

— A tristeza faz isso com as pessoas.

— Sim — Meredith disse, pensando nas lágrimas que sempre estavam em seu rosto quando acordava. Ontem, estivera tão exausta que colocara suco de laranja no café em vez de leite de soja. E tomara meia caneca antes de perceber. — Ela faz, sim.

SE MEREDITH ESTAVA QUEIMANDO A vela dos dois lados, então, no final de janeiro, não restava nada além da chama. Sabia que Jeff estava impaciente com ela, até mesmo bravo. Ele sempre dizia para contratarem alguém para ajudar a tomar conta da mãe dela, ou que o deixasse ajudar, ou — o pior de tudo — que arrumasse tempo para eles. Mas como poderia fazer isso em meio a todas as outras tarefas? Tinha tentado arrumar uma governanta para ajudar Mamãe, mas a tentativa resultara em desastre. A pobre mulher havia trabalhado por uma semana em Belye Nochi e pedira demissão sem aviso, dizendo que não podia aguentar o modo como Mamãe a vigiava o tempo todo e dizia para não tocar nas coisas.

Então, com Nina sabe-se Deus onde e Mamãe ficando mais estranha e fria a cada dia, Meredith não tinha opção senão seguir adiante. Ela havia prometido para o pai que tomaria conta da mãe e não quebraria a promessa. Por isso, seguia adiante sem parar, fazendo tudo que precisava ser feito. Enquanto se mantivesse em movimento, conseguiria conter a tristeza.

Sua rotina tornara-se sua salvação.

Toda manhã, acordava bem cedo, corria seis quilômetros, fazia o café para o marido e para a mãe e ia trabalhar. Às 8, estava em sua mesa, trabalhando. Ao meio-dia, voltava para Belye Nochi para ver a mãe, pagar algumas contas ou fazer alguma limpeza. Depois, voltava ao trabalho até as 6, fazia compras no mercado no caminho para casa, parando para ver Mamãe, até as 7 ou 8 e — se Mamãe não estivesse agindo de forma estranha demais — estava em casa às 8h30 para jantar o que quer que ela e Jeff conseguissem fazer. Sem falha, caía no sono no sofá às 9 e despertava às 3 da manhã. A única parte boa dessa rotina maluca era que podia ligar cedo para Maddy por causa da diferença de fuso horário. Às vezes, só ouvir a voz das filhas lhe dava forças para atravessar o dia inteiro.

Agora, mal passava do meio-dia e já estava exausta quando apertou o botão do interfone e disse:

— Daisy, vou almoçar em casa. Volto em uma hora. Você pode levar o relatório do barracão para Hector e lembrar Ed de me conseguir aquelas informações sobre uvas?

A porta do escritório abriu.

— Estou preocupada com você — disse Daisy, fechando a porta atrás dela.

Meredith ficou emocionada.

— Obrigada, Daisy. Mas estou bem.

— Você está trabalhando demais. Ele não gostaria disso.

— Eu sei, Daisy. Obrigada.

Meredith esperou Daisy sair de sua sala, então, pegou as chaves e a bolsa.

Lá fora, a neve caía outra vez. O estacionamento estava uma confusão de neve e lama misturadas, assim como as estradas. Ela dirigiu lentamente até a casa da mãe, estacionou e entrou. Tirou o casaco e o pendurou, chamando:

— Mãe, estou aqui.

Não houve resposta.

Enfiando a cabeça na geladeira, encontrou os *pierogies*[3] que havia colocado para degelar na noite anterior e uma Tupperware cheia de sopa de lentilha. Colocou os *pierogies* no micro-ondas e os esquentou. Estava a ponto de subir

---

[3] Palavra de origem polonesa que significa "pastel". São tradicionalmente em forma semicircular, podendo ser também quadrados ou triangulares. São recheados com batata, repolho, carne moída, queijo ou frutas. Depois de fervidos, são assados ou fritos, geralmente na manteiga com cebola (N.T.).

quando percebeu uma mancha escura no jardim de inverno.

Isso estava ficando cansativo...

Pegando o casaco, marchou pela neve até o jardim.

— Mãe — disse ela, percebendo a exasperação na voz, mas sendo incapaz de controlá-la. — Você tem que parar de fazer isso. Vamos para dentro. Vou fazer *pierogies* e sopa para você.

— Do cinto?

Merdith balançou a cabeça. O que quer que *isso* quisesse dizer.

— Vamos. — Ela ajudou a mãe a se levantar — sem casaco novamente, e azul de frio — e a levou para a cozinha, onde a envolveu em um cobertor e a sentou à mesa. — Você está bem?

— Não é comigo que deveria se preocupar, Olga — disse Mamãe. — Vá ver o leão.

— Sou eu. Meredith.

— Meredith — ela repetiu, tentando dar sentido ao nome.

Meredith franziu a testa. A mãe parecia cada vez mais confusa. Aquilo não era apenas tristeza. Havia algo errado.

— Vamos, Mamãe. Acho que precisamos visitar o dr. Burns.

— O que temos para trocar?

Meredith suspirou novamente e pegou o prato com *pierogies* no micro-ondas. Colocou os pasteizinhos em um prato frio, que foi posto diante da mãe.

— Estão quentes. Cuidado. Eu vou pegar suas roupas e ligar para o médico. Fique aqui. Está bem?

Ela subiu em busca das roupas e, enquanto estava lá, ligou para Daisy e pediu que marcasse uma consulta de emergência com o dr. Burns. Então, desceu com as roupas e ajudou Mamãe a se levantar.

— Você comeu tudo? — Meredith disse, surpresa. — Bom. — Vestiu um suéter na mãe, então ajudou-a a calçar as meias e botas para neve. — Vista o casaco. Eu vou esquentar o carro.

Quando voltou para dentro de casa, Mamãe estava na entrada, abotoando o casaco nas casas erradas.

— Aqui, Mamãe. — Meredith desabotoou e reabotoou o casaco da forma correta. Tinha quase terminado quando percebeu que o casaco estava quente.

Enfiando a mão nos bolsos, ela encontrou os *pierogies*, ainda quentes, embrulhados em toalhas de papel engorduradas. *Mas o que é isso?*

— São para Anya — disse Mamãe.

— Eu sei que são seus — disse Meredith, franzindo a testa. — Vou deixá-los aqui para você, está bem? — Ela colocou os pastéis no prato de cerâmica da entrada. — Vamos, Mamãe.

Conduzindo a mãe para fora, ajudou-a a entrar no SUV.

— Apenas relaxe, Mamãe. Durma. Você deve estar exausta. — Ela ligou o carro e foi para a cidade, estacionando em uma das vagas inclinadas diante do prédio de tijolos aparentes dos consultórios do Grupo Médico Cashmere.

Lá dentro, Georgia Edwards encontrava-se por trás da mesa da recepção, parecendo tão vivaz e bela quanto na época em que era animadora de torcida no Colegial Cashmere.

— Oi, Mere — ela disse, sorrindo.

— Oi, Georgia. Daisy marcou uma hora para minha mãe?

— Você conhece Jim. Ele faz qualquer coisa para vocês, Whitson. Leve-a para a Sala de Exames A.

Quando se aproximaram da sala de exames, Mamãe pareceu perceber subitamente onde estavam.

— Isso é ridículo — ela disse, puxando o braço.

— Reclame o quanto quiser — disse Meredith —, mas vamos ver o médico.

A mãe se endireitou, ergueu o queixo e entrou na primeira sala de exames. Ali, ocupou a única cadeira existente.

Meredith entrou atrás dela e fechou a porta.

Momentos depois, o dr. James Burns entrou na sala, sorrindo. Completamente careca, com olhos cinzentos cheios de compaixão; para Meredith, ele se parecia com seu pai. Os dois tinham sido parceiros de golfe durante anos; o pai de Jim tinha sido um dos melhores amigos de seu pai. Ele abraçou Meredith com força; no abraço, estavam a tristeza compartilhada e um silencioso *eu também sinto falta dele.*

— Então — disse ele quando se afastou. — Como você está hoje, Anya?

— Eu estou bem, James. Obrigada. Meredith é exagerada. Você sabe disso.

— Você se importa se eu a examinar? — ele perguntou.

— Claro que não — disse Mamãe —, mas é desnecessário.

Jim realizou um exame geral. Quando terminou, fez anotações na ficha dela e então disse:

— Que dia é hoje, Anya?

— Vinte e um de janeiro de 2001 — disse ela, o olhar firme e claro. — Quarta-feira. Nós temos um novo presidente. George Bush, o mais jovem. E Olympia é a capital do estado.

Jim fez uma pausa.

— Como você está, Anya? De verdade?

— Meu coração está batendo. Eu respiro. Eu vou dormir e acordo.

— Talvez devesse ver alguém — ele disse com gentileza.

— Quem?

— Um médico que possa ajudá-la a falar sobre sua perda.

— A morte não é algo de que falar. Vocês, americanos, acreditam que as palavras mudam as coisas. Elas não mudam.

Ele assentiu.

— Minha filha talvez precise de ajuda.

— Certo — ele disse, anotando algo mais na ficha. — Por que você não vai até a sala de espera enquanto falo com ela?

Mamãe saiu da sala imediatamente.

— Tem algo errado com ela — disse Meredith assim que estavam sozinhos. — Ela está muito confusa. Mal consegue dormir. Hoje, colocou o almoço nos bolsos e falou sobre si mesma na terceira pessoa. Ela está constantemente preocupada com um leão e me chamou de Olga. Acho que está misturando contos de fadas com a vida real. Ontem à noite eu a ouvi recitando uma dessas histórias para si mesma... como se Papai estivesse ouvindo. Você sabe que ela sempre fica deprimida no inverno, mas isso é alguma outra coisa. Algo está errado. Será que é Alzheimer?

— A mente dela parece estar bem, Meredith.

— Mas...

— Ela está triste. Dê um tempo para ela.

— Mas...

— Não há uma forma normal de lidar com algo assim. Eles estiveram casados por cinco décadas e agora ela está sozinha. Apenas a escute, se você conseguir; fale com ela. E não a deixe sozinha por muito tempo.

— Acredite, Jim, minha mãe está sozinha mesmo que eu esteja do lado dela.

— Então, fiquem sozinhas juntas.

— Sim — disse Meredith. — Certo. Obrigada, Jim, por nos ver. Agora, preciso levá-la para casa e voltar ao trabalho. Tenho uma reunião às 2h15.

— Talvez você devesse ir mais devagar. Posso lhe receitar um remédio para dormir, se quiser.

Meredith queria ter ganho dez contos cada vez que alguém — especialmente seu marido — tinha lhe dado esse mesmo conselho. Estaria em uma praia no México com todo o dinheiro.

— Claro, Jim — ela disse. — Eu vou parar e cheirar as rosas.

EM UM DIA DE CALOR INFERNAL, mais de um mês depois de partir do Estado de Washington, Nina encontrava-se no meio de um mar de refugiados famintos e desesperados. Até onde a vista alcançava, havia gente amontoada diante de tendas sujas e capengas. A situação delas era crítica; muitas haviam chegado feridas, ou baleadas, ou estupradas, mas o estoicismo delas era impressionante. Calor e poeira as atingiam; elas andavam quilômetros por um balde de água, esperavam horas por um punhado de arroz da Cruz Vermelha, mas ainda assim havia crianças brincando na terra; de vez em quando, ouvia-se o som de risadas erguer-se acima do choro.

Nina estava tão suja e cansada e faminta quanto todos ao redor dela. Estava vivendo naquele campo havia duas semanas. Antes disso, estivera em Serra

Leoa, abaixando-se e escondendo-se para evitar levar um tiro ou ser ela mesma estuprada.

Ela se agachou no solo seco e sujo. O zunido dos ruídos no campo era opressivo, uma combinação de insetos, vozes e máquinas à distância. Para a esquerda, uma bandeira médica esfrangalhada ondulava acima de uma tenda de exército. Centenas de pessoas feridas esperavam pacientemente em uma fila para serem atendidas.

Diante dela, meio dentro e meio fora de uma tenda, um homem velho e encarquilhado encontrava-se deitado nos braços da esposa. Ele havia perdido uma perna recentemente e o toco sangrento manchava de vermelho o cobertor que o cobria. A mulher estava ali com ele fazia horas, mantendo-o erguido, apesar de ser claro que o magro corpo dela também estava doendo. Ela colocava preciosas gotas de água na boca do marido.

Nina pôs a tampa na lente e levantou. Olhando para o campo, sentiu uma exaustão que era uma coisa nova. Pela primeira vez em sua carreira, a tragédia daquilo tudo era quase insuportável. Não era algo pior do que havia visto antes. Não era isso. A situação não mudara. O que mudou fora ela. Carregava consigo uma tristeza e esse peso tornava impossível compartimentá-la.

As pessoas costumavam pensar que o trabalho dela era *estar* lá, como se qualquer um pudesse apontar a máquina e bater fotos, mas a verdade é que as fotos dela eram uma extensão de sua pessoa, do que pensava, do que sentia. Precisava de uma concentração perfeita para capturar em filme a intensa dor da tragédia pessoal. Era preciso estar lá 100% do tempo, no momento — mas tinha que ser o momento *deles*.

Ela abriu a mochila e tirou a antena do satélite. Indo para leste tanto quanto ousava, montou o equipamento, posicionou o prato e ligou para Danny.

Com o som da voz dele, sentiu algo relaxar no peito.

— Danny — ela disse, tendo que gritar para se fazer ouvir acima da estática.

— Nina, amor. Pensei que tinha me esquecido. Onde você está?

Ela se contraiu com a pergunta.

— Guiné. E você?

— Zâmbia.

— Estou cansada — ela disse, surpreendendo a si mesma. Não se lembrava de jamais ter dito isso, não enquanto trabalhava.

— Posso estar na Ilha Mnemba na quarta.

Água azul. Areia branca. Gelo. Sexo.

— Combinado.

Ela desligou e guardou o telefone. Passando a alça pelo ombro, voltou para o acampamento. Uma fileira de novos caminhões da Cruz Vermelha tinha chegado e o pandemônio da distribuição de comida começara. Ela correu adiante de duas mulheres carregando uma caixa de suprimentos e passou na frente da tenda da qual tinha tirado fotos.

O homem com as bandagens ensanguentadas havia morrido. A mulher continuava sentada ao lado dele, embalando-o no colo, cantando para ele.

Nina parou e tirou uma foto, mas dessa vez a lente não foi uma proteção, e quando afastou a máquina do rosto ela percebeu que estava chorando.

Do confortável assento dentro da SUV com ar-condicionado, Nina olhou pela janela para o cenário de Zanzibar. As ruas estreitas e ondulantes, cheias de gente: mulheres envolvas nos tradicionais véus muçulmanos, crianças com uniformes de escola azuis e brancos, homens parados em grupos. Do lado da estrada, homens tentavam vender de tudo, de frutas e legumes a tênis e camisetas com pouco uso. Na selva atrás da estrada, mulheres — a maioria com crianças nas costas ou braços — colhiam cravos; os temperos ficavam em largos recipientes marrons na beirada da estrada, secando sob o sol quente.

Quando o táxi por fim deixou a estrada principal e virou na estradinha de terra que levava até a praia, Nina agarrou-se ao puxador da porta com toda a força. A estrada ali era coral puro — assim como a ilha toda — e os pneus podiam estourar a qualquer momento. A velocidade diminuiu; avançaram lentamente, passando por aldeias erguidas no meio do nada; gado confinado em currais improvisados, mulheres de véus e vestidos coloridos com varas nas mãos, crianças bombeando no poço em busca de água. As casas eram pequenas e escuras e feitas de qualquer coisa que estivesse disponível — madeira, lama, pedaços de coral — e tudo era coberto pelo vermelho da poeira terrosa.

No final da estrada, a praia era uma colmeia de atividade. Barcos de madeira subiam e desciam na água rasa, enquanto homens arrumavam as redes abertas na areia. Garotos vestidos com roupas esfarrapadas corriam por todos os lados, assediando os turistas, oferecendo poses para fotografias em troca de dólares.

No minuto em que ela entrou na esguia lancha branca, percebeu o quanto estava tensa. Um nó em seu pescoço relaxou. Sentiu o ar do mar no rosto sujo, batendo no cabelo enquanto aceleravam pelo mar liso. Ocorreu-lhe, enquanto respirava o ar salgado, como tinha sorte na vida, apesar da tristeza. Ela podia deixar os lugares terríveis para trás, mudar seu futuro com um telefonema e uma passagem de avião.

A ilha particular — Mnemba — era um pequeno atol no arquipélago de Zanzibar. Quando ela chegou, o gerente da ilha, Zoltan, estava ali com um cálice de vinho branco e um pano úmido e fresco. Quando ele viu Nina, seu rosto moreno e atraente abriu-se em um sorriso largo.

— Estou feliz em vê-la novamente.

Ela desceu do barco saltando para a água quente, assegurando-se de manter a mochila e sacola de equipamento acima da cabeça.

— Obrigada, Zoltan. Estou feliz em estar aqui. — Ela pegou o cálice de vinho. — Danny já chegou?

— Ele está no número 7.

Nina pendurou a mochila e a sacola no ombro e caminhou pela praia. A areia estava tão branca quanto o coral do qual era formada e a água tinha um tom impressionante de verde-azulado. Quase que exatamente a cor dos olhos da mãe dela.

Havia nove *bandas* privativas na ilha — cabanas com teto de folhas e laterais abertas —, todas ocultas por vegetação densa. O único momento em que os hóspedes viam uns aos outros, ou ao pessoal da ilha, era na hora das refeições na cabana de jantar ou ao pôr do sol, quando coquetéis eram oferecidos em mesas na praia diante de cada *banda*.

Nina viu a discreta placa com o número 7 perto das espreguiçadeiras na praia e entrou pela trilha de areia. Um par de pequenos antílopes, não maiores que coelhos, com chifres tão pontudos quanto furadores de gelo, cruzou a trilha e desapareceu.

Ela viu Danny antes de ele a ver. Estava em uma das cadeiras de bambu trançado, com os pés descalços apoiados na mesa de café, tomando uma cerveja e lendo. Ela encostou-se no corrimão de madeira.

— Essa cerveja não é a coisa mais atraente por aqui, mas está perto.

Danny largou o livro e levantou. Mesmo naquele short cáqui gasto e desbotado, com o cabelo comprido precisando de um bom corte e o rosto escurecido pela barba por fazer, ele estava lindo. Ele a tomou nos braços e a beijou até ela afastá-lo, rindo.

— Estou me sentindo suja — disse ela.

— É o que mais gosto em você — disse ele, beijando a imunda palma da mão dela.

— Preciso de um chuveiro — ela disse, desabotoando a blusa. Ele a levou pela mão através do quarto e pela passagem de madeira até o banheiro e o chuveiro externo. Sob o jorro de água quente, ela tirou sutiã, short e calcinha, chutando as roupas sujas para o lado. Danny a lavou de uma forma que eram puras preliminares e, quando o sabão ainda estava escorrendo de seu corpo esguio e ela avançou para ele, tudo de que precisou foi um toque. Ele a ergueu nos braços e a levou para o quarto.

Mais tarde, quando os dois conseguiram respirar novamente, ficaram deitados enrodilhados na cama coberta por uma rede.

— Uau — disse ela, a cabeça apoiada no braço dele. — Tinha esquecido como somos bons nisso.

— Somos bons em muitas coisas.

— Eu sei. Mas nisso somos *realmente* bons.

Ocorreu uma pausa e nela Nina percebeu que ele diria o que ela não queria ouvir.

— Eu soube pela Sylvie que o seu pai morreu.

— O que eu deveria fazer? Ligar para você e chorar?

Ele virou para o lado, levando-a consigo até ficarem de frente um para o outro. A mão deslizou pelas costas dela e parou na curva do quadril.

— Eu sou de Dublin, lembra? Sei como é perder alguém, Nina. Sei como isso fica lá dentro como ácido de bateria, queimando e queimando. E sei como é fugir disso. Você não é a única na África, certo?

— O que você quer de mim, Danny? O quê?

— Conte-me sobre seu pai.

Ela o fitou, sentindo-se encurralada. Queria dar o que ele pedia, mas não conseguia. Seus sentimentos, sua perda, eram tão intensos que, se ela se permitisse sentir tudo aquilo, jamais conseguiria se recuperar.

— Eu não sei como. Ele era... meu sol, eu acho.

— Eu amo você assim — ele disse suavemente.

Nina queria que isso a fizesse se sentir melhor, mas não fez. Sabia sobre o amor desigual, como era possível ser esmagada por dentro se uma pessoa amava mais do que a outra. Já não tinha visto esse tipo de devastação nos olhos do pai quando olhava para a mãe? Estava certa de que sim. E, uma vez que se via esse tipo de dor, não se esquecia mais. Se Danny a olhasse assim algum dia, isso partiria seu coração. E ele faria isso. Cedo ou tarde, ele perceberia que ela podia ter amado o pai, mas era mais parecida com a mãe.

— Não podemos só...

— Por enquanto — ele disse, mas ela sabia que aquilo não terminaria ali.

A ideia de perdê-lo fez com que se sentisse estranhamente ansiosa. Então, ela fez o que sempre fazia quando as emoções eram fortes demais para aguentar: deslizou as mãos pelo peito nu dele até a linha dos pelos junto do umbigo. Continuou a descer e, quando o tocou e sentiu como ele estava duro, teve certeza de que ele ainda era seu.

Por enquanto.

O CÉU ESTÁ CINZA-ARDÓSIA E INCHADO DE NUVENS. Uma gaivota solitária gira no alto, combatendo o vento, grasnando. Ela é pequena, uma menina com longas maria-chiquinhas castanhas e joelhos esfolados. Correndo atrás dele. Uma pipa cai na areia diante dela, girando; ela sobe novamente antes que ela a alcance.

— Papai — ela grita, sabendo que ele está muito adiante. Ele não pode ouvi-la. — Eu estou aqui atrás...

Meredith acordou em pânico. Sentou-se na cama e olhou ao redor, sabendo que ele não estaria ali. Era mais um sonho.

Ainda cansada e com dores por causa da noite passada virando de um lado para o outro sob as cobertas, ela levantou da cama, tomando cuidado para não acordar Jeff. Foi até a janela e olhou para a escuridão lá fora. A madrugada ainda não mostrara sua face. Ela cruzou os braços com força, tentando se controlar. Era como se ultimamente pedaços de sua alma estivessem caindo, como se tivesse alguma espécie horrível de lepra espiritual.

— Volte para a cama, Mere.

Ela não olhou para trás.

— Desculpe. Não queria acordar você.

— Por que você não dorme até mais tarde hoje?

Parecia boa a ideia de poder se enterrar nos braços dele e sob as cobertas e apenas dormir enquanto a vida seguia adiante sem ela.

— Eu queria poder fazer isso — disse ela, já pensando no que precisava fazer naquela manhã. Como já estava de pé, poderia trabalhar nos impostos daquele trimestre. Teria uma reunião com o contador na semana seguinte e precisava se preparar.

Jeff levantou da cama e foi até lá, ficando atrás dela. Meredith viu o reflexo prateado do rosto deles na janela escura.

— Você cuida de tudo e de todos, Mere. Mas quem cuida de você?

Ela virou-se para ele, deixando que ele a abraçasse.

— Você.

— Eu? — ele exclamou. — Eu não passo de um item em sua lista de tarefas.

Em outra época — há um ano, talvez —, ela teria dito a ele que isso não era justo, brigaria com ele, mas agora estava esgotada demais para se importar.

— Agora não, Jeff. — Foi tudo que conseguiu dizer. — Não posso ter essa conversa.

— Eu sei a dor que você está sentindo...

— Claro que estou sentindo dor. Meu pai morreu.

— É mais que isso. Você está fazendo coisas demais — ele disse calmamente. — Você continua tentando chamar a atenção dela, como...

— E o que eu deveria fazer? Ignorá-la? Ou talvez deva pedir demissão do meu trabalho?

— Contrate alguém. Ela não dá a menor bola se você vai lá. Eu sei que dói, meu bem, mas ela nunca se importou.

— Não posso. Ela não deixaria. E eu prometi para Papai.

— E se ela esgotar você? É isso que seu pai queria? Ela jamais sequer *olhou* para você.

Meredith sabia que ele tinha razão. Em momentos como aquele, desejava que não estivessem juntos há tanto tempo, que ele não tivesse visto tanto. Mas ele estava lá na noite da peça — e em outras noites como aquela — e sabia como ela era e quanta dor carregava.

— A questão não é ela. Você sabe disso. Sou eu. Eu não posso simplesmente... abandoná-la.

— Seu pai estava preocupado com isso, lembra? Ele temia que a família desmontasse sem ele e estava certo. Nós estamos desmontando. *Você* está desmontando e não quer que ninguém a ajude.

— O dr. Burns disse que Mamãe vai ficar bem em algum tempo. E, quando ela estiver bem, eu prometo que vou contratar alguém para limpar a casa e pagar as contas dela, está bem?

— Você promete?

Ela o beijou levemente nos lábios. Estava terminado. Por enquanto.

— Eu volto para o café, está bem? Teremos omeletes e frutas. Só nós dois.

Afastando-se dele, ela foi para o banheiro. Quando estava fechando a porta, pensou tê-lo ouvido dizer alguma coisa. Percebeu a palavra *preocupado* e fechou a porta.

No escuro, vestiu a roupa para correr e deixou o quarto. Lá embaixo, ligou a cafeteira, pegou os cachorros e saiu para a fria escuridão de fevereiro.

Forçou-se mais do que nunca na corrida, desesperada para limpar a mente. A dor física era tão mais fácil de lidar do que aquela dor no coração. A seu lado, os cachorros latiam e brincavam um com o outro, ocasionalmente correndo para a neve profunda, mas sempre retornando. Quando chegou ao campo de golfe e fez a volta, a camada superior da neve formava uma crosta dura e brilhante sob a pálida luz do sol.

Ela seguiu para Belye Nochi e alimentou os cachorros na varanda de Mamãe. Esta era uma das muitas mudanças em sua rotina. Sempre fazia pelo menos duas coisas ao mesmo tempo. Tirou os sapatos de corrida e foi para a cozinha, onde acendeu o samovar, depois subiu as escadas. Ainda estava com o rosto vermelho e ofegando quando abriu a porta do quarto da mãe.

A cama estava vazia.

— Merda.

Meredith foi para fora e seguiu até o jardim de inverno, onde sentou-se ao lado da mãe, que vestia a camisola rendada que seu pai havia lhe dado no Natal do ano anterior, com o cobertor azul ao redor dos ombros. O lábio inferior sangrava onde o havia mordido. Os pés estavam apenas com meias úmidas e sujas de terra.

Meredith ousou estender a mão e cobrir com ela a mão fria da mãe, mas não conseguiu encontrar palavras para acompanhar o gesto íntimo.

— Vamos, Mamãe, você precisa comer alguma coisa.

— Eu comi ontem.

— Eu sei. Vamos. — Ela segurou a mão da mãe e a ajudou a levantar. Depois de tempo demais passado naquele banco de metal, o corpo da mãe endireitou-se lentamente, estalando e rangendo com o movimento.

Assim que terminou de se levantar, Mamãe afastou-se de Meredith e percorreu depressa a trilha de pedras até a casa. Meredith a deixou ir na frente. Entrando na cozinha, ela ligou para Jeff e avisou que não voltaria para o café da manhã.

— Mamãe estava no jardim outra vez — ela disse. — Acho melhor eu trabalhar aqui hoje.

— Grande surpresa.

— Puxa vida, Jeff. Seja justo...

Ele desligou.

Magoada por ouvir o tom de ocupado, ela ligou para Jillian. As duas entraram imediatamente na rotina fácil delas, falando sobre a faculdade e Los Angeles e o tempo. Meredith escutou maravilhada a filha mais velha. Como vinha ocorrendo mais e mais recentemente, ouviu aquela confiante jovem mulher falar sobre química e biologia e medicina, e Meredith imaginou como aquilo havia ocorrido, esse crescer e seguir adiante. Ainda ontem, Jillie fora uma menina gordinha com espaços entre os dentes que podia passar a tarde toda observando uma flor de macieira, esperando que abrisse. *Está começando, Mãe. A flor vai abrir a qualquer segundo. Será que devo chamar Vovô?*

E ensinar Jillian a dirigir levara cerca de dez minutos. *Eu li os manuais, Mãe. Você não precisa cerrar os dentes. Confie em mim.*

— Eu amo você, Jillie — Meredith disse, percebendo tarde demais que havia interrompido a filha. Ela estava dizendo alguma coisa sobre enzimas. Ou talvez fosse ebola. Meredith riu; havia sido pega não escutando. — Eu estou realmente orgulhosa de você.

— Eu estou te deixando em coma, não é?

— Só em um sono profundo.

Jillian riu.

— Certo, Mãe. Eu preciso mesmo ir. Amo você.

— Amo você também, Besouro.

Quando Meredith desligou, estava se sentindo melhor. Novamente inteira. Falar com as filhas era sempre a melhor prescrição para a tristeza. Exceto, claro, quando eram essas conversas que causavam a tristeza...

Pelo restante do dia, ela trabalhou na mesa da cozinha da casa da mãe; além de pagar os impostos, ler relatórios sobre as colheitas e conferir preços de depósitos, ela convenceu a mãe a comer, pagou as contas e lavou as roupas dela.

Por fim, às 8 horas, quando já havia lavado os pratos do jantar e guardado a comida, ela foi até a sala.

Mamãe estava sentada na poltrona favorita de Papai, tricotando. Um abajur brilhava por trás dela; a luz criava uma suavidade em seu rosto que era ilusória. À esquerda, a luz do altar do Canto Sagrado emitiu fagulhas e produziu fumaça que subiu em uma espiral.

Os olhos de Mamãe estavam fechados, enquanto seus dedos manipulavam as agulhas de tricô. Os cílios longos desciam sobre as faces pálidas, dando a ela aspecto de uma tristeza estranha.

— Está na hora de ir para a cama, Mamãe — Meredith disse, lutando para não soar nem impaciente nem cansada. Ela acendeu a luz do teto e em um instante a intimidade da sala sumiu.

— Eu posso cuidar dos meus próprios horários — disse Mamãe.

E assim aquilo começou, o interminável atrito que era levar Mamãe para cima e para a cama. Elas lutaram em todos os detalhes: escovar os dentes, trocar de roupa, tirar as meias.

Pouco depois das 9, Meredith finalmente conseguiu pôr a mãe na cama. Puxou as cobertas até o queixo dela, assim como sempre fizera com Jillian e Maddy.

— Durma bem — Meredith disse. — Sonhe com Papai.

— Sonhar machuca — Mamãe disse baixinho.

Meredith não sabia o que dizer diante disso.

— Então, sonhe com seu jardim. O açafrão logo vai dar flores.

— Elas podem ser comidas?

Era assim que acontecia ultimamente; em um instante, a mãe estava ali, por trás dos olhos azuis; em outro, ela subitamente ficava ausente.

Meredith queria acreditar que era a tristeza que causava essas mudanças na mãe, toda essa confusão. Se fosse tristeza, haveria um momento em que aquilo acabaria.

Mas os dias passavam e a cada vez que Mamãe parecia desconectada do mundo e confusa com ele, Meredith perdia um pouco da fé no que o dr. Burns dissera. Ficava preocupada que *fosse* Alzheimer e não tristeza. Como explicar a súbita obsessão da mãe com sapatos de couro e libras de manteiga (que Meredith agora encontrava escondidas por toda a casa) e o leão de conto de fadas sobre o qual a mãe às vezes falava?

Meredith tocou sua mão outra vez, acalmando-a como faria com uma criança assustada.

— Está tudo bem, Mamãe. Temos muita comida lá embaixo.

— Eu vou dormir por um minuto, depois vou subir para o telhado.

— Não vá ao telhado — Meredith disse com cansaço.

Mamãe suspirou e fechou os olhos. Em um momento, estava dormindo.

Meredith andou pelo quarto recolhendo os cobertores e outros itens que Mamãe havia largado por ali.

Embaixo, colocou um monte de roupas na máquina de lavar para que estivessem prontas quando ela chegasse na manhã seguinte. Em seguida, terminou os dois pacotes que enviaria para Jillian e Maddy.

Eram 10 da noite quando acabou.

Em casa, encontrou Jeff no escritório, trabalhando em seu livro.

— Oi — disse ela, entrando.

— Oi. — Ele não se virou.

— Como está indo o livro?

— Bem.

— Eu ainda não li.

— Eu sei. — Então, ele se virou para ela.

O olhar dele era familiar, cheio de desapontamento, e subitamente ela viu ambos nesse momento a distância, e a nova perspectiva mudou tudo.

— Estamos com problemas, Jeff?

Meredith viu que ele ficou um pouco aliviado com a pergunta, que ele estava esperando que ela a formulasse.

— Sim.

— Ah. — Ela viu que o desapontou novamente, que ele queria conversar sobre esses problemas que ela havia subitamente escavado e nos quais tropeçara, mas não sabia o que dizer. Francamente, essa era a última coisa de que precisava saber. Sua mãe estava perdendo a sanidade e o marido achava que estavam com problemas.

Sabendo que era um erro e incapaz de corrigi-lo, ela saiu do escritório — e se afastou do olhar triste e desapontado dele — e foi para cima, para o quarto que compartilhavam fazia tantos anos. Tirou a roupa, ficando só com calcinha e sutiã. Vestiu uma camiseta velha e entrou na cama. Duas pílulas para dormir deveriam ajudar, mas isso não aconteceu e, mais tarde, quando ele foi deitar, ela sabia que ele sabia que ainda estava acordada.

Ela virou e se encostou nas costas dele, sussurrando:

— Boa noite.

Não foi o bastante, aquilo não era nada, e ambos sabiam disso. A conversa que precisavam ter estava ali, como uma nuvem de tempestade, crescendo a distância.

7

No meio de fevereiro, verde era a cor do desafio. Açafrões brancos e campânulas desabrochavam durante a noite, suas hastes finas de um verde-aveludado forçando passagem através do brilhante tapete branco da neve.

A cada dia, Meredith jurava que conversaria com Jeff sobre o problema no casamento deles, mas a cada vez que fazia essa promessa para si mesma algo acontecia e a forçava a ir em outra direção. E o fato era que não queria falar sobre aquilo. Não de verdade. Já tinha muito que fazer com a crescente confusão e o comportamento estranho da mãe. Um recém-casado talvez não conseguisse entender como os problemas no casamento podiam ser postos de lado, mas qualquer mulher que estivesse casada há 20 anos sabia que praticamente tudo podia ser ignorado se não fosse mencionado.

Um dia por vez; era assim que se fazia. Como um alcoólatra que não estende a mão para o primeiro drinque, um casal podia simplesmente não dizer a sentença que iniciaria a conversa.

Mas ela estava sempre ali, pendurada no ar como uma fumaça secundária, um carcinogênico inesperado. E hoje, por fim, Meredith havia decidido que começaria a conversa.

Ela saiu do escritório mais cedo, às 5, e ignorou as tarefas que precisava fazer a caminho de casa. As roupas na lavanderia a seco podiam ser pegas mais tarde e dava para passar um dia sem coisas do mercado. Dirigiu direto para a casa da mãe e estacionou na frente.

Como esperava, encontrou Mamãe no jardim de inverno, vestida com duas camisolas e envolta em um cobertor.

Meredith abotoou o casaco ao ir até lá. Perto da mãe, escutou o canto suave e melódico da voz dela dizendo algo sobre um leão faminto.

Aquele conto de fadas novamente. A mãe estava ali sozinha, contando histórias para o homem que amava.

— Oi, Mamãe — Meredith disse, ousando tocar o ombro da mãe. Tinha aprendido recentemente que podia tocá-la em momentos como aquele; às vezes, seu toque até ajudava a minimizar a confusão. — Está frio aqui fora. E logo vai escurecer.

— Não faça Anya ir sozinha. Ela está com medo.

Meredith suspirou. Estava a ponto de dizer alguma coisa quando notou uma nova adição ao jardim. Havia uma nova coluna de cobre brilhante perto da outra, tornada verde pelo tempo.

— Quando você encomendou isso, Mamãe?

— Eu queria ter algum doce para dar para ele. Ele adora doce.

Meredith ajudou a mãe a se levantar. Levou-a de volta para a cozinha bem iluminada e aquecida, onde fez um chá quente para ela e esquentou um prato de sopa.

A mãe se curvou sobre a mesa, tremendo de forma quase incontrolável. Foi quando Meredith lhe deu uma fatia de pão com manteiga e mel que ela finalmente ergueu os olhos.

— Seu pai adora pão com mel.

Meredith sentiu uma surpreendente tristeza com isso. O pai era alérgico a mel, e o fato de a mãe ter esquecido algo tão concreto era de certa forma pior que as confusões anteriores.

— Eu queria poder realmente conversar com você sobre ele — ela disse, mais para si mesma do que para a mãe. Meredith estava precisando do pai ultimamente, mais do que nunca. Era com ele que poderia conversar sobre o problema no casamento. Ele seguraria sua mão e a levaria até o pomar e lhe diria o que precisava ouvir. — Ele me diria o que fazer.

— Você sabe o que fazer — disse a mãe, arrancando um pedaço do pão e colocando-o no bolso. — Diga a eles que os ama. É isso que importa. E dê a borboleta para eles.

Aquele foi talvez o momento mais solitário na vida de Meredith.

— É verdade, Mamãe. Obrigada.

Ela se ocupou na cozinha enquanto a mãe terminava de comer. Depois, ajudou-a a subir para o quarto e escovou os dentes dela, assim como costumava fazer com as filhas quando eram pequenas e, como elas, a mãe fez o que mandava. Quando Meredith começou a despi-la, começou a batalha habitual.

— Vamos, Mamãe, você precisa se preparar para dormir. Essas camisolas estão sujas. Deixe-me colocar algo limpo em você.

— Não.

Dessa vez, Meredith achou que era demais — estava cansada demais para lutar — então, cedeu e deixou a mãe ir para a cama com as camisolas sujas.

Do lado de fora da porta do quarto, esperou até a mãe dormir e, quando ela começou a roncar suavemente, desceu e trancou a casa.

Não foi senão quando estava no carro, indo para casa, que pensou realmente no que a mãe havia dito.

Você sabe o que fazer.

Diga a eles que os ama.

As palavras tinham sido lançadas no meio de algo confuso, mas ainda assim era um bom conselho.

Quando é que havia dito pela última vez essas preciosas palavras para Jeff? Isso costumava ser comum entre eles; mas não ultimamente.

Se deveria realizar reparações e iniciar conversas, essas três palavras tinham que ser o começo.

Em casa, ela chamou por Jeff e não teve resposta.

Ele ainda não havia chegado. Tinha tempo para se preparar.

Sorrindo, foi para cima tomar um banho, não percebendo senão quando pegou a lâmina quanto tempo fazia que não se depilava. Como tinha ignorado algo assim?

Enxugou-se, fez cachos no cabelo, passou maquiagem e vestiu um pijama de seda que não usava fazia anos. Descalça, cheirando à gardênia da loção para o corpo, abriu uma garrafa de champanhe. Serviu-se de uma taça e foi para a sala, onde acendeu o fogo na lareira e sentou-se para esperar o marido.

Recostando-se nas suaves almofadas do sofá, ela colocou os pés na mesa de centro e fechou os olhos, tentando pensar no que mais deveria dizer para ele, as palavras que ele precisava ouvir.

Foi despertada pelos cachorros latindo. Eles corriam pelo corredor, pulando um sobre o outro na ânsia de chegar à porta.

Quando Jeff entrou, foi engolfado por eles, o rabo batendo no chão de madeira enquanto faziam força para cumprimentá-lo sem pular.

— Oi — Meredith disse quando ele entrou na sala.

Sem erguer os olhos de Leia, cujas orelhas acariciava, ele disse:

— Oi, Mere.

— Você quer uma bebida? — ela disse. — Nós podemos, sabe... conversar.

— Estou com uma dor de cabeça terrível. Acho que vou só tomar um banho e cair na cama.

Ela sabia que poderia lembrá-lo de que precisavam conversar e ele mudaria de ideia. Sentaria com ela e começariam essa coisa que tanto a assustava.

Talvez devesse forçar, mas não estava certa se queria ouvir o que ele tinha a dizer. E que diferença um dia faria? Ele estava claramente exausto, e ela conhecia bem aquela sensação. Poderia muito bem mostrar o quanto o amava mais tarde.

— Claro — ela disse. — Na verdade, também estou cansada.

Eles foram juntos para a cama e ela se aninhou junto dele. Pela primeira vez em meses, caiu em um sono profundo e sem sonhos.

Às 4h45, ela foi acordada pelo telefone. Seu primeiro pensamento foi *alguém se feriu,* e sentou depressa, o coração acelerado. Pegou o telefone e disse:

— Alô?

— Meredith? É Ed. Desculpe incomodar assim tão cedo.

Ela acendeu o abajur. Articulando a palavra *trabalho* sem som para Jeff, ela se encostou na cabeceira da cama.

— O que foi, Ed?

— É a sua mãe. Ela está lá no fundo do pomar. Campo A. Ela... bem... está puxando aquele seu velho trenó.

— Merda. Segure-a. Eu vou para aí. — Meredith afastou as cobertas e levantou. Correndo pelo quarto, procurou algo para vestir.

— O que foi? — disse Jeff, sentando-se.

— Minha mãe de oitenta e tantos anos está lá fora com um *trenó.* Mas eu estou errada. Ela não está com Alzheimer. Ela só está triste.

— Sim, claro.

— Eu *disse* para Jim. — Ela encontrou um moletom no armário e começou a se vestir. — Ele a viu três vezes no mês passado e a cada vez ela estava tão racional quanto um juiz. Ele diz que é apenas tristeza. Ela guarda a loucura para mim.

— Ela precisa de ajuda profissional.

Pegando a bolsa na prateleira perto da cama, ela correu dali sem dizer adeus.

NA PRIMAVERA, MEREDITH E JEFF já não falavam um com o outro. Os dois sabiam que havia um problema — esse fato ficava evidente em cada olhar, cada ausência de contato, cada sorriso falso, mas nenhum dos dois tocava no assunto. Ambos trabalhavam até tarde e se davam um beijo de boa-noite e seguiam seus caminhos separados pela manhã. As ocorrências da confusão da mãe tornaram--se menos comuns ultimamente; a tal ponto que Meredith começara a achar que o dr. Burns poderia estar certo e que ela finalmente estava melhorando.

Meredith fechou o livro-caixa em sua mesa e colocou a lapiseira na gaveta. Então, acionou o interfone.

— Vou para casa almoçar, Daisy. Devo voltar em uma hora.

— Está bem, Meredith.

Pegando a parca com capuz, ela foi para o carro.

Era um belo dia de fim de março que a deixava animada. Na semana passada, uma frente de calor havia chegado ao vale, afastando o Velho do Inverno[4]. A luz do sol deixara marcas indeléveis na paisagem: água azul gelada corria pelos escoadouros dos lados das estradas; gotas pingavam das macieiras que despertavam, criando padrões rendados nos últimos restos de neve suja.

Ela virou na entrada da casa da mãe, estacionou e andou até o portão. À direita, um homem de macacão trabalhava nos aquecedores que soltavam fumaça para evitar a formação de gelo nas frutas. Ela acenou para ele e cobriu a boca e o nariz ao passar pela grossa fumaça negra.

Dentro de casa, ela chamou:

— Mamãe, estou aqui. — Enquanto tirava o casaco.

Ao entrar na cozinha, ela parou subitamente.

A mãe estava em pé em cima da pia, com uma folha de jornal e fita adesiva nas mãos.

— Mamãe! O que é que você está fazendo aí em cima? Desça já daí! — Meredith correu para ajudá-la a descer. — Aqui. Segure minha mão.

O rosto de Mamãe estava branco; o cabelo, desalinhado. Vestia pelo menos quatro camadas de roupas desencontradas e os pés estavam descalços. Atrás dela, no fogão, algo estava fervendo, emitindo estalos e silvos.

— Eu tenho que ir ao banco — disse Mamãe. — Precisamos tirar nosso dinheiro o mais depressa possível. Não temos muito com que negociar.

— Mamãe... suas mãos estão sangrando. O que você fez?

Mamãe olhou para a sala de jantar.

---

[4] Figura mitológica que personifica o inverno, assim como Jack Frost. Pode ser um nome mais antigo e alternativo para Papai Noel e é associado ao antigo deus anglo-saxão Woden (N.T.).

Meredith avançou lentamente, passou pelo samovar apagado e a cesta de frutas vazias no balcão e entrou na sala de jantar. A grande pintura a óleo do rio Neva ao pôr do sol havia sido retirada da parede e encontrava-se encostada na mesa. O papel de parede tinha sido rasgado em várias faixas. Em alguns locais, havia manchas escuras na parede. Sangue seco? A mãe teria trabalhado tão arduamente que havia rasgado a pele das pontas dos dedos? As faixas arrancadas do papel de parede tinham sido colocadas em uma tigela no meio da mesa, como se fosse algum estranho arranjo de flores murchas.

Atrás dela, a panela no fogão continuava a ferver, a água silvando e estalando. Meredith correu até o fogão e o desligou, vendo agora que a panela estava cheia de água fervente e faixas de papel de parede.

— Mas o que...?

— Vamos ter fome — disse Mamãe.

Meredith foi até ela, segurando com gentileza as mãos ensanguentadas.

— Vamos, Mamãe. Vamos limpar você. Está bem?

Mamãe mal pareceu escutar. Continuou murmurando sobre o dinheiro no banco e como precisavam muito dele, mas deixou Meredith levá-la para cima até o banheiro, onde ficava o estojo de primeiros socorros. Meredith fez a mãe sentar sobre a tampa do vaso sanitário e se ajoelhou diante dela para lavar e pôr bandagens nas mãos. Conseguiu ver vários cortes precisos — talhos — nas pontas dos dedos. Aqueles ferimentos não tinham sido causados por esfregar muito os dedos na parede. Eram talhos.

— O que houve, Mamãe?

A mãe continuou a olhar ao redor.

— Tem fumaça. Escutei um tiro.

— São os aquecedores. Você sabe disso. E você provavelmente ouviu o estouro do motor da perua de Marvin. Ele veio ver se todos os aquecedores estão funcionando.

— Aquecedores? — Mamãe franziu a testa ao dizer isso.

Quando Meredith terminou com a limpeza e as bandagens, levou a mãe para a cama e puxou as cobertas. Foi então que viu o estilete com a lâmina cheia de sangue no criado-mudo. Mamãe tinha se cortado de propósito.

Ah, Deus.

Meredith esperou até a mãe fechar os olhos. Depois desceu e apenas ficou ali, olhando o estrago ao redor — o papel de parede fervendo, as paredes arruinadas, o estranho arranjo sobre a mesa — e sentiu medo. Foi até a varanda bem no momento em que Marvin ia embora. Precisou de toda a sua força de vontade para não gritar.

Em vez disso, pegou o celular no bolso e ligou para Jeff no trabalho.

— Oi, Mere. O que foi? Eu estava indo para...

— Preciso de você, Jeff — ela disse baixinho, sentindo como se estivesse desmontando. Tinha tentado com tanto empenho deixar tudo em ordem, cumprir a promessa que fizera ao pai, mas de alguma forma havia falhado. Não sabia como lidar com aquilo sozinha.

— O que foi?

— Mamãe realmente passou do limite dessa vez. Você pode vir para cá?

— Estarei aí em dez minutos.

— Obrigada.

Ela ligou para o dr. Burns em seguida e disse que ele precisava vir imediatamente. Não hesitou em usar a palavra *emergência*. A situação realmente lhe parecia assim.

Assim que o médico disse que estava indo, Meredith desligou e ligou para Nina. Não tinha ideia de que horas eram em Botsuana ou Zimbábue — onde quer que a irmã estivesse agora — e não se importou. Sabia apenas que, quando Nina atendesse, diria: *Não consigo mais cuidar disso sozinha.*

Mas Nina não atendeu. Em vez disso, a animada voz gravada dela disse:

— Oi, obrigada por ligar. Só Deus sabe onde estou agora, mas deixe um recado e eu ligo para você assim que puder.

Bip.

Meredith desligou sem deixar mensagem.

De que adiantaria?

Ficou ali parada, o telefone na mão, olhando para a fumaça que se dissipava lentamente. Ela fazia os olhos arderem, mas não importava. De qualquer forma, estava chorando. Não lembrava quando o choro começara e, dessa vez, não se importou.

Fiel à sua palavra, Jeff chegou em menos de dez minutos. Desceu do carro e foi até ela. Quando subiu a escada da varanda, ele abriu os braços e ela foi até ele, deixando-se abraçar.

— O que ela fez? — ele disse por fim.

Antes que ela pudesse responder, veio um barulho alto da cozinha.

Meredith girou nos calcanhares e correu para dentro.

Encontrou a mãe caída no meio da sala de jantar, agarrando uma faixa de papel de parede com uma mão e o próprio tornozelo com a outra. Havia uma cadeira deitada ao lado dela. Ela devia ter caído da cadeira.

Meredith foi até ela e se abaixou. Examinou o tornozelo, que já estava inchando.

— Ajude-me a levá-la para a sala, Jeff. Vamos colocá-la no sofá.

Jeff curvou-se sobre a mãe dela.

— Oi, Anya — ele falou em uma voz tão gentil que fez Meredith lembrar que pai maravilhoso ele era, com que facilidade enxugara as lágrimas das filhas e as fizera rir. Era um homem tão bom; depois de tudo que Mamãe havia feito ao longo dos anos, depois de todo o silêncio que dedicara a ele, Jeff ainda conseguia se importar com ela. — Vou carregar você para a sala, está bem?

— Quem é você? — disse Mamãe, examinando os olhos cinzentos dele.

— Sou seu príncipe, lembra?

Mamãe se acalmou no mesmo instante.

— O que você me trouxe?

Jeff sorriu para ela.

— Duas rosas — ele disse, pegando-a no colo. Levou-a para a sala e a colocou no sofá otomano.

— Aqui, Mamãe — disse Meredith. — Peguei um saco de gelo. Vou colocar no seu tornozelo, está bem? Fique com os pés na almofada.

— Obrigada, Olga.

Meredith assentiu e deixou que Jeff a levasse para a cozinha.

— Ela caiu da cadeira? — ele perguntou, olhando a sala de jantar arruinada.

— Acho que sim.

— Puxa.

— Sim. — Ela olhou para ele, sem saber direito o que dizer.

Então, Meredith ouviu o dr. Burns chegar e o alívio a fez se mover.

O médico entrou na casa parecendo mais do que apressado, segurando um sanduíche pela metade.

— Olá, vocês dois — ele disse ao entrar. — O que houve?

— Mamãe estava rasgando o papel de parede e caiu de uma cadeira. O tornozelo dela está inchando feito um balão — disse Meredith.

O dr. Burns assentiu e colocou o sanduíche na mesa da entrada.

— Mostre-me.

Mas, quando entraram na sala de estar, a mãe encontrava-se sentada, tricotando, como se fosse apenas uma tarde normal em vez do dia em que tentara cozinhar papel de parede e cortara os próprios dedos.

— Anya — Jim disse, indo até ela. — O que houve aqui?

Mamãe produziu um de seus devastadores sorrisos. Os olhos azuis estavam completamente claros.

— Eu estava redecorando a sala de jantar e caí. Idiotice minha.

— Redecorando? Por que agora?

Ela deu de ombros.

— Nós, mulheres. Quem sabe?

— Posso dar uma olhada no seu tornozelo?

— Mas certamente.

Ele examinou o tornozelo de Mamãe e o envolveu em uma bandagem.

— A dor não é nada — ela disse.

— E quanto a suas mãos? — perguntou ele, examinando as pontas dos dedos. — Parece que você se cortou de propósito.

— Besteira. Eu estava redecorando, já lhe disse.

O dr. Burns estudou o rosto dela por mais alguns minutos e então sorriu gentilmente.

— Vamos. Deixe Jeff e eu levarmos você para seu quarto.

— Mas claro.

— Meredith, você fica aqui.

— Com prazer — ela disse, observando nervosa enquanto os três subiam a escada e sumiam lá em cima.

Meredith ficou andando de um lado para o outro, impaciente, mordendo o polegar até começar a sangrar.

Quando Jeff e o dr. Burns desceram novamente, ela olhou para o médico.

— E então?

— Ela torceu o tornozelo. Vai sarar se ela não se apoiar nele.

— Não foi sobre isso que perguntei, e você viu bem — Meredith disse. — Viu os dedos dela. E eu encontrei um estilete no criado-mudo dela. Ela fez de propósito. Ela *deve* estar com Alzheimer. Ou algum outro tipo de demência. O que fazemos?

Jim assentiu lentamente, obviamente pensando no assunto.

— Tem um lugar em Wenatchee que pode ficar com ela por um mês ou seis semanas. Podemos dizer que é reabilitação para o tornozelo dela. O seguro vai cobrir e, na idade dela, demora para sarar. Não é uma solução a longo prazo, mas daria a ela, e a você, algum tempo para lidar com o que houve. É possível que esse tempo distante de Belye Nochi e das lembranças aqui a ajudem.

— Você quer dizer um asilo? — Meredith disse.

— Ninguém gosta de asilos — disse o médico. — Mas às vezes é a melhor solução. E, lembre-se, é apenas uma solução de curto prazo.

— Você vai dizer que ela tem que ir para lá porque precisa de reabilitação? — Jeff perguntou, e Meredith sentiu vontade de beijá-lo. Ele sabia como essa decisão era difícil para ela.

— Claro.

Meredith respirou fundo. Sabia que repassaria esse momento muitas e muitas vezes, provavelmente odiando-se mais a cada dia. Sabia que seu pai nunca tomaria essa decisão e não gostaria que ela a tomasse. Mas não podia negar como isso a ajudaria.

Ela dorme lá fora... rasga papel de parede... cai de cadeiras... o que fará a seguir?

— Deus me ajude — ela disse suavemente, sentindo-se sozinha, apesar de Jeff estar bem ali ao seu lado. Mas não sabia antes quão profundamente uma única decisão podia separar uma pessoa daquelas a quem amava. — Está bem.

Naquela noite, Meredith não conseguiu dormir. Ficou ouvindo os cliques dos minutos digitais transformando-se uns nos outros ali, deitada na cama.

Tudo a respeito de sua decisão parecia errado. Egoísta. E no final das contas era isso mesmo: sua decisão.

Ficou na cama tanto quanto aguentou, tentando relaxar; às 2 da manhã, parou de fingir e levantou.

Lá embaixo, andou pela casa escura, quieta, procurando por algo que a ajudasse a dormir ou que ocupasse sua mente enquanto estava desperta: TV, um livro, uma xícara de chá...

Então, viu o telefone e soube exatamente do que precisava: a cumplicidade de Nina. Se Nina concordasse com a casa de repouso para idosos, Meredith ficaria com apenas metade da culpa.

Ligou para o número internacional do celular da irmã e sentou-se no sofá.

— Alô? — Atendeu uma voz com muito sotaque. Irlandês, Meredith pensou. Ou escocês.

— Alô? Estou ligando para Nina Whitson. Eu disquei errado?

— Não, este é o telefone dela. Com quem estou falando?

— Meredith Cooper. Sou irmã de Nina.

— Ah, ótimo. Eu sou Daniel Flynn. Imagino que ouviu falar de mim.

— Não.

— Isso é desapontador, né? Eu sou... um bom amigo da sua irmã.

— Quão bom amigo você é, Daniel?

A risada dele foi baixa e poderosa, incrivelmente sexy.

— Daniel é o meu pai, e ele era um tremendo filho da puta. Me chame de Danny.

— Percebi que você não respondeu minha pergunta, Danny.

— Quatro anos e meio. Mais ou menos.

— E ela nunca mencionou você nem o trouxe aqui em casa?

— Que pena, né? Bem, foi ótimo falar com você, Meredith, mas sua irmã está me olhando feio, então é melhor eu passar o telefone para ela.

Quando Meredith se despediu, ouviu um som de arrastar, como se Nina e Danny estivessem disputando o telefone.

Nina atendeu, parecendo um pouco ofegante; rindo.

— Oi, Mere. O que foi? Como está Mamãe?

— Honestamente, Neens, é por isso que estou ligando. Ela não está bem. Está confusa ultimamente. Me chama de Olga metade das vezes e recita aquele maldito conto de fadas como se quisesse dizer alguma coisa.

— O que o dr. Burns disse?

— Ele acha que é apenas tristeza, mas...

— Graças a Deus. Eu não ia querer que ela terminasse como a tia Aurora, enfiada naquele patético asilo, comendo gelatina velha e vendo programas de auditório na televisão.

Meredith se encolheu ao ouvir isso.

— Ela caiu e torceu o tornozelo. Felizmente eu estava lá para ajudar, mas não posso estar sempre lá.

— Você é uma santa, Mere. De verdade.

— Não, não sou.

— Foi isso mesmo que a Madre Teresa me disse.

— Eu não sou a Madre Teresa, Nina.

— É, sim. A forma como está cuidando de Mamãe e dirigindo o pomar. Papai ficaria orgulhoso.

— Não diga isso — ela sussurrou, incapaz de pôr qualquer força na voz. Agora, desejava não ter ligado.

— Olhe, Mere. Não posso falar agora. Estamos saindo. Você tem algo importante para dizer?

Aquele era o momento: podia pôr a verdade para fora e ser julgada (a Santa Mere, enfiando Mamãe em um casa de repouso) ou podia não dizer nada. E se Nina não concordasse? Meredith não havia pensado antes nessa possibilidade, mas agora a via claramente. Nina não a apoiaria, e isso só tornaria as coisas piores. Ser chamada de egoísta por Nina era mais do que conseguiria aguentar.

— Não, nada de importante. Posso resolver sozinha.

— Ótimo. Eu vou estar em casa para o aniversário de Papai, não esqueça.

— Está bem — Meredith disse, sentindo-se enjoada. — Vejo você lá.

Nina disse:

— Adeus. — E a conversa terminou.

Meredith desligou o telefone. Com um suspiro, apagou as luzes e voltou para cima, onde subiu na cama junto com o marido.

... enfiada naquele patético asilo...

Santa Mere.

Ficou deitada por um longo tempo, no escuro, tentando não lembrar daquelas lamentáveis visitas à tia Dora tanto tempo atrás.

Teve certeza de que não caíra no sono, mas às 7 da manhã o despertador a fez acordar. Jeff estava ao lado da cama com uma caneca de café.

— Você está bem?

Ela quis dizer que não, quis gritar isso, talvez até começar a chorar, mas de que adiantaria? A parte pior de tudo era que Jeff sabia; ele estava com aquele olhar triste outra vez, o olhar de estou-esperando-que-você-precise-de-mim. Se dissesse a verdade, ele seguraria sua mão e a beijaria e diria que estava fazendo a coisa certa. E aí ela realmente desabaria.

— Estou bem.

— Eu achei mesmo que você ia dizer isso — ele disse, recuando. — Precisamos ir em cerca de uma hora. Consegui marcar hora para às 9.

Ela assentiu e tirou o cabelo do rosto.

— Está bem.

Durante a hora seguinte, Meredith se preparou como se aquele fosse um dia comum, mas, quando sentou no banco do motorista de sua SUV, ela subitamente perdeu a capacidade de fingir. A verdade de sua escolha a tomou, deixando-a gelada.

Diante dela, Jeff ligou a perua dele, e juntos seguiram, cada um em seu carro, até Belye Nochi.

Lá dentro, encontraram Mamãe na sala de estar, parada diante do Canto Sagrado dela. Com um vestido negro de lã e uma echarpe branca de seda, ela conseguia parecer tanto elegante quanto forte. Mantinha as costas eretas, os ombros firmes. O cabelo branco como a neve fora puxado para trás e, quando virou-se para Meredith, não havia uma gota de confusão naqueles olhos azul-ártico.

A determinação de Meredith fraquejou; a dúvida surgiu em seu lugar.

— Quero levar o Canto Sagrado para meu novo quarto — disse Mamãe. — A vela tem que ser mantida acesa. — Ela pegou as muletas que o dr. Burns levara. Colocando-as sob os braços, mancou lentamente até Meredith e Jeff.

— Você precisa de ajuda — Meredith disse enquanto ela se aproximava. — Eu não posso ficar aqui o tempo todo.

Se Mamãe ouviu, ou se deu alguma importância àquilo, não houve sinal. Ela mancou passando por Meredith e foi até a porta da frente.

— Minha mala está na cozinha.

Meredith sabia que não deveria procurar absolvição por parte da mãe. Sabia muito bem que tudo que precisasse da Mãe ela não conseguiria. Talvez isso, acima de tudo. Ela passou pela mãe e foi até a cozinha.

Era a mala errada. Meredith havia preparado a mala vermelha grande na noite anterior. Ela se abaixou e abriu aquela mala.

A mãe a havia enchido com manteiga e cintos de couro.

8

Nina acordou com o som de disparos.

Projéteis passavam logo além da janela; as paredes esquálidas e descascadas do quarto de hotel tremeram. Uma chuva de gesso e vime caiu no chão. Em algum lugar, uma janela quebrou e uma mulher gritou. Nina saltou da cama e rastejou até a janela.

Tanques passavam pela rua cheia de escombros. Homens de uniforme — meninos, na verdade — andavam ao lado, disparando as metralhadoras, rindo enquanto as pessoas tentavam encontrar abrigo.

Ela virou-se e se encostou na parede irregular, deslizando até ficar sentada no chão empoeirado. Um rato correu pelas tábuas do assoalho e sumiu nas sombras do assim chamado closet.

Deus, ela estava cansada daquilo.

Era final de abril. Apenas um mês antes, estivera no Sudão com Danny, mas parecia que tinha sido uma vida atrás.

O celular tocou.

Ela rastejou pelo chão sujo e sentou-se encostada na lateral da cama. Tateando em cima do criado-mudo, encontrou o telefone e o abriu.

— Alô?

— Nina? É você? Mal consigo ouvir.

— Tiros. Oi, Sylvie, o que há de novo?

— Não vamos usar suas fotos — disse Sylvie. — Não tem como adoçar isso. Elas não são boas o bastante.

Nina não conseguiu acreditar no que estava ouvindo.

— Merda. Você só pode estar brincando. Eu sou melhor no meu pior dia do que a maioria dos idiotas que você publica.

— Essas são piores do que seu pior dia, menina. O que está acontecendo?

Nina afastou o cabelo dos olhos. Não cortava o cabelo fazia semanas, e estava tão sujo que, ao ser afastado, ele ficou no lugar. Não tinha água no hotel — no quarteirão todo — havia dias. Desde que os combates recrudesceram.

— Eu não sei, Sylvie — ela disse por fim.

— Você não deveria ter voltado ao trabalho tão depressa. Sei como amava seu pai. Tem algo que eu possa fazer para ajudar?

— Sair na capa sempre faz com que eu me sinta melhor.

O silêncio de Sylvie disse tudo.

— Uma zona de guerra não é lugar onde ficar de luto, Nina. Talvez você tenha perdido o jeito porque deveria estar em outro lugar.

— Sim. Bem...

— Boa sorte, Nina. Estou falando sério.

— Obrigada — ela disse e desligou.

Olhando ao redor pelo quarto sujo e sombrio, ela sentiu na espinha o eco de disparos de metralhadora e estava cansada daquilo tudo. Exausta. Não era de surpreender que suas últimas fotos fossem ruins. Estava cansada demais para se concentrar e, quando finalmente dormia, sonhos com seu pai invariavelmente faziam com que despertasse.

As últimas palavras dele a incomodavam ultimamente, a promessa que ele pedira que fizesse. Talvez fosse esse o problema. Talvez esse fosse o motivo de não conseguir se concentrar.

Não tinha cumprido a promessa.

Não era de admirar que tivesse perdido o jeito.

Ele estava lá em Belye Nochi, nas mãos da mulher que prometera conhecer.

NA PRIMEIRA SEMANA DE MAIO — apenas alguns dias antes do que planejara —, pouco depois das 7 da manhã, Nina dirigiu para dentro do Vale Wenatchee. A encosta recortada das Montanhas Cascade ainda estava coberta de neve, mas todo o resto se vestira para a primavera.

Em Belye Nochi, o pomar estava florido. Acres de macieiras ostentavam suas flores brilhantes. Enquanto dirigia até a casa, ela imaginou o pai ali, andando orgulhosamente entre as fileiras de árvores com uma menina pequena de cabelo preto ao lado, fazendo perguntas. *Já está pronto, pai? Estou com fome.*

Vai estar pronto quando ficar pronto, Neener Beaner. Às vezes, é preciso ter paciência.

Ela havia amadurecido entre aquelas árvores, aprendendo no caminho que não era paciente e que não se interessava por plantações; que o trabalho da vida de seu pai jamais seria o seu.

Chegando à casa, estacionou diante da garagem.

O pomar estava vivo com os trabalhadores que se moviam entre as árvores, procurando pragas ou frutos podres ou o que quer que estivessem procurando.

Nina pendurou a sacola da máquina no ombro e foi para a casa. O gramado estava com um verde tão brilhante que era quase difícil de olhar. Ao longo da cerca e dos dois lados da passagem, flores brancas cresciam em grupos.

Na casa, não se importou em bater.

— Mamãe? — ela chamou, acendendo a luz da entrada e tirando as botas.

Não houve resposta.

Ela foi até a cozinha.

A casa estava com um odor de mofo, vazia. Lá em cima, estava tudo tão quieto e vazio quanto embaixo.

Nina recusou-se a sentir desapontamento. Sabia, quando decidira fazer uma surpresa para Mamãe e Meredith, que poderia não dar certo.

Voltou para o carro alugado e dirigiu até a casa da irmã. Na bifurcação da estrada, uma caminhonete veio em sua direção.

Ela saiu para o lado da estrada, esperando.

A caminhonete diminuiu e parou a seu lado, e Jeff baixou o vidro.

— Ei, Neens. Que surpresa!

— Você me conhece, Jeff. Eu me movo como o vento. Onde está Mamãe?

Jeff olhou para o retrovisor como se houvesse um carro lá atrás.

— Jeff? O que houve?

— Meredith não contou para você?

— Me contou o quê?

Ele por fim olhou para ela.

— Ela não tinha opção.

— Jeff — Nina disse de forma dura. — Eu não sei do que você está falando. Onde está minha mãe?

— Parkview.

— O asilo? Você está brincando?

— Não tire conclusões precipitadas, Nina. Meredith pensou...

Nina acelerou o carro, deu a volta na estradinha de terra e se afastou dali. Em menos de vinte minutos, entrava pela estrada de cascalho da casa de repouso, onde estacionou. Pegou a pesada sacola de equipamento fotográfico no assento do passageiro e marchou pelo estacionamento até o prédio.

Lá dentro, o saguão era desafiadoramente animado e obscenamente iluminado. Lâmpadas fluorescentes pareciam vermes luminosos ao longo do teto bege. À esquerda ficava uma sala de espera — com cadeiras em cores primárias e uma velha televisão RCA. Diretamente em frente, havia um grande balcão de madeira. Atrás dele, uma mulher com o cabelo muito ondulado por uma permanente falava animada ao telefone, batendo as unhas pintadas com pontinhos na superfície de imitação de madeira do balcão.

— Estou falando sério, Margene, ela realmente engordou...

— Com licença — disse Nina com a voz tensa. — Estou procurando o quarto de Anya Whitson, sou filha dela.

A recepcionista afastou o telefone um momento para dizer:

— Quarto 146. À sua esquerda. — E voltou a conversar.

Nina avançou pelo corredor largo. Dos dois lados havia portas fechadas; as poucas abertas mostravam pequenos quartos que pareciam de hospital, com duas camas, habitados por idosos. Ela lembrou quando tia Dora ficara ali. Eles a visitavam todo fim de semana, e Papai odiava cada segundo. *Morte no plano de afastamento,* ele costumava dizer.

Como Meredith podia ter feito aquilo? E como ousara não contar para Nina?

Quando chegou ao quarto 146, Nina estava furiosa. Era uma sensação boa; era o primeiro fogo de verdade que sentia desde a morte de Papai. Bateu à porta com força.

Uma voz disse:

— Entre. — E ela abriu a porta.

A mãe estava sentada em uma espreguiçadeira quadriculada sem nenhum atrativo, tricotando. O cabelo branco parecia largado e as roupas não combinavam, mas os olhos azuis estavam brilhantes. Com a entrada de Nina, ela olhou para cima.

— Por que diabos você está aqui? — disse Nina.

— Olhe a linguagem, Nina — disse a mãe.

— Você deveria estar em casa.

— Você acha? Sem seu pai?

O lembrete foi feito suavemente, como uma gota de ácido. Nina avançou de forma mecânica, sentindo o olhar da mãe sobre si. Viu que ela havia recriado o Canto Sagrado em cima de uma penteadeira de carvalho.

Atrás dela, a porta abriu novamente e sua irmã entrou no pequeno quarto, carregando uma sacola lotada com Tupperwares.

— Nina — ela disse, estacando. Meredith parecia impecável, como sempre, o cabelo castanho com um corte curto clássico. Vestia calça preta e uma blusa rosa por dentro da calça. O rosto pálido fora maquiado com habilidade, mas, mesmo assim, ela parecia cansada. E tinha emagrecido muito.

Nina virou-se para ela.

— Como você pôde fazer isso? Foi mais *fácil* simplesmente largá-la aqui?

— O tornozelo dela...

— Quem liga para o tornozelo dela? Você sabe que Papai ia odiar isso — Nina exclamou com ímpeto.

— Como você ousa? — disse Meredith, o rosto ficando vermelho de raiva. — Sou *eu* quem...

— Parem com isso — bradou Mãe. — O que há de errado com vocês duas?

— Ela é uma idiota — Meredith respondeu. Ignorando completamente Nina, ela foi até a mesa, onde colocou a sacola grande. — Trouxe *pierogies* de repolho e *okroshka*[5], Mãe. E Tabitha mandou algumas lás para você. Estão no fundo da sacola, com um padrão que ela achou que você gostaria. Eu volto depois do trabalho. Como sempre.

Mamãe assentiu, mas não disse nada.

Meredith saiu sem dizer mais nada, fechando a porta com firmeza.

Nina hesitou um instante e então a seguiu. No corredor, viu Meredith afastando-se depressa; os saltos ecoavam ao bater no chão de linóleo.

— Meredith!

A irmã fez um gesto com a mão, dispensando-a, e continuou andando.

Nina entrou novamente no pequeno e patético quarto com as duas camas, a horrível espreguiçadeira e a penteadeira bem usada. Apenas os símbolos russos e a vela davam alguma ideia da mulher que vivia ali. A mulher que Papai achava que fora tão ferida... e que ele amava.

— Vamos, Mamãe. Vamos dar o fora daqui. Vou levar você para casa.

— Você?

— Sim — Nina disse com firmeza —, eu.

---

[5] Sopa fria de origem russa, também encontrada na Ucrânia. O nome provavelmente deriva de "kroshit", que significa transformar em migalhas (N.T.).

— AQUELA VACA. COMO ELA PÔDE DIZER aquilo para mim? Especialmente na frente da Mamãe? — Meredith estava no pequeno e atulhado escritório no qual seu marido cuidava do funcionamento adequado do jornal da cidade. Não que houvesse muita cidade. Uma pilha de papel junto do computador lembrou-a de que ele estava trabalhando com empenho no romance. Aquele que ela ainda não arrumara tempo para ler.

Ela continuou a andar de um lado para o outro, mordendo o polegar até doer.

— Você deveria ter contado a verdade para ela. Eu disse isso.

— Não é bem o momento de ficar dizendo "eu disse isso".

— Mas você falou com ela quantas vezes? Duas ou três desde que colocou sua mãe no Parkview? Claro que Nina está brava. Você também ficaria. — Ele se inclinou para trás na cadeira. — Deixe Nina passar um tempo com ela. Amanhã à noite ela vai entender por que você tomou essa decisão. Sua mãe vai fazer muita maluquice e Nina vai se desculpar sem parar.

Meredith parou de andar.

— Você acha?

— Eu sei. Você não colocou sua mãe lá porque era difícil para você cuidar dela, por mais que fosse realmente difícil. Você a colocou lá para mantê-la em segurança. Lembra?

— Sim — ela disse, desejando sentir confiança nesse argumento. — Mas ela está melhor desde que foi para lá. Até Jim disse isso. Não está andando descalça na neve nem rasgando o papel de parede ou cortando os dedos. Ela guardou as coisas boas para mim.

— Talvez então ela esteja pronta para voltar para casa — ele disse, mas Meredith viu que ele não estava mais realmente empenhado na conversa. Ou estava pensando alguma outra coisa, ou já havia ouvido isso vezes demais. Provavelmente a segunda opção; ela passara boa parte do mês anterior preocupada com a mãe, e Jeff escutara tudo. Na verdade, era só sobre isso que se lembrava de ter falado com ele ultimamente.

— Tenho que ir — ele disse. — Tenho uma entrevista em vinte minutos.

— Ah. Está bem.

Ela deixou que o marido a acompanhasse para fora da redação bagunçada e cheia de gente até seu carro. Ela entrou, ocupando o assento do motorista, e ligou o motor.

Não foi senão quando já estava em sua mesa, examinando o relatório das podas do pomar, que percebeu que Jeff não havia lhe dado um beijo de despedida.

Ao guiar até Belye Nochi, Nina olhava rapidamente para a mãe, sentada no assento do passageiro, tricotando.

Estavam em terreno desconhecido agora, ela e a mãe. Estarem juntas implicava uma espécie de associação, mas tal conexão jamais existira antes e Nina não acreditava realmente que a simples proximidade pudesse fazer surgir um novo tipo de relacionamento.

— Eu deveria ter ficado — ela disse. — Para ter certeza de que você estaria bem.

— Eu não esperava isso de você — disse a mãe.

Nina não sabia se isso era uma crítica, com a ênfase no *você,* ou a simples declaração de um fato.

— Mesmo assim... — Ela não sabia o que dizer a seguir. Mais uma vez, sentia-se como criança, flutuando na órbita da mãe, esperando por alguma coisa — um olhar, um aceno, alguma gratidão ou tristeza. Qualquer coisa, menos o *clique-clique-clique* daquelas agulhas.

Na casa, ela viu a mãe pegar o tricô e a sacola com os itens de seu Canto Sagrado e abrir a porta do carro. Com o porte de uma rainha, ela caminhou pelo gramado até a passagem de pedras e entrou em casa, fechando a porta ao passar.

— Obrigada por me ajudar, Nina — Nina murmurou, balançando a cabeça.

Quando ela entrou na casa com sua bagagem, o Canto Sagrado já tinha sido arrumado novamente, a vela queimando, e a mãe não estava à vista.

Nina subiu, arrastando a mala. Parou diante da porta do quarto da mãe, escutando, ouvindo o barulho das agulhas de tricô e uma voz suave, melodiosa.

Mamãe estava ou falando consigo mesma ou ao telefone.

De qualquer forma, aparentemente isso era melhor do que falar com a filha. Ela largou a mala da mãe no chão, colocou sua mochila e equipamento de fotografia em seu velho quarto e desceu outra vez. Jogou-se no velho sofá otomano favorito do pai, afofou as almofadas para ajeitar a cabeça e ligou a televisão.

Em segundos, estava dormindo. Foi o melhor sono sem sonhos que teve em meses e, quando acordou, sentiu-se refeita e pronta para enfrentar o mundo.

Nina foi para o andar de cima e bateu na porta do quarto da mãe.

— Mamãe?

— Entre.

Nina abriu a porta e encontrou a mãe na cadeira de balanço de madeira junto da janela, tricotando.

— Oi, Mamãe. Está com fome?

— Estava com fome ontem à noite e de novo esta manhã, mas fiz sanduíches. Meredith pediu para eu não usar o fogão.

— Eu dormi o dia inteiro? Merda. Prometa que não vai contar para Meredith.

Mamãe a fitou com dureza.

— Eu não faço promessas para crianças. — Dizendo isso, ela voltou a tricotar.

Nina saiu do quarto e tomou um longo banho de chuveiro. Depois, apesar de estar vestindo sua antiquíssima e amarrotada calça cáqui, sentia-se humana.

Lá embaixo, vagou pela cozinha, tentando imaginar o que fazer para o almoço.

No *freezer*, encontrou dúzias de recipientes com comida, cada um com uma data marcada em tinta preta. A mãe sempre cozinhara para um batalhão em vez de uma família, e nada jamais era jogado fora da mesa dos Whitson. Tudo era guardado, datado e congelado para ser usado depois. Se o Dia do Juízo Final viesse um dia, ninguém em Belye Nochi passaria fome.

Seus olhos foram direto para o estrogonofe e o macarrão feito em casa.

Comida para conforto. Exatamente do que precisavam. Colocou água para ferver para o macarrão e pôs o molho no micro-ondas para degelar. Estava para arrumar a mesa quando um reflexo da luz do sol chamou sua atenção. Pela janela, viu que o pomar estava completamente florido.

Correu para pegar sua sacola de fotografia, escolheu uma câmera e saiu, perdendo-se imediatamente com as opções que se apresentavam. Tirou fotos de tudo, das árvores, dos brotos, dos aquecedores, e, a cada clique da máquina, pensou no pai e como ele amava essa época do ano. Quando terminou, colocou a tampa na lente e caminhou lentamente de volta para a casa, passando pelo assim chamado jardim de inverno da mãe.

Naquele surpreendente dia de sol, o jardim era uma profusão de flores brancas em meio a caules e folhas de ricos tons de verde. Algo de cheiro adocicado estava florescendo e o perfume se misturava com o odor fecundo do solo fertilizado. Ela sentou-se no banco de ferro batido. Sempre pensava naquele jardim como sendo unicamente um domínio da mãe, mas agora, com as macieiras floridas ao redor, sentiu a presença do pai de forma tão aguda como se ele estivesse sentado a seu lado.

Ergueu a câmera novamente e começou a tirar fotos: um par de formigas em uma folha verde, um botão perfeito e perolado de magnólia, a coluna de cobre que sempre fora o ponto central do jardim, com sua pátina azul-esverdeada...

Nina baixou a câmera.

Agora, havia duas colunas. A nova era brilhante, de cobre resplandecente, com um arabesco elegante gravado nela.

Ergueu a câmera novamente e focalizou a nova coluna. Na metade de cima havia uma gravação ornamentada. Arabescos. Folhas, ramos, flores.

E a letra *E*.

Ela virou-se um pouco e olhou a outra coluna. Afastando as vinhas e flores, estudou o arabesco.

Havia visto a coluna dúzias de vezes durante sua vida, mas agora, pela primeira vez, estudou-a de perto. Havia letras russas entrelaçadas com os arabescos. Um *A* e o que parecia ser um *P*, um círculo — que poderia ser um *O* — e algo que parecia uma aranha. E também outros que não reconheceu.

Estava para tocar a coluna quando se lembrou da água que tinha colocado para ferver.

— Merda. — Nina pegou a câmera e correu para a casa.

9

MEREDITH CONCEBEU UM PLANO E SE agarrou a ele. Decidiu que duas tardes e uma noite com Mamãe tinham sido tempo bastante para Nina compreender a decisão da casa de repouso. Sim, Mamãe tinha melhorado nas últimas semanas, mas Meredith não acreditava nem por um segundo que já estivesse boa o bastante para cuidar de si mesma.

E era importante — até mesmo crucial — que Nina compreendesse a situação. Meredith não queria mais carregar sozinha o peso da decisão. Mamãe ficara na casa de repouso por quase seis semanas e seu tornozelo já havia sarado. Logo uma decisão definitiva teria que ser tomada, e Meredith recusava-se a tomá-la sozinha.

Às 4h30, ela deixou o escritório e dirigiu até a casa de repouso. Uma vez ali, acenou para Sue Ellen, a recepcionista, e seguiu adiante, a cabeça ereta, as chaves em uma mão, a bolsa na outra. Diante do quarto da mãe, fez uma pausa suficiente para dizer a si mesma que não estava realmente com dor de cabeça e, então, abriu a porta.

Lá dentro, dois homens de macacões azuis faziam a limpeza: um esfregava o chão, o outro lavava a janela. Não se via nenhum dos objetos de Mamãe. Na cama, em vez da roupa de cama novinha que Meredith havia comprado, tinham colocado uma colcha azul simples.

— Onde está a senhora Whitson?

— Ela se mudou — disse um dos homens, sem olhar para ela. — Nem mesmo avisou a gente.

Meredith piscou depressa.

— Como?

— Ela se mudou.

Meredith girou nos calcanhares e foi até o balcão na recepção.

— Sue Ellen — disse ela, pressionando dois dedos na têmpora esquerda —, onde está minha mãe?

— Ela saiu com Nina. Foi embora, assim, sem mais. Sem avisar nem nada.

— Bem, isso foi um engano. Minha mãe vai voltar...

— Não temos quarto agora, Meredith. A senhora McGutcheon vai ficar com o quarto dela. Nunca sabemos com certeza, claro, mas não esperamos ter um quarto livre antes de julho.

Meredith ficou brava demais para ser educada. Sem dizer nada, ela marchou para fora do prédio e entrou no carro. Pela primeira vez na vida, não deu a mínima para o limite de velocidade e em 12 minutos estava em Belye Nochi e fora do carro.

Lá dentro, a casa inteira cheirava a fumaça. Na cozinha, encontrou pratos sujos empilhados na pia e uma caixa de *pizza* aberta no balcão. Mais de metade da *pizza* ainda estava na caixa.

Mas isso não era o pior.

Havia uma panela deformada no queimador da frente do fogão. Meredith não precisou ir até lá para ver que havia derretido em cima do queimador.

Estava a ponto de correr escada acima quando olhou para fora. Através das portas francesas de madeira, viu as duas: Mamãe e Nina estavam sentadas no banco de ferro.

Meredith abriu uma das portas francesas com tanta força que ela bateu na parede.

Ao cruzar o quintal, ouviu a familiar voz de contar histórias da mãe e percebeu imediatamente que os surtos de confusão não tinham acabado.

— ... ela lamenta a perda do pai, que foi aprisionado na torre vermelha pelo Cavaleiro Negro, mas a vida continua. Essa é uma lição terrível, terrível, que toda garota deve aprender. Os cisnes nas lagoas do jardim do castelo ainda precisam ser alimentados, e continua havendo noites brancas de verão, quando as damas e cavalheiros se encontram de manhã para caminhar pelas margens dos rios. Ela não sabe como um inverno pode ser duro, como as rosas podem congelar em um instante e cair no chão, como as meninas podem aprender a segurar o fogo em suas pálidas mãos brancas...

— Chega dessa história, Mamãe — disse Meredith, tentando não soar tão furiosa quanto estava. — Vamos para dentro.

— Não a faça parar... — disse Nina.

— Você é uma idiota — Meredith disse para Nina, ajudando Mamãe a se levantar, levando-a para casa e para o andar de cima, onde a colocou na cadeira de balanço com o tricô. Voltando a descer, ela encontrou Nina na cozinha.

— Mas que *droga* você estava pensando?

— Você ouviu a história?

— O quê?

— A história. Era a camponesa e o príncipe? Você lemb...

Meredith segurou a irmã pelo pulso e a puxou para a sala de jantar, acendendo a luz.

O lugar estava exatamente como no dia em que Mamãe caíra da cadeira. Faltavam faixas de papel de parede; as partes vazias pareciam velhas feridas perto da cor vibrante do que restara. Aqui e ali, viam-se manchas negras avermelhadas, tanto no papel de parede quanto nas faixas vazias.

Lá fora, em algum lugar dos campos, um caminhão produziu um ruído de explosão.

Meredith virou-se para Nina, mas antes que pudesse dizer qualquer coisa, ouviu passos descendo a escada a toda velocidade.

Mamãe entrou na cozinha, carregando um casaco pesado.

— Vocês ouviram os tiros? Vamos para baixo! Agora!

Meredith segurou o braço da mãe, esperando que o contato ajudasse.

— Foi só um caminhão, Mãe. Está tudo bem.

— Meu leão está chorando — disse Mamãe, os olhos vidrados e sem foco. — Ele está com fome.

— Não há nenhum leão faminto aqui, Mamãe — disse Meredith com a voz calma, tranquilizadora. — Você quer um pouco de sopa?

Mamãe olhou para ela.

— Temos sopa?

— Muita. E pão e manteiga e *kasha*[6]. Ninguém passa fome aqui.

Meredith tirou gentilmente o casaco da mãe. No bolso interno, encontrou quatro frascos de cola.

A confusão sumiu tão depressa quanto havia chegado. Mamãe se emperti-gou, olhou para as filhas, então saiu da cozinha.

Nina virou-se para Meredith.

— Mas que droga foi isso?

— Está vendo? — disse Meredith. — Ela fica... maluca às vezes. É por isso que precisa estar em algum lugar seguro.

— Você está errada — disse Nina, ainda olhando para a porta por onde Mamãe havia passado.

—Você é tão mais esperta que eu, Nina. Então, me diga, no que estou errada?

— Isso não é loucura.

—Ah, é? Então o que é?

— Medo.

---

[6] Prato originário do Leste Europeu que consiste de trigo sarraceno fervido ou cozido (N.T.).

NINA NÃO FICOU SURPRESA QUANDO Meredith começou a limpar a cozinha, e com um zelo de mártir. Sabia que a irmã estava brava. Deveria se importar com isso, mas não era o que acontecia.

Em vez disso, pensou na promessa que tinha feito para o pai.

Faça-a contar a história da camponesa e do príncipe.

Naquela hora isso parecia sem sentido, realmente; impossível. A última esperança desesperada de um homem à beira da morte para fazer três mulheres se reunirem.

Mas Mamãe *estava* desmontando sem ele. Ele estava certo sobre isso. E ele achava que o conto de fadas poderia ajudá-la.

Meredith bateu com uma panela em um dos queimadores do fogão que ainda restavam e depois praguejou.

— Não podemos usar a porcaria do fogão enquanto não tirar essa droga de panela que você derreteu.

— Use o micro-ondas — disse Nina, distraída.

Meredith virou-se para ela.

— É essa a sua resposta? Use o micro-ondas. É tudo que tem a dizer?

— Papai me fez prometer...

— Ah, pelo amor de Deus. — Meredith enxugou as mãos em uma toalha e jogou-a no balcão. — Não vamos ajudá-la fazendo com que conte histórias. Vamos ajudá-la garantindo que fique segura.

— Você quer trancá-la em algum lugar novamente. Por quê? Para poder almoçar com as meninas?

— Como ousa dizer isso para mim? *Você.* — Meredith se aproximou, baixando a voz. — Ele costumava folhear as revistas, procurando pelas fotos da "menininha" dele. Você sabia disso? E ele olhava a caixa do correio e as mensagens todos os dias, esperando notícias que quase nunca chegavam. Então, não *ouse* me chamar de egoísta.

— Chega.

Mamãe estava parada na porta, vestida em sua camisola, com o cabelo solto, o que era incomum. As clavículas apareciam proeminentes sob a pele que deixava ver as veias; uma pequena cruz russa com três travessas estava pendurada em uma fina corrente de ouro enrolada em seu pescoço. Com toda aquela palidez — cabelo branco, pele pálida, camisola branca —, ela parecia quase translúcida. Exceto por aqueles incríveis olhos azuis. Agora, estavam acesos com a raiva.

— É assim que vocês o honram, brigando?

— Não estamos brigando — disse Meredith, suspirando. — Estamos apenas preocupadas com você.

— Você acha que enlouqueci — Mamãe disse.

— *Eu* não acho — disse Nina, erguendo o rosto. — Eu notei a coluna nova no jardim de inverno, Mamãe. Eu vi as letras.

— Que letras? — perguntou Meredith.

— Não é nada — disse Mamãe.

— É *alguma coisa* — disse Nina.

A mãe não deu sinal de ter ouvido. Não suspirou. Não se contraiu. Não desviou os olhos. Ela apenas andou até a mesa da cozinha e se sentou.

— Não sabemos nada sobre você — disse Nina.

— O passado não importa.

— É o que você sempre diz, e sempre concordamos. Ou talvez não nos importássemos. Mas agora eu me importo — Nina respondeu.

Mamãe ergueu o rosto lentamente, e dessa vez não havia como não perceber a clareza nos olhos, nem a tristeza.

— Você vai continuar me perguntando, não vai? Claro que vai. Meredith vai tentar detê-la porque tem medo, mas não há como impedir você.

— Papai me fez prometer. Ele queria que ouvíssemos seus contos de fadas até o fim. Eu não posso desapontá-lo.

— Eu não faço promessas para os moribundos. Agora, você aprendeu também essa lição. — Ela se levantou, os ombros só um pouco curvados. — Seu pai ficaria de coração partido ouvindo vocês duas brigando. Vocês têm sorte de ter uma à outra. Ajam de acordo. — Em seguida, ela saiu da cozinha.

Elas ouviram a porta bater no andar de cima.

— Olhe, Nina — Meredith disse depois de um longo silêncio. — Não dou a mínima para os contos de fadas. Eu vou cuidar dela porque prometi a Papai e porque é a coisa certa a fazer. Mas isso sobre o que você está falando, tentar conhecê-la, é uma missão camicase e eu já explodi em chamas vezes demais. Não conte comigo.

— Você acha que não sei disso? — disse Nina. — Sou sua irmã. Eu sei quanto você tentou se aproximar dela.

Meredith virou subitamente de volta para o fogão, atacando a panela derretida como se houvesse um tesouro embaixo dela.

Nina levantou e foi até a irmã.

— Eu entendo por que você a colocou naquele lugar terrível.

Meredith voltou-se para ela.

— Entende mesmo?

— Claro. Você achou que ela estava ficando maluca.

— Ela *está* ficando maluca.

Nina não sabia o que dizer. Como poderia colocar o que pensava de forma que fizesse sentido? Tudo que sabia era que a mãe havia perdido uma peça essencial de seu ser recentemente e talvez realizar a promessa do pai a ajudasse a recuperá-la.

— Eu vou fazer com que ela me conte o conto de fadas, inteirinho, ou morrerei tentando.

— Faça o que quiser — Meredith disse por fim, suspirando. — Você sempre fez.

No trabalho, Meredith tentou se perder nos pequenos detalhes diários de controlar uma fazenda e os depósitos, mas não conseguia fazer nada direito. Era como se houvesse uma válvula em seu peito apertando mais a cada respiração. A pressão crescendo lá dentro explodiria a qualquer minuto. Depois da terceira vez que gritou com um empregado, ela desistiu e saiu dali antes que causasse mais estragos. Jogou uma pilha de papéis na mesa de Daisy e disse em tom tenso:

— Arquive isso, por favor. — E saiu antes que Daisy pudesse fazer qualquer pergunta.

Ela entrou no carro e saiu. A princípio, não tinha ideia de para onde estava indo; em algum ponto ao longo do caminho, percebeu que estava seguindo por uma velha estrada esquecida. De certa forma, ela levava de volta para sua juventude.

Estacionou diante da loja de presentes Belye Nochi. Era uma casinha adorável, afastada da estrada principal e cercada por macieiras floridas muito antigas.

Muitos anos atrás, ali havia uma banca de frutas; Meredith passara alguns dos melhores verões de sua vida vendendo as maçãs maduras e perfeitas para turistas.

Ela olhou pelo para-brisa para a casinha branca de madeira, os beirais cheios de luzinhas brancas. Com a chegada do verão, haveria flores por todos os lados — nos vasos junto da porta, nas cestas na varanda, trançadas nos fios da cerca.

Tinha sido ideia dela converter a banca de frutas na loja de presentes. Ainda se lembrava do dia em que fora até Papai com o plano. Na época, era uma jovem mãe com um bebê em cada braço.

Vai ser ótimo, pai. Os turistas vão amar.

É uma grande ideia, Meredoodle. Você vai ser minha estrela brilhante...

Ela colocara seu coração e suor naquele lugar, escolhendo com grande cuidado cada item que venderiam. E tinha sido um sucesso vibrante, tanto que dobraram o tamanho da loja e ainda assim não havia espaço suficiente para vender todas as belas lembranças e artesanato feitos no vale.

Quando parara de trabalhar na loja de presentes e fora para o armazém, fora apenas para deixar o pai feliz.

Olhando para trás agora, fora ali que aquilo começara, aquela sua vida que parecia ser apenas sobre os outros...

Engatando a marcha à ré, ela se afastou, desejando vagamente não ter ido até ali. Durante a hora seguinte, apenas dirigiu, vendo as mudanças que a primavera causava na paisagem. Quando parou em sua casa, o sol já estava se pondo e a vista escurecia lentamente.

Dentro da casa, alimentou os cachorros, começou a fazer o jantar e então tomou um banho, ficando tanto tempo na banheira que a água esfriou.

Ainda estava táo confusa e brava com os eventos do dia que náo sabia o que fazer nem o que queria. Só sabia com certeza que Nina estava estragando tudo, tornando a vida de Meredith mais difícil. E náo havia dúvida em sua mente de que tudo desabaria em uma grande confusáo que Meredith teria que limpar.

Estava realmente cansada demais de ser aquela em quem tudo estourava.

Enxugou-se, colocou uma calça confortável e saiu do banheiro. Enquanto enxugava o cabelo com a toalha, olhou para a grande cama de casal do outro lado do quarto.

Lembrou-se, com muita saudade, do dia em que ela e Jeff compraram aquela cama. Tinha sido cara demais, mas eles riram do preço e pagaram com o cartáo de crédito. Quando a cama fora entregue, saíram do trabalho mais cedo e caíram nela, rindo e se beijando, e a batizaram com sua paixáo.

Era do que precisava agora: paixáo.

Precisava arrancar as roupas, cair na cama, esquecer de tudo a respeito de Nina e Mamáe e cuidar de casas e contos de fadas.

No momento em que pensou nessa ideia, ela se calcificou em um plano. Sentindo-se excitada pela primeira vez em meses, vestiu uma camisola sexy e desceu, acendeu a lareira, serviu-se de uma taça de vinho e ficou esperando Jeff chegar do trabalho.

Às 11 da noite, ainda estava esperando. E a sensaçáo de excitaçáo aos poucos transformou-se em raiva.

Onde ele estava?

Quando ele finalmente entrou na sala, ela já havia tomado três taças de vinho e o jantar estava arruinado.

— Onde você estava? — perguntou ela, levantando.

Ele franziu a testa.

— O quê?

— Eu fiz um jantar romântico. Que agora está arruinado.

— Você está brava porque cheguei tarde em casa? Você deve estar brincando.

— Onde você estava?

— Fazendo pesquisa para meu livro.

— No meio da noite?

— Não estamos no "meio da noite". Mas sim. Estou fazendo isso desde janeiro, Mere. Você apenas não notou. Nem se importou. — Ele se afastou e foi para o escritório, batendo a porta ao entrar.

Ela o seguiu, abrindo a porta com ímpeto.

— Eu *queria* você essa noite — ela disse.

— Bem, desculpe-me por não dar a mínima. Você me ignorou durante meses. Tem sido como viver com um fantasma, mas agora, subitamente, porque está com tesão, eu tenho que mudar de marcha e estar aqui para você? A coisa não funciona assim.

— Ótimo. Espero que fique confortável aqui esta noite.

— Vai ser bem mais quente do que na *sua* cama.

Ela saiu e bateu a porta, mas, com o barulho que provocou, a raiva a deixou e, sem a raiva, ela sentiu-se perdida. Sozinha.

Devia pedir desculpas, contar para ele sobre seu dia terrível...

Estava a ponto de fazer isso quando viu a pálida luz azul por baixo da porta. Ele havia ligado o computador e ia escrever.

Virando-se, ela foi para cima, indo direto para a cama. Em 20 anos de casamento, era a primeira vez que ele dormiria no sofá depois de uma briga e, sem ele, Meredith não conseguia dormir.

Às 5 da manhã, ela por fim desistiu de tentar e desceu para se desculpar.

Ele já tinha saído.

Naquela manhã, Meredith foi correr (dessa vez, dez quilômetros; estava se sentindo especialmente tensa), ligou para as duas filhas e chegou ao trabalho antes das 9. Assim que sentou-se à sua mesa, ligou para o Parkview e falou com o diretor, que não estava nem um pouco feliz com a partida súbita de sua mãe.

Ela foi informada — novamente — de que não esperavam ter vaga no futuro próximo. As coisas poderiam mudar, claro (o que queria dizer que alguém poderia morrer; a família de alguma outra pessoa seria despedaçada), mas não havia como garantir uma vaga.

Nina jamais ficaria ali o bastante para ajudar. Nos últimos 15 anos, Meredith não se lembrava de a irmã ficar em Belye Nochi mais que uma semana, ou dez dias no máximo. Nina podia ser famosa no mundo inteiro e renomada em seu campo de trabalho, mas não era alguém em quem se poderia confiar. Ela tinha até fugido quando era para ser madrinha de Meredith — no último minuto, quando não havia mais tempo para conseguir alguma substituta — por causa de um assassinato na América Central. Ou no México. Meredith ainda não sabia; tudo que sabia era que em um minuto Nina estava ali com ela, experimentando o vestido de madrinha, e no minuto seguinte tinha ido embora.

Bateram na porta. Meredith ergueu os olhos a tempo de ver Daisy entrar com um envelope manila.

— Estou com os relatórios dos campos aqui.

— Ótimo — disse Meredith. — Deixe aqui na minha mesa.

Daisy hesitou e Meredith pensou: *Ah, não. Lá vem coisa.* Ela conhecia Daisy desde criança, e ela certamente não era hesitante.

— Eu ouvi — disse Daisy, fechando a porta — sobre Nina sequestrar sua mãe.

Meredith sorriu, cansada.

— Isso é um pouco exagerado. Eu vou cuidar disso.

— Claro que vai, querida, mas você deveria? — Daisy colocou o envelope na mesa. — Eu posso dirigir este lugar, sabe... — ela disse suavemente. — Seu pai me treinou. Tudo que você precisa fazer é pedir ajuda.

Meredith assentiu. Era verdade, apesar de ela nunca ter pensado nisso seriamente. Daisy *conhecia* a fazenda e sua operação melhor do que ninguém além de Meredith. Ela trabalhava ali fazia 29 anos.

— Obrigada.

— Mas você não sabe mesmo como fazer isso, não é, Meredith?

Meredith combateu a vontade de girar os olhos para cima. Era o que Jeff lhe dizia o tempo todo. Seria mesmo um defeito assim tão grande? Fazer o que precisava ser feito?

— Você pode ligar para o dr. Burns para mim, Daisy?

— Claro. — Daisy foi até a porta.

Um momento depois, ela passou a ligação e Jim atendeu.

— Oi, Jim — disse ela. — É Meredith.

— Estava esperando você ligar. Fiquei sabendo sobre Parkview hoje. — Ele fez uma pausa. — Nina?

— Naturalmente. Ela assistiu a *Fugindo do Inferno* vezes demais. Eles não sabem quando terão vaga novamente e não temos como pagar alguém para viver lá com ela. Você pode indicar outra casa de repouso?

Levou um momento antes de Jim responder.

— Falei com o médico dela no Parkview e com o fisioterapeuta que trabalhou com ela. Também visitei Anya uma vez por semana.

Meredith sentiu a tensão crescendo.

— E?

— Nenhum de nós viu qualquer demência ou confusão significativas. A única vez em que ela ficou um pouco confusa foi quando caiu aquela tempestade no mês passado. Aparentemente, os trovões a assustaram e ela disse para todo mundo que precisavam ir para o telhado. Mas muitos dos residentes também ficaram agitados com o barulho. — Ele respirou fundo. — Seu pai costumava dizer que Anya lutava com a depressão todo inverno. Algo no frio e na neve a incomodam. Isso, mais o abatimento do luto... enfim, resumindo: não acho que ela esteja sofrendo de Alzheimer, nem de demência severa. Não posso diagnosticar o que não vejo, Meredith.

Meredith sentiu como se um grande peso tivesse sido colocado sobre seus ombros.

— E agora? Como posso cuidar dela e mantê-la em segurança? Não posso cuidar de Belye Nochi e minha casa e estar lá com Mamãe o tempo todo. Ela está se cortando, pelo amor de Deus!

— Eu sei — ele disse com gentileza. — Fiz algumas ligações. Há um complexo para idosos em Wenatchee que é realmente bom. Chama-se Riverton. Ela teria um apartamento com um quintal grande o bastante para praticar jardinagem. Ela teria a opção de fazer as próprias refeições ou ir até o refeitório do complexo. Vai haver uma vaga no meio de junho, para um quarto de uma cama. Pedi para a gerente reservar para você, mas eles precisam de um depósito depressa. Fale com Junie.

Meredith anotou tudo.

— Obrigada, Jim. Agradeço muito sua ajuda.

— Sem problemas. — Ele fez uma pausa. — Como *você* está, Meredith? Você não parecia muito bem da última vez que a vi.

— Obrigada, doutor. — Ela tentou rir. — Estou cansada, mas isso era de se esperar.

— Você está se esforçando demais.

— É a história da minha vida. Obrigada de novo. — Ela desligou antes que ele pudesse dizer qualquer outra coisa. Então, pegou sua bolsa no chão e saiu do escritório.

Em Belye Nochi, encontrou Nina na cozinha, reaquecendo uma panela de *goulash*. Nina sorriu para ela.

— Estou tomando conta, está vendo? Não pegou fogo ainda.

— Preciso falar com você e com Mamãe. Onde ela está?

Nina inclinou a cabeça na direção da sala de jantar.

— Adivinhe.

— No jardim de inverno?

— É claro.

— Mas que droga, Neens. — Meredith atravessou a sala de jantar danificada e foi até Mamãe, que estava sentada no banco de ferro. Pelo menos, estava vestida adequadamente para o clima frio daquele dia.

— Mãe? — disse Meredith. — Preciso falar com você. Podemos entrar?

Mamãe se empertigou; só então Meredith percebeu como antes ela parecia encurvada e fraca.

Juntas, sem se tocar ou falar, elas caminharam de volta para casa. Na sala, Meredith sentou Mamãe em uma poltrona e foi acender o fogo. Quando terminou, Nina estava com elas, deitada no sofá, de meias, com os pés apoiados na mesa de centro.

— O que houve, Mere? — ela perguntou, folheando uma revista *National Geographic.* — Ei, aqui está minha foto. Esta aqui ganhou o Pulitzer — ela disse, sorrindo, mostrando a foto que ocupava duas páginas.

— Falei com o dr. Burns hoje.

Nina colocou a revista na mesa.

— Ele... concorda comigo que a casa de repouso não é o melhor lugar para Mamãe.

— Ah! Não diga — comentou Nina com ironia.

Meredith recusou-se a engolir a isca. Continuou a olhar para Mamãe.

— Mas nós dois achamos que esta casa é demais para você cuidar sozinha. Jim encontrou um ótimo lugar em Wenatchee. Um complexo para idosos com estrutura de condomínio. Ele disse que você pode ter sua casa de um quarto com cozinha. Mas, se não quiser cozinhar, tem também um refeitório. É bem no centro. Você pode ir às lojas e comprar suas coisas de tricô.

— E quanto ao meu jardim de inverno? — perguntou Mamãe.

— Na casa tem também um quintal. Você pode fazer um jardim de inverno lá. O banco, a cerca, as colunas; tudo.

— Ela não precisa se mudar — disse Nina. — Aqui é a casa dela e eu estou aqui para ajudar.

Meredith por fim perdeu a calma.

— Mesmo, Nina? E por quanto tempo poderemos contar com você? Ou isso vai ser como no meu casamento?

— Houve um assassinato naquela semana — Nina disse, subitamente parecendo desconfortável.

— Ou vai ser como no aniversário de 70 anos de Papai? O que houve daquela vez? Uma enchente, não foi? Ou foi o terremoto?

— Não vou me desculpar pelo meu trabalho.

— Não estou pedindo que se desculpe. Só estou dizendo que você pode ter a melhor das intenções, mas, se algo terrível acontecer amanhã na Índia, tudo que veremos de você será seu traseiro correndo porta afora. Não posso ficar o tempo todo com Mamãe e ela não pode ficar sozinha.

— E isso tornaria tudo mais fácil para você? — disse Mamãe.

Meredith examinou o rosto da mãe em busca de sarcasmo ou julgamento, ou mesmo confusão, mas tudo que viu foi resignação. Ela tinha feito uma pergunta, não uma acusação.

— Sim — ela disse, imaginando por que a afirmação a fez sentir que estava falhando com o pai.

— Então eu vou. Não me importo de não morar mais aqui — disse Mamãe.

— Vou pegar tudo de que você vai precisar — disse Meredith. — Assim, você poderá ir no mês que vem. Você não vai precisar fazer nada.

Mamãe se levantou. Olhou para Meredith, os olhos azuis suaves com a emoção. Foi uma expressão que durou uma batida de coração — e então sumiu. Virando-se, ela foi para cima. Logo ouviram a porta do quarto bater.

— O lugar dela não é em algum asilo glorificado — disse Nina.

Meredith odiou de verdade a irmã por aquilo.

— E o que você vai fazer a respeito?

— Como assim?

— Você vai pagar por uma acompanhante em tempo integral, alguém que possa fazer as compras, limpeza e pagar as contas dela? Ou talvez você vá prometer ficar aqui por alguns anos? Ah, espere. Suas promessas não valem nada.

Nina levantou lentamente, encarando Meredith.

— Não sou a única nesta família que quebra promessas. Você prometeu a ele que cuidaria de Mamãe.

— E é isso que estou fazendo.

— Ah, é? E se ele estivesse aqui agora, ouvindo você falar sobre mover o jardim de inverno e embalar as coisas dela para levá-la para a cidade? Ele teria *orgulho* de você, Meredith? Ele diria: *Muito bem. Obrigado por ir adiante com sua promessa*? Acho que não.

— Ele entenderia — disse Meredith, desejando que sua voz tivesse soado mais forte.

— Não. Ele não entenderia não, e você sabe disso.

— Vá se foder — disse Meredith. — Você não tem ideia de quanto eu tentei... como eu queria que... — A voz sumiu e formou-se um nó em sua garganta.

— Vá se foder — ela disse de novo, sussurrando dessa vez. Virando-se, ela praticamente correu até a porta, e quando a abriu notou que o *goulash* estava queimando, mas saiu assim mesmo.

No carro, bateu a porta com força e se agarrou à direção.

— É fácil bancar a superior quando você nunca está *aqui* — ela murmurou, ligando o carro.

A viagem até em casa levou menos de dois minutos.

Os cachorros a receberam com exuberância e ela se abaixou para acariciar os dois, deixando que o entusiasmo deles com seu retorno fosse um bálsamo para seus nervos abalados.

— Jeff? — ela chamou. Não tendo resposta, tirou o casaco e serviu-se de uma taça de vinho. Na sala, ligou a lareira a gás e sentou-se no mármore diante dela, deixando o calor real do fogo falso aquecer suas costas.

Durante anos, tentara amar a mãe da mesma forma incondicional que amara o pai. Esse desejo de amar — e de ser amada — era a pedra fundamental de sua juventude e sua primeira verdadeira derrota.

Nada que tivesse feito jamais parecia certo aos olhos da mãe e, para uma garota que desejava desesperadamente agradar, não conseguir deixou cicatrizes. A pior delas — além da noite da peça de Natal — ocorreu em um dia ensolarado de primavera.

Meredith não lembrava exatamente que idade tinha, mas Nina acabara de começar as aulas de natação, então talvez estivesse com 10, e Papai levara sua irmã para a piscina; assim, Meredith estava sozinha com Mamãe naquela casa imensa e desconexa. Havia saído sorrateiramente depois do almoço, com ferramentas na mão e um pacote de sementes no bolso. Sozinha no jardim de inverno, cantarolando com a excitação, tirou todas as ervas daninhas que cresciam por cima de tudo e arrastou para longe a velha coluna de cobre, verde por causa do tempo, que dava ao jardim um aspecto confuso, de desarranjo. Atacando a terra negra lamacenta com o ancinho, plantou cuidadosamente as sementes de flores em filas retas perfeitamente espaçadas. Conseguia imaginar como cresceriam e floresceriam, como dariam uma ordem brilhante para a confusão verde e branca daquele assim chamado jardim.

Estava feliz consigo mesma por ter tido a ideia e executá-la tão bem. Enquanto trabalhava a terra e dividia as sementes e as colocava cuidadosamente no chão, imaginou a mãe indo até ali, vendo esse presente e — finalmente — abraçando-a.

Estava tão entusiasmada com esse sonho que não ouviu a porta da casa bater e os passos na passagem de pedra. O primeiro anúncio de que não estava sozinha foi quando Mamãe a fez se levantar, puxando-a com tanta força que Meredith tropeçou e caiu de lado.

O que você fez com meu jardim?

Queria que ficasse bonito para você. Eu...

Meredith jamais esqueceria a expressão no rosto da mãe ao arrastá-la pelo quintal e pelos degraus da varanda. O tempo todo, até entrar em casa, Meredith estava chorando, dizendo que lamentava, pedindo que ela dissesse o que tinha feito de tão errado, mas a mãe não disse nada, apenas a levou para dentro da casa e bateu a porta.

Meredith ficou na janela da sala de jantar, chorando, olhando a mãe atacar a terra, arrancando as sementes como se tivessem algum tipo de veneno. Mamãe trabalhava como uma pessoa enlouquecida, em um frenesi; trouxe de volta as ervas daninhas, carregando-as nas mãos com um cuidado que nunca demonstrara com as filhas, e, quando estava tudo de volta no lugar, ela foi pegar a coluna e a arrastou de volta para seu lugar. Quando o jardim de inverno estava como antes, ela caiu de joelhos diante da coluna e ali ficou a tarde toda, com a cabeça baixa, como se orando. Ainda estava lá quando caiu a noite e começou a chover.

Quando ela por fim veio para dentro, as mãos estavam pretas com a terra, os dedos sangrando, o rosto marcado por lama e chuva, e ela nem mesmo olhou para Meredith, apenas subiu e se fechou no quarto.

Elas nunca falaram sobre aquele dia. E, quando Papai chegou em casa, Meredith se lançou nos braços dele e chorou até ele dizer: *O que foi, Meredoodle?*

Talvez, se tivesse dito alguma coisa, se contasse a verdade, tivesse mudado as coisas, tivesse mudado a si mesma, mas não podia. *É que eu amo você, papaizinho,* disse ela, e a risada ribombante dele a animou um pouco.

E eu amo você, ele havia dito. Ela desejara que fosse o bastante, orou para que fosse o bastante, mas não fora, e ela sentiu aflorar aquela sensação de derrota, e a sensação a tomou, até que tudo que conseguiu fazer foi parar de amar a mãe.

Ela fechou os olhos, balançando só um pouquinho. Nina estava errada. Papai *teria* entendido...

Ouviu uma batida próxima e ergueu os olhos, esperando ver Luke ou Leia na sala, o rabo batendo animado nas coisas, implorando por alguma atenção.

Jeff estava à porta, ainda vestido com o jeans gasto e a camisa azul que usava na manhã anterior.

— Ah. Você está em casa.

— Estou indo — ele disse calmamente.

Ela não sabia se ficava aliviada ou desapontada por não ficarem juntos naquela noite.

— Quer que eu faça o jantar?

Ele respirou fundo e disse:

— Estou saindo.

— Eu ouvi. Eu não... — A compreensão a atingiu subitamente e ela ergueu o rosto. — Saindo? Me deixando? Por causa de ontem à noite? Eu lamento por aquilo. De verdade. Eu não devia...

— Precisamos ficar um tempo distantes, Mere.

— Não faça isso — ela sussurrou, balançando a cabeça. — Não agora.

— Nunca vai haver um momento certo. Esperei por causa do seu pai, e depois por causa da sua mãe. Disse a mim mesmo que você ainda me amava, que estava só ocupada demais, com muito para fazer, mas... eu simplesmente não acredito mais nisso. Há uma parede ao seu redor, Mere, e estou cansado de tentar escalá-la.

— Vai ficar melhor agora. Em junho...

— Chega de esperar — ele disse. — Temos só algumas semanas antes de as meninas virem para casa. Vamos usar esse tempo para descobrir o que queremos de verdade.

Ela sentiu que desmontava, mas a ideia de ceder a assustou mortalmente. Durante meses, vinha enterrando as emoções e Deus sabia o que aconteceria agora se parasse de fazer isso. Se permitisse que o choro saísse, poderia uivar como uma *banshee*[7] e virar uma estátua de pedra como um dos personagens dos contos de fadas de sua mãe. Então, ela se aguentou e assentiu, falando com a voz mais segura que conseguiu produzir:

— Está bem.

Percebeu o modo como ele a fitou, o desapontamento, a resignação. O olhar dele dizia *claro que é isso que você diria*. Aquilo quase a magoou mais do que podia suportar, deixá-lo ir, mas não sabia como impedir, o que dizer; então, ela levantou e passou por ele, passou pela mala diante da porta (a batida que tinha ouvido) e foi para a cozinha.

Seu coração estava em frangalhos quando parou diante da pia, olhando para o nada. Era difícil respirar. Nunca, em todos os anos de casamento, lhe ocorrera que Jeff poderia deixá-la. Nem na noite anterior, quando ele a deixara dormir sozinha. Sabia que ele não estava feliz — e ela também não estava —, mas isso parecia de alguma forma algo separado, um remendo comum malfeito.

Mas isso...

Ele se aproximou por trás dela.

— Você ainda me ama, Mere? — ele perguntou serenamente, segurando nos ombros dela e fazendo com que se virasse até ficarem frente a frente.

Ela desejou que ele tivesse perguntado isso uma hora antes, ou ontem, ou na semana passada. Qualquer momento, menos agora, quando até mesmo o chão sob seus pés parecia inseguro. Ela achava que o amor dele era uma armadura que poderia conter qualquer tempestade, mas, como tudo mais em sua

---

[7] Espírito feminino do folclore gaélico da Inglaterra que se acredita anunciar, através de seus gritos de dor, uma morte na família (N.T.).

vida, o amor dele era condicional. Subitamente, estava novamente com 10 anos, sendo arrastada para fora do jardim, imaginando o que tinha feito de tão errado.

Ele baixou as mãos e foi para a porta.

Meredith quase o chamou, quase disse: *Claro que eu amo você. Você me ama?* Mas não conseguiu abrir a boca. Sabia que deveria tirar a mala dele ou abraçá-lo. Fazer alguma coisa. Mas ela ficou ali, de olhos secos e sem entender, olhando para as costas dele.

No último instante, ele se virou para ela.

— Você é como ela. Sabe disso, não sabe?

— Não diga isso.

Ele a olhou por mais um instante, e ela sabia que era uma abertura, uma chance que ele lhe dava, mas não conseguiu usá-la, não conseguiu avançar ou sequer chorar.

— Adeus, Mere — ele disse por fim.

Ela ficou ali por um longo tempo. Ainda estava ali, diante da pia, olhando para a escuridão do quintal, bem depois de ele ter pegado o carro e ido embora.

Você é como ela, foi o que ele disse.

Aquilo machucava tanto que não conseguia aguentar, como ele deveria saber que aconteceria.

— Ele vai voltar — ela disse para ninguém além de si mesma. — Os casais às vezes dão um tempo. Vai ficar tudo bem. — Tinha que descobrir como arrumar aquilo, o que devia fazer. Foi até o armário, pegou o aspirador e o levou para a sala, onde o ligou. O som abafou as vozes em sua cabeça e o bater errático de seu coração.

10

QUANDO NINA TERMINOU DE TOMAR banho e de desfazer as malas, ela desceu. Na cozinha, encontrou a mãe já sentada à mesa, onde uma garrafa de cristal aguardava.

— Achei que poderíamos beber. Vodca — disse a mãe.

Nina olhou para ela. Era um daqueles momentos quando se via algo inesperado, como um rosto nas sombras. Em todos os seus 37 anos, Nina nunca fora convidada para beber pela mãe. Ela hesitou.

— Se você não quiser...

— Não! Quero dizer, sim! — disse Nina, observando a mãe servir dois copos cheios de vodca.

Ela tentou ver *alguma coisa* no rosto belo da mãe, um franzir de testa, um sorriso; alguma coisa. Mas os olhos azuis não revelavam nada.

— A cozinha está cheirando a fumaça — disse Mamãe.

— Eu queimei o primeiro jantar. Pena você nunca ter me ensinado a cozinhar — Nina disse.

— É esquentar, não cozinhar.

— Sua mãe a ensinou a cozinhar?

— A água está fervendo. Coloque o macarrão.

Nina foi até o fogão e colocou parte do macarrão feito em casa pela mãe na água fervente. Ao lado, o molho de estrogonofe borbulhava em outra panela.

— Ei, eu estou cozinhando — ela disse, pegando uma colher de pau. — Danny morreria de rir se visse isso. Ele diria: *Cuidado, amor. Pessoas vão comer isso aí.* — Ela ficou esperando a mãe perguntar quem era Danny, mas tudo que ouviu foi o silêncio, e depois um lento bater.

Olhando para trás, Nina viu a mãe batendo com um garfo na mesa. Ela voltou até a mesa, sentando-se do lado oposto à mãe.

— Saúde — disse ela, erguendo o copo.

Mamãe pegou o pequeno copo pesado, bateu-o contra o de Nina e engoliu a vodca toda em um gole. Nina fez o mesmo. Minutos passaram em silêncio.

— Então, o que fazemos agora?

— Macarrão. — Foi a resposta de Mamãe.

Nina correu de volta para o fogão.

— O macarrão está flutuando — ela disse.

— Está pronto.

— Mais uma aula de cozinha. Isso é incrível — Nina disse, derramando o macarrão e a água no escorredor. Então, lavou dois pratos, pegou a salada e voltou para a mesa, levando uma garrafa de vinho com ela.

— Obrigada — disse Mamãe. Ela fechou os olhos em oração por um momento e pegou o garfo.

— Você sempre fez isso? — disse Nina. — Orar antes do jantar?

— Pare de me estudar, Nina.

— Porque isso é o tipo de coisa que os pais passam para os filhos. Não lembro de orar antes do jantar a não ser nas grandes festas.

Mamãe começou a comer.

Nina queria continuar com as perguntas, mas o cheiro delicioso do estrogonofe — pedaços suculentos de carne, perfeitamente cozidos e depois mergulhados por horas em um molho feito com xerez, tomilho fresco, creme de leite e cogumelos — flutuou até ela, e seu estômago grunhiu em antecipação. Ela praticamente mergulhou na comida que tanto representava sua infância.

— Graças a Deus você tem comida suficiente no *freezer* para alimentar uma nação faminta — ela disse, servindo vinho para as duas.

Quando o silêncio lhe respondeu, ela disse: — Obrigada, Nina, por dizer isso.

Nina tentou se concentrar na comida, mas o silêncio a incomodava. Nunca tinha sido uma mulher paciente. Era estranho; conseguia ficar imóvel por horas esperando a foto perfeita, mas, sem a câmera nas mãos, precisava de alguma coisa para fazer. Por fim, não conseguiu mais aguentar.

— Chega — ela disse de forma tão ríspida que Mamãe ergueu os olhos. — Eu não sou Meredith.

— Eu sei disso.

— Você foi dura demais com a gente quando éramos meninas, e Mere, bem, ela ficou por aqui e nunca mudou muito. Eu fui embora. E sabe o quê? Você não me assusta nem me machuca tanto quanto antes. Estou aqui agora para cuidar de você. Se Mere conseguir o que quer, eu vou estar aqui até você ir para o Mundo dos Idosos, e garanto que não quero fazer cada refeição sob um cone de silêncio.

— Um o quê?

— Nós deveríamos falar no jantar quando eu era criança. Eu lembro de conversar. Até de rir.

— Isso era entre vocês três.

— Por que você nunca olhou de verdade para mim ou Meredith?

— Você agora está imaginando coisas. — Mamãe tomou um gole do vinho. — Coma.

— Está bem, vou comer. Mas nós vamos conversar e pronto. Já que você é péssima nesse jogo de conversar, eu começo. Meu filme favorito é *Entre Dois Amores*. Adoro ver as girafas passando diante do pôr do sol no Serengueti e estou surpresa em admitir que às vezes sinto falta da neve.

Mamãe tomou outro gole do vinho.

— Eu poderia, em vez disso, perguntar sobre os contos de fadas — disse Nina. — Poderia perguntar como é que você sabe as histórias de cor ou por que só as contou para nós com as luzes apagadas ou por que Papai...

— Meu autor favorito é Pushkin. Se bem que Anna Akhmatova leia minha mente. Sinto falta... da verdadeira *belye nochi* e meu filme favorito é *Doutor Jivago*. — O sotaque dela suavizou nas palavras russas, tornando-as uma espécie de música.

— Então, temos algo em comum, afinal de contas — disse Nina, pegando seu vinho, olhando para a mãe.

— O quê?

— Gostamos de grandes histórias de amor com finais tristes.

A mãe se afastou subitamente da mesa e se levantou.

— Obrigada pelo jantar. Estou cansada agora. Boa noite.

— Eu vou perguntar de novo, você sabe — Nina disse quando a mãe passou por ela. — Sobre o conto de fadas.

Mamãe fez uma pausa, deu um passo lento, então seguiu adiante, indo para a escada e subindo. Quando a porta do quarto dela foi fechada, Nina olhou para o teto.

— Você está com medo, não está? — Ela pensou em voz alta. — De quê?

EMBRULHADA EM SEU VELHO ROBE de tecido frisado, Meredith estava sentada na varanda, balançando em uma cadeira de palha. Os cachorros se enrodilhavam um no outro a seus pés. Pareciam estar dormindo, mas de vez em quando um dos dois gania e olhava para cima. Eles sabiam que havia algo errado. Jeff tinha ido embora.

Meredith não podia acreditar que ele havia feito isso com ela *agora*, logo após a morte de seu pai e no meio daquela situação com a mãe. Queria se agarrar a essa raiva, mas ela era efêmera e difícil de segurar. Ficava imaginando uma cena, de novo e de novo, sem parar.

Eles estariam à mesa de jantar, ela e Jeff e as meninas...

Jillian estaria com o nariz enfiado em um livro; Maddy estaria batendo com o pé, perguntando quando poderiam ir. Toda aquela impaciência adolescente desapareceria quando Jeff dissesse:

— Estamos nos separando.

Talvez ele não falasse exatamente assim, ou talvez ele perdesse a coragem e deixasse Meredith dizer as palavras venenosas. Certamente havia sido esse o padrão deles como pais. Jeff era o "divertido"; Meredith fazia com que as leis fossem cumpridas.

Maddy começaria a soluçar de forma incontrolável.

As lágrimas de Jillian seriam silenciosas, do tipo coração partido.

Meredith inspirou com força, sentindo um tremor. Agora, sabia por que outras mulheres permaneciam em casamentos ruins. Era por causa da cena que havia acabado de imaginar e da dor que havia nela.

A distância, conseguiu ver o primeiro brilho acobreado da madrugada. Tinha ficado ali fora a noite inteira. Apertando o robe a seu redor, ela foi para dentro, andou pela casa, pegando objetos e colocando-os de volta no lugar. O prêmio de cristal que Jeff ganhara no ano passado por jornalismo investigativo... os óculos de leitura que ele começara a usar recentemente... a foto deles no Lago Chelan no verão anterior. Antes, quando olhava para aquela foto, tudo que via era que estava ficando mais velha; agora, via o modo como ele a abraçava, o brilho no sorriso dele.

Colocou a foto no lugar e foi para cima. Apesar de a cama a chamar, não chegou perto dela, não daquele colchão imenso onde a forma do corpo e o cheiro dele permaneciam. Em vez de deitar, ela vestiu a roupa de treino e foi correr até não conseguir mais respirar sem doer e seus pulmões parecerem de geleia.

Em casa, foi direto para o chuveiro, onde ficou até a água ficar fria.

Quando se vestiu, sabia que ninguém poderia olhar para ela e perceber que seu marido havia partido no meio da noite.

Estava segurando as chaves do carro, parada na cozinha, quando percebeu que era sábado.

O depósito estaria escuro e frio. Fechado. Ah, ela poderia ir trabalhar, tentar se perder nas informações sobre insetos e podas, as projeções da colheita e quotas de venda. Mas estaria sozinha, em silêncio, com apenas seus pensamentos para distraí-la.

— Não mesmo.

Ela saiu, entrou no carro e o ligou, mas, em vez de ir para a cidade, foi para Belye Nochi e estacionou.

A luz da sala estava acesa. Fumaça saía da chaminé. Claro que Nina estava acordada. Ela ainda estava funcionando no horário da África.

Meredith sentiu uma onda de pena de si mesma. Desejou com todo o coração que pudesse falar com a irmã sobre isso, que pudesse passar a dor para outra pessoa que conseguisse encontrar as palavras certas para suavizar ou dar outra forma para ela.

Mas Nina não era essa pessoa. E Meredith também não contaria para seus amigos. Já era humilhante e doloroso o bastante sem se tornar o assunto das fofocas da cidade. E, além do mais, não era o tipo de mulher que falava sobre seus problemas; esse não era exatamente um dos motivos de estar sozinha agora?

Ela abriu a porta do carro e saiu.

Dentro da casa, notou o cheiro de fumaça. Então, viu os pratos sujos empilhados na pia e a garrafa de vodca aberta sobre o balcão.

Aquilo a deixou furiosa. Subitamente. Intensamente. Desproporcionalmente. Mas era boa, aquela raiva. Podia se agarrar nela, deixar que ela a consumisse. Atacou os pratos com tanto ímpeto que as panelas bateram umas nas outras quando as jogou na água com sabão.

— Opa — disse Nina, entrando na cozinha. Ela vestia uma cueca samba-canção e uma velha camiseta do Nirvana. O cabelo estava espetado como um Chia Pet[8] e o rosto enrugou-se em um sorriso. Ela parecia Demi Moore em *Ghost: do outro lado da vida*; linda de uma forma quase impossível.

— Eu não sabia que seu esporte era lançamento de panelas.

---

[8] Enfeite americano com formato de animal em que o corpo é coberto pela planta *Salvia hispanica*, conhecida como "chia" (N.T.).

— Você acha que não tenho nada melhor para fazer do que limpar sua bagunça?

— Está um pouco cedo para tanto drama.

— É verdade. Faça piadas. O que isso importa para você?

— Meredith, o que houve? — disse Nina. — Você está bem?

Meredith quase cedeu. A suavidade no rosto da irmã, a pergunta inesperada... ela quase disse: *Jeff me deixou.*

E, depois, o que aconteceria?

Respirando fundo, Meredith dobrou o pano de prato precisamente em três partes antes de pendurá-lo no puxador do fogão.

— Eu estou bem.

— Você não parece estar bem.

— Honestamente, Nina, você não me conhece bem o bastante para dizer isso. Como esteve Mamãe ontem à noite? Ela comeu?

— Tomamos vodca juntas. E vinho. Você acredita?

Meredith sentiu uma pontada aguda ao ouvir isso; levou um momento para perceber que estava com ciúmes.

— Vodca?

— Eu sei. Também fiquei completamente chocada. E descobri que o filme favorito dela é *Doutor Jivago.*

— Não creio que álcool seja bom para ela neste momento, você não concorda? Quero dizer, ela não sabe onde está em metade do tempo.

— Mas ela sabe *quem* ela é. É isso que eu queria contar para você. Se eu conseguisse fazer com que ela nos contasse os contos de fadas...

— Que se danem os contos de fadas — Meredith disse, com mais força do que pretendia. Diante do olhar surpreso de Nina, ela percebeu que tinha quase gritado. — Vou começar a arrumar as coisas dela para a mudança no mês que vem. Acho que ela vai ficar mais confortável lá se estiver rodeada pelas coisas dela.

— Ela não vai ficar confortável lá — disse Nina, e agora parecia brava. — Não importa quanto você seja arrumada e organizada. Você ainda a estará mandando embora.

— Você vai ficar, Nina? Para sempre? Porque, se for, eu cancelo a reserva.

— Você sabe que não posso fazer isso.

— Sim. Certo. Você pode criticar, mas não pode resolver o problema.

— Estou aqui agora.

Meredith olhou para a pia cheia de água com sabão e para os pratos agora limpos no secador.

— E que grande ajuda você está sendo para mim. Agora, se me der licença, vou pegar algumas caixas na garagem. Vou começar pela cozinha. Você é bem-vinda para ajudar.

— Não vou empacotar a vida dela em caixas, Mere. Eu quero que ela se abra, não que se feche. Você não entende? Você não se importa?

— Não — disse Meredith, passando por ela. Saiu da casa e foi até a garagem. Enquanto esperava a porta automática abrir, teve problemas para respirar. Aquilo foi crescendo dentro dela, qualquer que fosse o sentimento, até o peito doer e o braço formigar e ela pensar: *Estou tendo um ataque cardíaco.*

Ela dobrou o corpo e sugou o ar. Para dentro e para fora, para dentro e para fora, até se sentir melhor. Ficou olhando para a escuridão da garagem, feliz por ter se dominado e não ter perdido o controle diante de Nina, mas, quando acendeu a luz, ali estava o Cadillac de Papai. O conversível 1956 que era o orgulho e alegria dele.

O nome dele é Frankie, por causa de Sinatra. Dei meu primeiro beijo no banco da frente de Frankie...

Tinham feito uma dúzia de viagens familiares com o velho Frankie. Foram para o norte até a Colúmbia Britânica, para o leste até Idaho, para o sul até Oregon, sempre em busca de aventura. Nesses passeios longos e poeirentos, com Papai e Nina cantando junto com John Denver, Meredith sentia-se invisível. Não gostava de explorar estradas ou de virar no lugar errado ou ficar sem gasolina. Parecia que sempre terminava desse jeito, com Papai e Nina rindo como piratas de cada imprevisto.

Quem precisa de mapa?, Papai dizia.

Nós é que não, Nina respondia, pulando no assento e rindo.

Meredith poderia ter se juntado a eles, poderia ter fingido, mas não o fez. Ficou sentada em seu lugar, lendo livros e tentando não se preocupar quando uma calota caía da roda ou o radiador fervia. E sempre que paravam para passar a noite e armavam acampamento, Papai vinha até ela; enquanto fumava seu cachimbo, ele dizia: *Acho que minha garotinha mais querida gostaria de dar uma caminhada...*

Aquelas caminhadas de dez minutos valiam mil quilômetros de estrada ruim.

Ela tocou o capô vermelho-cereja, sentindo como era liso. Ninguém dirigia aquele carro fazia anos.

— Sua garota mais querida gostaria de dar um passeio — ela sussurrou.

Ele era a única pessoa para quem Meredith poderia contar sobre a noite anterior...

Com um suspiro, ela foi até a bancada e olhou ao redor até encontrar três grandes caixas de papelão. Levou-as para a cozinha, onde as colocou no chão, e abriu o armário mais próximo. Sabia que não deveria começar a empacotar as coisas ainda, mas qualquer coisa era melhor do que ficar sozinha em sua casa vazia.

— Ouvi você e Nina brigando.

Meredith fechou lentamente o armário e virou-se.

A mãe estava parada à porta, vestida na camisola branca com um cobertor preto de lã sobre os ombros, como se fosse uma capa. A luz da entrada brilhava através do tecido de algodão, deixando ver as silhuetas das pernas.

— Desculpe — disse Meredith.

— Você e sua irmã não são próximas.

Foi uma afirmação mais do que uma pergunta, como certamente deveria ser, mas Meredith escutou algo duro na voz da mãe, talvez uma crítica. Mas pelo menos dessa vez a mãe não estava olhando através de Meredith, ou além dela; ela a fitava diretamente, como se a enxergasse pela primeira vez.

— Não, Mamãe, não somos próximas. Mal vemos uma à outra.

— Você vai lamentar isso.

Obrigada, Yoda.

— Está tudo bem, Mamãe. Você quer que eu faça um chá?

— Quando eu me for, vocês só terão uma à outra.

Meredith caminhou até o samovar. Aquela era a última coisa em que desejava pensar naquele dia — a morte da mãe.

— Vai estar quente em um momento — disse ela sem se virar.

Depois de um momento, ela escutou a mãe se afastar, e Meredith ficou sozinha novamente.

NINA PLANEJAVA VENCER SUA MÃE PELO CANSAÇO. Se a performance de mártir de Meredith na cozinha havia provado alguma coisa, foi que o tempo era limitado. A cada rasgar de jornal ou bater de panela, Nina sabia que outra peça da vida de sua mãe estava sendo embalada e guardada. Se Meredith vencesse, logo não restaria nada.

Porém, Papai desejava outra coisa, e agora Nina também queria. Queria ouvir inteira a história da camponesa e do príncipe; na verdade, não se lembrava de jamais querer algo tanto assim.

No café da manhã, tinha ido até a cozinha, contornando com cuidado a irmã fria como gelo. Ignorando Meredith, fez uma xícara de chá adocicado para Mamãe e levou-o com uma torrada para o andar de cima. No quarto da mãe, encontrou-a na cama, as mãos magras agarrando a coberta sobre o ventre, o cabelo branco como um ninho de passarinho, indicando que tivera uma noite agitada. Com a porta aberta, as duas podiam ouvir Meredith empacotando as coisas na cozinha.

— Você poderia ajudar sua irmã.

— Poderia. Se eu achasse que você deveria se mudar. Mas não acho. — Ela entregou o chá com torrada para a mãe. — Sabe o que percebi enquanto fazia seu café da manhã?

Mamãe tomou um gole de chá da delicada xícara de vidro envolta em prata.

— Acho que você vai me dizer.

— Não sei se você gosta de mel, de geleia ou de canela.

— Todos são bons.

— A questão é: eu não sei.

— Ah, a questão é essa — disse Mamãe, suspirando.

— Você de novo não está olhando para mim.

Mamãe não disse nada, apenas tomou mais um gole de chá.

— Eu quero ouvir o conto de fadas. A camponesa e o príncipe. Inteiro. Por favor.

Mamãe colocou o chá no criado-mudo e saiu da cama. Passando por Nina como se ela fosse invisível, ela saiu do quarto, passou pelo corredor e entrou no banheiro, fechando a porta.

NO ALMOÇO, NINA TENTOU NOVAMENTE. Dessa vez, Mamãe pegou seu sanduíche e foi para fora.

Nina a seguiu até o jardim de inverno e sentou-se ao lado dela.

— Eu estou falando sério, Mamãe.

— Sim, Nina, eu sei. Por favor, deixe-me sozinha.

Nina ficou ali sentada por mais dez minutos, só para afirmar o que dizia, então, levantou e foi para dentro.

Na cozinha, encontrou Meredith ainda empacotando panelas e jarros em uma caixa.

— Ela nunca vai contar — ela disse quando Nina entrou.

— Obrigada por isso — disse Nina, indo pegar sua câmera. — Continue empacotando a vida dela. Sei como você quer que tudo fique arrumado e rotulado. Você é muito divertida. Honestamente, Mere, como Jeff e as meninas aguentam isso?

NINA VOLTOU PARA DENTRO LOGO DEPOIS das 6. Com o restinho de luz acobreada do fim do dia, os botões das macieiras brilhavam com uma bela opalescência que dava ao vale uma aparência de outro mundo.

A cozinha estava vazia, exceto pelas caixas de papelão cuidadosamente empilhadas e rotuladas no espaço entre a despensa e a geladeira.

Ela olhou pela janela e viu que o carro da irmã ainda estava lá. Meredith deveria estar em outro cômodo, enterrada até os joelhos em caixas e jornais.

Nina abriu o *freezer* e examinou as fileiras intermináveis de vasilhas. Sopa de almôndegas, cozido de frango com bolinhos, *pierogies, moussaka*[9] de cordeiro e legumes, costeletas de porco cozidas no vapor em vinho de maçã, *paprikash*[10] de pimenta vermelha, frango à Kiev[11], estrogonofe, *strudels*[12], rolinhos de presunto e queijo, macarrão feito em casa e dúzias de pães recheados. Na garagem havia outro *freezer*, igualmente cheio, e a despensa no porão estava lotada até o alto com legumes e frutas em conserva preparadas em casa.

Nina escolheu um de seus pratos prediletos: um delicioso rosbife cozido lentamente, recheado com *bacon* e raiz-forte. Descongelou o assado no micro-ondas, junto com o rico molho de legumes e colocou tudo numa assadeira que foi para o forno. Colocou o forno em 175 graus, calculando que deveria estar perto da temperatura certa, daí encheu uma panela com água para o macarrão feito em casa. Havia poucas coisas no planeta melhores do que o macarrão de sua mãe.

Enquanto o jantar estava no forno, ela arrumou a mesa para dois e serviu-se de uma taça de vinho. Com essa refeição, o aroma faria Mamãe descer.

E como previsto, às 6h45, Mamãe apareceu na cozinha.

— Você fez o jantar?

---

[9] Prato típico da Grécia e arredores, que consiste de lasanha de carne e berinjela (N.T.).

[10] Molho de origem húngara feito de páprica, cebola, tomate, alho e creme azedo, ou outras receitas similares. Costuma acompanhar carnes como frango e vitela (N.T.).

[11] Prato ucraniano de filés de peito de frango enrolados em torno de manteiga com ervas e alho, depois passados em farinha de rosca e fritos ou assados (N.T.).

[12] Espécie de pastel de massa folhada da região que foi no passado o Império Austro-Húngaro, geralmente doce, como o conhecido *apfelstrudel* (de maçã) (N.T.).

— Eu aqueci — disse Nina, levando-a para a sala de jantar.

Mamãe olhou em volta para o papel de parede rasgado, ainda marcado com manchas de sangue que secaram e ficaram pretas.

— Vamos comer na mesa da cozinha.

Nina não havia pensado nisso.

— Ah, claro. — Ela pegou os pratos e tudo mais e os colocou na pequena mesa de carvalho em um canto da cozinha. — Aqui está, Mamãe.

Meredith entrou nesse momento; notou que havia pratos apenas para duas pessoas e seu rosto demonstrou a irritação que sentiu. Ou talvez fosse alívio. Com Meredith, era difícil dizer.

— Você quer jantar conosco? — perguntou Nina. — Pensei que você preferiria ir para casa, mas tem comida suficiente. Você conhece Mamãe. Ela sempre cozinha para um batalhão.

Meredith olhou pela janela, na direção de sua casa.

— Claro — ela disse por fim. — Jeff não vai estar em casa hoje... a não ser mais tarde.

— Ótimo — Nina disse, observando a irmã com atenção. Era estranho que ela ficasse para jantar. Geralmente, ela praticamente corria para casa assim que tinha a oportunidade. — Ótimo. Aqui, sente-se. — No instante em que a irmã se sentou, Nina rapidamente colocou mais um prato na mesa e pegou a garrafa de cristal. — Nós começamos com uma dose de vodca.

— O quê? — Meredith disse, olhando para cima.

Mamãe pegou a garrafa e serviu três doses.

— Não adianta discutir com ela.

Nina sentou-se e pegou o copo dela, erguendo-o. Mamãe bateu o seu no dela. Relutante, Meredith fez o mesmo. Então, elas beberam.

— Somos russas — Nina disse subitamente, olhando para Meredith. — Como nunca pensei nisso antes?

Meredith deu de ombros, claramente desinteressada.

— Eu vou servir — ela disse, levantando. Retornou um instante depois com os pratos.

Mamãe fechou os olhos, orando.

— Você lembra disso? — Nina perguntou para Meredith. — De Mamãe orando?

Meredith girou os olhos para cima e pegou seu garfo.

— Certo — disse Nina, ignorando o silêncio estranho na mesa. — Meredith, já que você está aqui, vai ter que se juntar à nova tradição que Mamãe e eu criamos. É realmente revolucionária. Chama-se conversação de jantar.

— Então, vamos conversar, é isso? — Meredith disse. — Sobre o quê?

— Eu começo, assim você vê como é: minha música favorita é *Born to be Wild*, minha melhor recordação da infância é a viagem para Yellowstone quando Papai me ensinou a pescar. — Ela olhou para a irmã. — E eu lamento se tornei a vida da minha irmã mais difícil.

Mamãe baixou o garfo.

— Minha música favorita é *Somewhere Over the Rainbow*, minha recordação predileta é o dia em que vi crianças fazendo anjos na neve em um parque, e eu lamento que vocês duas não sejam amigas.

— Nós somos amigas — Nina disse.

— Isso é estúpido — disse Meredith.

— Não — disse Nina. — Olhar uma para a outra em silêncio é estúpido. Sua vez.

Meredith emitiu um típico suspiro longo de sofrimento.

— Está bem. Minha música favorita é *Candle in the Wind*, a versão da Lady Di, não a original; minha melhor lembrança de infância foi quando Papai me levou para patinar no gelo no Poço Miller... e lamento ter dito que não somos próximas, Nina. Mas não somos. Então, acho que lamento isso também. — Ela assentiu, como se, ao dizer isso, estivesse eliminando um item de sua lista de coisas a fazer. — Agora, vamos comer. Estou faminta.

11

NINA NÃO TINHA NEM TERMINADO de comer quando Meredith levantou e começou a limpar a mesa. No segundo em que a irmã levantou, a mãe fez o mesmo.

— Acho que o jantar acabou — disse Nina, pegando a manteiga e a geleia antes que Meredith as levasse.

Mamãe disse:

— Obrigada pelo jantar. — E saiu da cozinha. Os passos na escada foram rápidos para uma mulher da idade dela. Deveria estar praticamente correndo.

Nina não podia realmente jogar a culpa em Meredith. Assim que as conexões de conversa haviam sido usadas — a tal nova tradição —, elas caíram no familiar silêncio. Apenas Nina tentara conversar sobre amenidades, e suas interessantes histórias sobre a África tinham recebido uma resposta morna de Meredith e absolutamente nada de Mamãe.

Nina deixou a mesa somente o bastante para pegar a garrafa de vodca. Batendo-a na mesa, ela disse:

— Vamos ficar bêbadas.

Meredith, até os cotovelos na água com sabão, disse:

— Está bem.

Nina devia ter escutado errado.

— Você disse...

— Não faça disso uma missão à Lua. — Meredith foi até a mesa, pegou o prato e talheres de Nina e voltou para a pia.

— Uau! — Nina disse. — Não ficamos bêbadas juntas desde... Nós *alguma vez* ficamos bêbadas juntas?

Meredith enxugou as mãos no pano de prato cor-de-rosa pendurado no puxador do forno.

— Você ficou bêbada enquanto eu estava na sala, isso conta?

Nina sorriu.

— Não, de jeito nenhum, isso não conta. Puxe uma cadeira.

— Mas eu não vou beber vodca.

— Então, que seja tequila. — Nina levantou antes de Meredith poder mudar de ideia; ela correu até a sala, pegou uma garrafa de tequila no bar e, de volta à cozinha, pegou sal, limões e uma faca.

— Você não vai misturar com alguma coisa?

— Sem querer ofender, Mere, mas eu já vi você beber. Se misturar com alguma coisa, você vai ficar a noite toda tomando golinhos e eu vou terminar bêbada e você continuará controlada e competente como sempre. — Ela serviu duas doses, cortou um limão e empurrou um copo na direção da irmã.

Meredith torceu o nariz.

— Não é heroína, Mere. É só uma dose de tequila. Arrisque um pouquinho.

Meredith pareceu tomar uma decisão súbita. Ela pegou o copo e o tomou de uma vez. Quando os olhos dela saltaram, Nina entregou-lhe o limão.

— Aqui. Morda isso.

Meredith soltou um *uff* e balançou a cabeça.

— Mais uma.

Nina bebeu sua dose e serviu mais uma para cada, que elas beberam ao mesmo tempo. Depois, Meredith se encostou na cadeira, passando a mão pelo cabelo perfeitamente liso.

— Não estou sentindo nada.

— Mas vai sentir. Ei, como é que você consegue continuar com essa aparência... tão arrumada o tempo todo? Você esteve encaixotando coisas o dia inteiro, mas ainda parece estar pronta para o almoço no clube. Como você faz isso?

— Só você pode fazer com que estar com boa aparência pareça um insulto.

— Não foi insulto. De verdade. Eu fico imaginando como você fica tão... eu não sei. Esqueça.

— Tem uma parede ao meu redor — Meredith disse, pegando a tequila e se servindo de mais uma dose.

— Sim. Como um campo de força. Nada atinge seu cabelo. — Nina riu da ideia. Ainda estava rindo quando Meredith tomou a terceira dose, mas, quando a irmã tomou a bebida e olhou para o lado, Nina viu algo que a fez parar de rir. Não sabia dizer o que era, uma expressão nos olhos de Meredith, talvez, ou seria o modo como os cantos da boca se moveram para baixo.

— Tem algo errado? — Nina perguntou.

Meredith piscou lentamente.

— Além de o meu pai ter morrido no Natal, minha mãe estar ficando maluca, minha irmã fingir que me ajuda e meu marido... não estar aqui esta noite?

Nina sabia que não tinha graça, mas não pôde evitar rir.

— Sim, além disso. E, de qualquer forma, você sabe que sua vida é ótima. Você é uma daquelas mulheres maravilhosas que fazem tudo direito. É por isso que Papai sempre contou com você.

— Sim. Acho que sim — Meredith disse.

— É verdade — Nina disse com um suspiro, pensando subitamente outra vez no pai e em como o desapontara. Ficou imaginando quanto tempo duraria essa súbita onda de tristeza. Será que um dia ela submergiria?

— Você pode fazer tudo certo — Meredith disse calmamente —, e ainda assim terminar com tudo errado. E sozinha.

— Eu deveria ter ligado mais vezes para Papai lá da África — Nina disse. — Sei como minhas ligações eram importantes para ele. Eu sempre pensava que tinha tempo...

— Às vezes, a porta simplesmente se fecha com uma batida, sabe? E você fica sozinha.

— Tem uma coisa que podemos fazer para ajudá-lo — ela disse.

Meredith pareceu surpresa.

— Ajudar quem?

— Papai — Nina disse, impaciente. — Não é dele que estamos falando?

— Ah. Então é?

— Ele queria que nós duas conhecêssemos Mamãe. Ele disse que ela...

— Não venha com os contos de fadas novamente — Meredith disse. — Agora eu sei por que você é tão bem-sucedida. Você é obsessiva.

— E você não é? — Nina riu daquilo. — Vamos lá. Nós *podemos* fazer com que ela nos conte a história. Você a ouviu esta noite: ela disse que não dá para discutir comigo. Isso quer dizer que ela vai desistir de lutar.

Meredith levantou. Estava um tanto instável, então, se agarrou no encosto da cadeira para se apoiar.

— Eu *sabia* que não dava para conversar com você.

Nina franziu a testa.

— E você estava conversando comigo?

— Quantas vezes tenho que dizer? Não quero ouvir as histórias dela. Não dou a mínima para o Cavaleiro Negro ou as pessoas que viram fumaça ou o belo príncipe. Essa foi a *sua* promessa para Papai. A minha foi cuidar dela, o que vou fazer agora mesmo. Se precisar de mim, estarei no banheiro, empacotando as coisas dela.

Nina olhou Meredith sair da cozinha. Não podia dizer que estava surpresa — a irmã certamente estava sendo consistente —, mas sentia-se desapontada. Estava certa de que essa tarefa que Papai lhe passara era algo que ele queria que fizessem juntas. Esse era o ponto, não era? Estar juntas. O que mais contos de fadas faziam além disso?

— Eu tentei, Papai — ela disse. — Até mesmo ficar bêbada não ajudou.

Ela levantou, sem nenhuma instabilidade. Com a garrafa de vodca sob um braço e pegando o copo da mãe, ela foi para cima. Diante da porta entreaberta do banheiro, fez uma pausa, escutando os ruídos lá dentro, que significavam que Meredith havia voltado ao trabalho.

— Vou deixar a porta de Mamãe aberta — ela disse —, caso você queira ouvir.

Não veio nenhuma reposta do banheiro, nem mesmo uma pausa no ruído de jornal rasgando.

Nina atravessou o corredor até o quarto da mãe. Bateu na porta, mas não esperou ser convidada a entrar. Apenas foi entrando.

Mamãe estava sentada na cama, apoiada em uma pilha de travesseiros brancos, com a manta puxada até a cintura. Toda aquela brancura — o cabelo, camisola, roupas de cama, a pele dela — contrastava fortemente com o escuro da nogueira da cabeceira da cama. Contra o escuro, ela parecia etérea, de outro mundo; uma Galadriel idosa com olhos azuis intensos.

— Eu não a convidei a entrar — ela disse.

— Não. Mas aqui estou eu. É mágica.

— E você pensou que eu ia querer vodca?

— Eu sei que vai querer.

— Como assim?

Nina aproximou-se da cama.

— Eu fiz uma promessa para meu pai moribundo. — Ela observou o efeito das palavras. A mãe se encolheu como se tivesse sido atingida. — Você o amava. Eu sei que amava. E ele queria que eu ouvisse o conto de fadas sobre a camponesa e o príncipe. Inteiro. No leito de morte, ele me pediu. Ele deve ter pedido para você também.

A mãe baixou os olhos. Observou as mãos com veias azuis, agarrando o topo das cobertas.

— Você não vai me deixar em paz.

— Não.

— É uma história para crianças. Por que você se importa tanto assim?

— Por que ele se importava?

Mamãe não respondeu.

Nina ficou ali, esperando.

Por fim, Mamãe disse:

— Sirva-me uma vodca.

Muito calmamente, Nina derramou a bebida no copo e o passou para ela. Mamãe bebeu a vodca.

— Vou fazer do meu jeito — ela disse, afastando o copo vazio. — Se você me interromper, eu paro. Vou contar em pedaços e apenas durante a noite. Não vamos falar sobre isso durante o dia. Você entendeu?

— Sim.

— No escuro.

— Por que sempre tem que ser...

O olhar que a mãe lhe lançou foi tão duro que Nina parou subitamente.

— Desculpe. — Ela foi até a porta e apagou a luz.

A noite não tinha luar, portanto não havia brilho azul-prateado vindo pela janela. A única luz vinha da porta entreaberta.

Nina sentou-se no chão, esperando.

Um som preencheu o silêncio: a mãe ajeitando-se na cama.

— Por onde começo?

— Em dezembro, você parou quando Vera estava para sair escondida e ir se encontrar com o príncipe.

Um suspiro.

E então ouviu-se a voz de contar história da mãe, doce e melíflua:

— Depois que chega em casa voltando do parque, Vera passa o resto do dia na cozinha com a mãe, mas sua mente não está na tarefa que realiza. Ela sabe que a mãe percebeu, que ela a observa com atenção, mas como uma garota pode se concentrar

em colocar gordura de ganso em jarros quando o coração dela está cheio de amor?

— Veronika, preste atenção — a mãe dela diz.

Vera vê que derramou um tanto de gordura na mesa. Ela recolhe a gordura com a mão e a joga na pia. Ela odeia gordura de ganso mesmo. Ela prefere a manteiga saborosa feita em casa.

— *E você joga fora? O que há de errado com você?*

A irmã dá uma risadinha.

— *Talvez ela esteja pensando em rapazes. Ou em um rapaz.*

— *Claro que ela está pensando em rapazes* — *diz Mama, enxugando o suor da testa ali parada diante do fogão, mexendo os arandos vermelhos que fervem.* — *Ela está com 15 anos.*

— *Quase 16.*

A mãe para de mexer e vira-se para ela.

Elas estão na cozinha, nos últimos dias do verão, preservando comida para o inverno. As mesas estão cheias de bagas para serem transformadas em geleia; cebolas, cogumelos, batatas e alho para serem colocados no sótão; pepinos a serem convertidos em picles; e feijões para serem enlatados em salmoura. Mais tarde, Mama prometeu ensiná-las como fazer blini[13] *com recheio doce de cereja.*

— *Você está com quase 16* — *diz Mama, como se ela não tivesse se dado conta disso antes* —, *dois anos mais nova do que eu estava quando conheci Petyr.*

Vera coloca na mesa o jarro escorregadio com gordura de ganso.

— *O que você sentiu quando o conheceu?*

Mama sorri.

— *Eu já contei essa história muitas vezes.*

— *Você sempre disse que ele a arrebatou. Mas como?*

Mama enxuga a testa novamente e segura no encosto da cadeira de madeira diante dela. Puxando-a um pouco, ela se senta.

Vera quase emite uma exclamação; é quanto isso a chocou. A mãe não é uma mulher que pare de trabalhar para falar. Vera e Olga cresceram ouvindo histórias sobre responsabilidade e dever. Como camponesas, obrigadas ao rei aprisionado, foram ensinadas a saber qual é seu lugar. Elas devem manter a cabeça baixa e as mãos trabalhando, pois a sombra do Cavaleiro Negro cai com a rapidez de uma lâmina de aço. É melhor jamais chamar atenção.

Ainda assim, a mãe agora está sentada.

---

[13] Tipo de panquecas russas tipicamente comidas com manteiga derretida no café da manhã. Podem ter recheio doce ou salgado (N.T.).

— *Ele era um preceptor e tão atraente que me deixou sem fôlego. Quando contei isso para sua Baba, ela fez* tsc *e disse: "Zoya, tenha cuidado. Você vai precisar de seu fôlego".*

— *Foi amor à primeira vista?* — *Vera pergunta.*

— *Eu soube quando ele olhou para mim que tomaria a mão dele, que seguiria. Digo que foi o hidromel que bebemos, mas não foi. Foi apenas... Petyr. Meu Petya. A paixão dele por conhecimento e pela vida me arrebatou e, antes que eu percebesse, estávamos casados. Meus pais ficaram horrorizados, pois havia agitação no reino. O rei estava no exílio e estávamos com medo. A ambição de seu pai os assustava. Ele era um pobre preceptor camponês, mas sonhava em ser um poeta.*

Vera suspira com o romance daquilo. Agora, ela sabe que precisa se esgueirar de noite para ir se encontrar com o príncipe. Ela até sabe que a mãe vai entender se descobrir.

— *Muito bem* — *diz a mãe, soando cansada novamente.* — *Vamos continuar o trabalho, e Veronika, tenha cuidado com essa gordura de ganso. Ela é preciosa.*

À medida que as horas passam, Vera vê que sua mente está mais e mais distraída. Enquanto prepara os feijões e pepinos, ela imagina uma história de amor inteira com ela e Sasha. Eles vão andar à beira do rio mágico, onde imagens do futuro podem às vezes ser vistas nas ondas azuis, e eles vão parar sob um dos postes de luz, como viu muitos amantes fazerem. Não vai importar que ele seja um príncipe e ela, a filha de um preceptor pobre.

— *Vera.*

Ela escuta seu nome ser chamado e o tom de voz foi impaciente. Ela pode dizer que não é a primeira vez que a chamaram. Seu pai está parado na cozinha, olhando feio para ela.

— *Papa* — *ela diz. Ele parece cansado e um pouco nervoso. O cabelo preto, geralmente bem penteado, ergue-se em todas as direções, como se ele tivesse esfregado a cabeça muitas vezes, e o justilho de couro foi abotoado errado. Os dedos, mancha-dos de tinta azul, movem-se ansiosamente.*

— *Onde está Zoya?* — *ele pergunta, olhando em volta.*

— *Ela e Olga foram buscar mais vinagre.*

— *Sozinhas?* — *O pai assente distraído e morde o lábio inferior.*

— *Papa? Tem alguma coisa errada?*

— *Não, não. Nada.* — *Pegando-a nos braços, ele a abraça tão apertado que ela tem que se contorcer para escapar dele e poder respirar.*

Nos anos que virão, Vera repassará aquele abraço mil vezes em sua cabeça. Ela verá os jarros com tons de joias à luz de vela, sentirá o cheiro do couro curtido ao sol do justilho do pai e sentirá o arranhar da barba dele por fazer contra seu rosto. Ela imaginará a si mesma dizendo: Eu amo você, Papa.

Mas a verdade é que ela está pensando em romance e em se esgueirar mais tarde, então não diz nada para o pai e volta ao trabalho.

NAQUELA NOITE, VERA NÃO CONSEGUE FICAR PARADA.

Cada terminal nervoso em seu corpo parece estar dançando. Sons flutuam vindo pela janela aberta: pessoas falando, o distante bater de cascos em ruas de pedra, música vindo do parque. Alguém está tocando violino naquela noite morna e leve, alguém está se movendo ao redor — talvez dançando. As tábuas do assoalho rangem com cada passo.

— Você está com medo? — Olga pergunta pelo menos pela quinta vez.

Vera gira de lado. Olga faz o mesmo. Na cama estreita delas, ficam cara a cara.

— Quando você for mais velha, você verá, Olga. Vem essa sensação no seu coração quando você conhece o rapaz que vai amar. É como... se afogar e daí emergir para respirar.

Vera abraça a irmã e dá um beijo no rosto redondo dela. Então, afasta as cobertas e salta da cama. Com um pequeno espelho de mão, ela tenta conferir sua aparência, mas pode se ver apenas aos pedaços — longo cabelo negro afastado do rosto por faixas de couro, pele de marfim, lábios rosados. Está usando um vestido azul simples com um colarinho rendado — uma roupa de menina, mas é a melhor que ela possui. Se tivesse ao menos uma boina ou um grampo ou, ainda melhor, um perfume.

— Ah, bem — diz ela, e vira-se para a irmã. — Como estou?

— Perfeita.

Vera sorri abertamente. Ela sabe que é verdade. Ela é uma garota atraente, alguns até dizem que é bela.

Ela vai até a porta do quarto e escuta. Nenhum som atinge seu ouvido.

— *Eles estão na cama* — *ela diz. Movendo-se cautelosamente, ela vai na ponta dos pés até a janela, que sempre é deixada aberta no verão. Lança um beijo para a irmã e sobe no gradil de ferro muito delicado. Com cada passo cuidadoso, ela tem certeza de que alguém lá embaixo, na rua, olhará para ela e apontará e gritará que aquela menina está se esgueirando para ir encontrar um rapaz.*

Mas as pessoas na rua estão bêbadas com luz e hidromel e mal notam que ela está descendo do segundo andar do prédio. Quando ela pula a distância final e cai no pequeno gramado, não consegue conter a excitação. Escapa uma risadinha, que ela contém com a mão enquanto corre pela rua de pedra.

Lá está ele. Parado junto do poste de luz deste lado da Ponte Fontanka. Daqui, tudo nele é dourado: seu cabelo, o justilho, a pele.

— *Não achei que você fosse vir* — *ele diz.*

Ela parece não conseguir falar. As palavras, como seu fôlego, estão presas em seu peito. Ela olha para os belos lábios dele e isso é um erro. Em um segundo, ela está fechando os olhos, inclinando-se para ele, e ainda assim é uma surpresa quando ele a beija. Ela ofega um pouco, sente que começa a chorar e, apesar de suas lágrimas tornarem-se pequenas estrelas e a embaraçarem, não há nada que possa fazer para impedir que caiam.

Agora, ele saberá que ela é uma menina camponesa tola que se apaixonou sem motivo e chora com seu primeiro beijo.

Ela começa a preparar uma desculpa — *nem sabe direito o que vai dizer, mas, antes que possa falar, Sasha a puxa para baixo, fazendo com se abaixe, e diz:*

— *Fique quieta.* — *Uma voz tão penetrante que ela se sente ferida por ela.* — *Olhe.*

Uma carruagem preta brilhante, puxada por seis dragões negros, está movendo-se lentamente descendo a rua. O silêncio cai no mesmo instante. As pessoas congelam onde estão, recuam para as sombras. É o Cavaleiro Negro...

A carruagem move-se como um animal caçando, os dragões cuspindo fogo. Quando para, Vera sente um arrepio percorrer seu corpo.

— *É ali que eu moro* — *ela diz.*

Três trolls verdes grandalhões com capas pretas descem da carruagem e se reúnem na calçada, confabulando por um momento antes de irem até a porta da frente.

— *O que eles estão fazendo?* — *ela sussurra quando eles entram no prédio.* — *O que eles querem?*

Os minutos passam lentamente até que a porta é aberta novamente.

Vera vê tudo em uma espécie de câmera lenta. Os trolls conduzem seu pai. Ele não está lutando, não discute, nem mesmo fala.

A mãe dela desce a escada tropeçando atrás deles, soluçando, implorando. As janelas no prédio acima dela são fechadas.

— *Papa!* — *Vera exclama.*

Do outro lado da rua, seu pai ergue os olhos e a vê. É como se apenas ele tivesse ouvido seu grito.

Ele balança a cabeça e ergue a mão como que dizendo: Fique aí, *e então é empurrado para dentro da carruagem e desaparece.*

Ela dá mais uma cotovelada em Sasha e ele a deixa ir. Sem olhar para trás, ela corre pela rua.

— *Mama, para onde eles vão levá-lo?*

A mãe ergue o rosto lentamente. Por um segundo, ela parece não reconhecer a própria filha.

— *Você deveria estar na cama, Vera.*

— *Os trolls. Para onde vão levar o Papa?*

Quando a mãe não responde, ela escuta a voz de Sasha atrás dela.

— *É o Cavaleiro Negro, Vera. Eles fazem o que querem.*

— *Eu não entendo* — *Vera grita.* — *Você é um príncipe...*

— *Minha família não tem mais poder. O Cavaleiro Negro aprisionou meu pai e meus tios. Você deve saber disso. É perigoso ser da família real no Reino das Neves nesses tempos. Ninguém pode ajudá-la* — *ele diz.* — *Eu lamento.*

Ela começa a chorar, e dessa vez suas lágrimas não são luz das estrelas; são pequenas pedras negras que doem ao se formar.

— *Veronika* — *diz a mãe* —, *precisamos entrar. Agora.* — *Ela segura a mão de Vera e a puxa para longe de Sasha, que apenas fica ali, olhando para ela.* — *Ela tem 15 anos* — *Mama diz para ele, passando o braço ao redor de Vera, mantendo-a próxima enquanto sobem os degraus até a porta.*

Quando Vera olha novamente para a rua, seu príncipe se foi.

Depois disso, a família de Vera mudou. Ninguém mais sorri, ninguém ri. Ela e a mãe e a irmã tentam fingir que tudo vai melhorar, mas ninguém acredita nisso.

O reino continua lindo, ainda é uma cidade branca, murada e cheia de pontes e torres e rios mágicos, mas Vera a vê agora de forma diferente. Ela vê sombras onde antes havia luz, medo onde antes havia amor. Antes, o som de estudantes rindo em uma morna noite branca podia fazer com que chorasse com anseios. Agora, ela sabe pelo que vale a pena chorar.

Os dias se derretem em semanas e Vera começa a perder toda a esperança de que seu pai vá voltar. Ela faz 16 anos sem qualquer celebração.

— Ouvi dizer que estão precisando de trabalhadoras no castelo — a mãe diz um dia, quando estão jantando. — Na biblioteca e na padaria.

— Sim — Vera diz.

— Sei que você queria ir para a universidade — a mãe diz.

Aquele sonho já está perdendo substância. É algo que o pai sonhava para ela, aquele dia em que ela, também, fosse uma poetisa. Por fim, ela é a adulta que desejava ser, e agora não tem escolhas. Não uma garota camponesa como ela. Ela compreende isso por fim.

Seu futuro foi mudado pela prisão dele; decidido. Não haverá estudos para ela, nenhum rapaz atraente carregando seus livros ou beijando-a sob luminárias. Nada de Sasha.

— Eu não quero cheirar a pão o dia inteiro.

Ela sente a mãe assentir. Elas agora são assim conectadas, as três. Quando uma se move, as outras sentem. Ondulações em um lago.

— Vou até a biblioteca real amanhã — Vera diz.

Ela está com 16 anos. Como poderia compreender o erro que acaba de cometer? Quem poderia saber que pessoas que ela amava morreriam por causa disso?

12

— COMO ASSIM, PESSOAS VÃO MORRER? Qual foi o erro dela? — Nina disse quando a mãe ficou em silêncio. — Nunca ouvimos essa parte da história antes.

— Ouviram, sim. Isso assustou Meredith, então eu costumava pulá-la.

Nina levantou e foi até a cama, acendendo o abajur. Na luz suave, a mãe parecia um fantasma, imóvel, os olhos fechados.

— Estou cansada. Saia agora.

Nina quis discutir. Poderia sentar no escuro e escutar a voz da mãe por horas. Quanto a isso, o pai estava certo. O conto de fadas as conectava de alguma forma. E a mãe poderia também estar sentindo isso; Nina tinha certeza de que Mamãe estava elaborando, indo mais fundo na história do que nunca. Será que ela, assim como Nina, queria continuar? Papai tinha pedido isso para ela?

— Posso trazer alguma coisa para você antes de ir? — Nina perguntou.

— Meu tricô.

Nina olhou ao redor e viu a sacola cheia de coisas do lado da cadeira de balanço. Pegando-a, ela voltou até a cama. Em um instante, as mãos de Mamãe estavam movendo-se sobre a lã verde-azulada. Nina deixou o quarto, ouvindo o *clique-clique* das agulhas quando fechou a porta.

Ela parou diante do banheiro e empurrou a porta. Estava vazio.

Sozinha, foi para baixo e colocou uma acha de lenha no fogo que morria. Serviu-se de uma taça de vinho e sentou perto da lareira.

— Uau! — ela disse. — Uau!

Era uma história e tanto, valia a pena escutar, nem que fosse apenas para ouvir a mãe falar com tanta paixão e poder. A mulher que contara aquela história era alguém totalmente diferente, não a fria e distante Anya Whitson da juventude de Nina.

Era esse o segredo que o pai queria que ela visse? Que em algum lugar, enterrada sob aquele exterior silencioso, havia uma mulher diferente? Era esse o presente de seu pai? Uma visão — finalmente — da mulher por quem ele havia se apaixonado?

Ou havia algo mais? A história era muito mais rica e mais detalhada do que ela se lembrava. Ou talvez não tivesse escutado de verdade antes. A história sempre fora algo que sabia que estaria ali; como uma foto que se via tanto que nem imaginava quem a havia tirado ou quem aparecia no fundo. Mas, depois que se notava a coisa estranha, ela fazia tudo mais ser questionado.

MEREDITH NÃO PRETENDIA ESCUTAR o conto de fadas da mãe, mas, quando se sentou no banheiro ridiculamente superabastecido, olhando as gavetas cheias de remédios comprados sem receita e outros prescritos, com datas que chegavam a 1980, ela ouviu A Voz.

Era como sempre pensara nela, mesmo quando menina.

Sem tomar uma decisão consciente, ela terminou de empacotar a caixa, escreveu BANHEIRO nela e a arrastou para o corredor. Ali, escutou as palavras de sua infância fluírem pela porta aberta.

Talvez ela esteja pensando em rapazes. Em um rapaz...

Meredith sentiu um arrepio. Reconheceu seu próprio desejo; era familiar para ela, aquela sensação de querer algo da mãe. Ela a conhecera a vida toda.

Sabia que deveria sair do banheiro, passar pelo corredor e deixar a casa, mas não conseguia. A atração da voz de Mamãe, tão doce e melíflua como a de qualquer bruxa de conto de fadas, a imobilizou como sempre fazia e, antes que conseguisse realmente pensar naquilo, ela se descobriu atravessando o corredor, parando diante da porta entreaberta, escutando.

Não foi senão quando ouviu a voz forte de Nina dizendo:

— Como assim, pessoas vão morrer? — E o feitiço se quebrou. Meredith recuou rapidamente dali — ela definitivamente não queria ser pega escutando; Nina não a deixaria em paz.

Correndo para baixo, ela chegou em casa em um minuto.

Os cachorros a receberam com um entusiasmo estonteante. Ficou tão aliviada por eles sentirem sua falta que, quando os deixou entrar, ela se ajoelhou no chão e abraçou os dois, deixando que os focinhos e línguas substituíssem o som da voz do marido.

— Bons cachorrinhos — ela murmurou, acariciando o pelo macio por trás das orelhas. Levantando-se com cansaço, ela foi até o armário atrás da lavadora e secadora e pegou o saco gigante de comida para cachorro —

Trabalho de Jeff

— e colocou um pouco nas tigelas prateadas. Depois de conferir rapidamente se eles tinham bastante água fresca, ela foi para a cozinha.

O lugar estava vazio, quieto, sem cheiros flutuando no ar. Ela ficou ali, na escuridão, paralisada pelo pensamento da noite que tinha pela frente. Não era de admirar que tivesse ficado para ouvir a história. Qualquer coisa era melhor do que encarar sua própria cama vazia.

Ela ligou para cada uma das filhas, deixou recados de eu-te-amo e então preparou uma xícara de chá. Pegando um cobertor pesado, foi para fora e sentou-se na varanda.

Pelo menos o silêncio ali fora parecia natural.

Podia perder-se no céu estrelado sem fim, no cheiro da terra negra, no odor adocicado de crescimento novo. Naquele mês, havia uma pausa entre primavera e verão, as primeiras maçãzinhas apareciam nas árvores. Logo mais os pomares estariam cheios de frutas e trabalhadores e colhedores...

Era a época do ano favorita do pai, esse momento quando tudo era possível e ele ainda podia torcer pela maior colheita da história. Ela tentara amar Belye Nochi tanto quando o pai amava. Ela amava a ele, então tentava amar o que ele amara e terminava com um fac-símile da vida dele, faltando a paixão que ele sentia.

Ela fechou os olhos e se recostou. O balanço com encosto de palha beliscou seu pescoço, mas ela não ligou. As velhas correntes enferrujadas dos dois lados gemeram quando tomou impulso com os pés.

Você é como ela.

Fora o que Jeff dissera.

Enrolando o cobertor mais apertado a seu redor, ela terminou o chá e foi para cima, deixando os cachorros subirem junto. No quarto, tomou uma pílula para dormir e subiu na cama, puxando as cobertas além do queixo. Curvando-se em posição fetal, tentou concentrar-se no som da respiração dos cachorros.

Por fim, em algum momento depois da meia-noite, caiu em um sono agitado, irregular, até o despertador tocar às 5h47.

Batendo no botão de desligar, ela tentou dormir de novo, mas foi um esforço em vão; então ela se levantou, vestiu a roupa de ginástica e correu nove quilômetros. Quando chegou em casa, estava exausta o bastante para voltar para a cama, mas não ousou fazer isso.

Trabalhar era o essencial. Manter-se ocupada.

Pensou em ir para o trabalho, mas, naquele domingo ensolarado, era provável que alguém visse seu carro, e, se Daisy soubesse que Meredith tinha ido trabalhar em um domingo, a inquisição começaria.

Decidiu ir até Belye Nochi para ter certeza de que Nina estava cuidando direito de Mamãe. Ainda havia muito que empacotar.

Uma hora mais tarde, vestindo um jeans velho e um suéter azul-marinho, ela apareceu na casa de Mamãe, chamando:

— Olá. — Ao entrar na cozinha.

Nina estava sentada à mesa da cozinha, vestindo as mesmas roupas de ontem, com o cabelo negro e curto espetado em todas as direções. Havia vários livros abertos sobre a mesa e pedaços de papel espalhados, com a letra agressiva de Nina cobrindo a maior parte das folhas.

— Você parece o Unabomber — Meredith disse.

— Bom dia para você também.

— Você dormiu?

— Um pouco.

— Qual é o problema?

— Eu sei que você não liga, mas é o conto de fadas. Não posso tirar da minha cabeça. — Nina olhou para cima. — Ela mencionou a Ponte Fontanka ontem à noite. Era sempre Ponte Encantada antes, não era? Isso parece estranho para você?

— O conto de fadas — Meredith disse. — Eu deveria saber.

— Escute isso: o Fontanka é uma ramificação do rio Neva, que corre pela cidade de Leningrado.

Meredith serviu-se de café.

— Ela é russa. A história se passa na Rússia. Parem as máquinas.

— Você deveria ter ido lá, Mere. Foi incrível. Ontem à noite foi tudo novo. *Não, não foi.*

— Talvez você fosse nova demais para lembrar. Eu não vou ser arrastada para isso.

— Como você pode não estar interessada? Nunca ouvimos o final da história.

Meredith virou-se lentamente, olhando para a irmã.

— Estou cansada, Neens. Não sei se você sabe o que é isso, de verdade. Você está sempre tão apaixonada por tudo que faz. Mas eu passei a maior parte da minha vida neste lugar e tentei conhecer Mamãe. Ela não deixou acontecer. Esta é a resposta, ponto final. Ela vai atrair você, fazer você pensar que há mais... você vai ver tristeza nos olhos dela às vezes, ou uma suavidade nos lábios, e vai se agarrar a isso e acreditar nisso porque você quer muito. Mas é tudo mentira. Ela simplesmente não... nos ama. E, francamente, eu tenho meus próprios problemas no momento, então vou ter que dizer um educado não, obrigada, para essa sua pesquisa do conto de fadas.

— Que problemas?

Meredith baixou os olhos para o café. Tinha esquecido, por uma fração de segundo, que estava falando com Nina. Nina, com sua habilidade jornalística para chegar ao coração de um assunto instantaneamente e a completa ausência de temor em fazer perguntas.

— Nada. Foi só uma expressão.

— Você está mentindo.

Meredith produziu um sorriso cansado e foi até a mesa, sentando-se de frente para a irmã.

— Eu não quero brigar com você, Neens.

— Então, fale comigo.

— Você seria a última pessoa a entender, e não estou sendo canalha. É apenas a verdade.

— Por que está dizendo isso?

— Danny Flynn. Você está com ele há mais de quatro anos, mas nenhum de nós nunca ouviu falar dele. Sei sobre os lugares aonde foi e as fotografias que tirou, até sei de que praias você gosta, mas não sei nada sobre o homem que você ama.

— Quem disse que eu o amo?

— Exatamente. Nem mesmo sei se você já se apaixonou. Para você, o que interessa são histórias. Como essa coisa com Mamãe. Claro que você está adorando. — Ela fez um gesto largo com a mão, indicando os livros espalhados na mesa. — Apenas não espere que tudo isso queira dizer alguma coisa, porque não quer. Ela não vai deixar e, por favor, *por favor,* pare de tentar fazer com que eu me importe. Eu não me importo. Não posso. Não assim, com ela. Não de novo. Certo?

Nina olhou para ela; a pena em seus olhos era quase insuportável.

— Certo.

Meredith assentiu e levantou.

— Bom. Agora, vou correr até a mercearia e depois volto para continuar a empacotar as coisas.

— Você precisa se manter ocupada — Nina disse.

Meredith ignorou o tom superior na voz da irmã.

— Parece que não sou só eu. Vejo você em algumas horas. Faça Mamãe comer direito. — Com um sorriso tenso, ela foi para o carro.

NINA PASSOU O RESTO DO DIA ALTERNANDO-SE entre tirar fotos no pomar e surfar na internet. Infelizmente, a conexão discada em Belye Nochi era absurdamente lenta, por isso levou muito tempo para fazer a pesquisa. Não que houvesse muito para achar. O que ela descobriu foi que a Rússia tinha uma rica tradição de contos de fadas que eram diferentes, de várias formas, do tipo das histórias dos Irmãos Grimm, que eram mais familiares para os americanos. Havia literalmente dúzias de histórias com camponesas e príncipes, e geralmente terminavam de uma forma infeliz para ensinar uma lição.

Nada disso deu qualquer informação a respeito da história que estava sendo contada para Nina.

Por fim, quando a noite caiu lá fora, Meredith abriu a porta do estúdio e disse:

— O jantar está pronto.

Nina estremeceu. Ela queria parar antes para ajudar com o jantar. Mas, como de hábito, uma vez que começava a pesquisar algo, o tempo sumia.

— Obrigada — ela disse, e desligou o computador. Então, foi para a cozinha, onde encontrou Mamãe sentada à mesa. Havia pratos para três pessoas.

Nina olhou para a irmã.

— Você vai ficar para o jantar outra vez? Devemos ligar para Jeff e convidá-lo?

— Ele está trabalhando até mais tarde — Meredith disse, tirando a caçarola do forno.

— De novo?

— Você sabe como são as notícias. As histórias ocorrem em todos os horários.

Nina pegou a garrafa de vodca e três copos e levou-os para a mesa. Sentou-se ao lado de Mamãe e serviu.

Com as mãos em luvas fofas e isolantes, Meredith carregou a caçarola quente até a mesa e a colocou sobre os suportes.

— *Chanakhi* — Nina disse, inclinando-se, inspirando o odor saboroso da caçarola de cordeiro e legumes. Tinha saído do *freezer* de Mamãe, por isso o sabor seria delicioso, mesmo reaquecida. Os legumes estariam perfeitamente macios, seus sabores misturados com um sedoso gosto de tomate, pimenta doce, feijão-de-corda e cebolas doces Walla Walla; tudo nadando em um rico caldo de carneiro com alho e um toque de limão com grandes pedaços de carne suculenta. Era uma das comidas prediletas de Nina. — Ótima escolha, Meredith.

Meredith puxou uma cadeira e sentou-se entre elas.

Nina lhe passou um copo com vodca.

— De novo? — Meredith disse, franzindo a testa. — Ontem não foi o suficiente?

— É uma nova tradição.

— Está cheirando a agulha de pinheiro — Meredith disse, torcendo o nariz ao cheirar a bebida.

— O gosto é bem diferente — disse Mamãe.

Nina riu disso e ergueu seu copo. As três tocaram seus copos e beberam. Então, Nina pegou a colher grande para servir.

— Eu vou servir. Meredith, por que você não começa?

— As três coisas novamente?

— Você pode dizer quantas quiser. Nós seguiremos você.

Mamãe não disse nada, apenas balançou a cabeça.

— Certo — Meredith disse, enquanto Nina colocava uma porção da caçarola no prato de porcelana chinesa da irmã. — Meu momento favorito do dia é quando amanhece. Adoro sentar na varanda no verão, e Jeff... acha que eu corro demais.

Enquanto Nina ficou pensando em como responder a isso, Mamãe a surpreendeu, dizendo:

— Meu momento favorito do dia é de noite. *Belye Nochi*. Eu adoro cozinhar. E seu pai acha que eu deveria aprender a tocar piano.

Nina ouviu a palavra *acha* e isso a fez erguer os olhos. Por um momento elas se entreolharam. Mamãe foi a primeira a desviar os olhos.

— Ele *achava* isso. Não me leve correndo para o médico, Meredith — ela disse. — Eu sei que ele não está aqui.

Meredith assentiu, mas não disse nada. Nina preencheu o silêncio desagradável.

— Meu momento predileto do dia é o pôr do sol. De preferência em Botsuana. Na estação seca. Eu adoro respostas. E eu acho que há um motivo para Mamãe evitar nos olhar.

— É um significado que você quer? — Mamãe disse. — Você vai ficar desapontada. Agora, coma. Eu odeio este prato quando está frio.

Nina reconheceu o tom de voz da mãe. Significava que a frivolidade da pequena tradição delas havia acabado. O resto da refeição ocorreu em silêncio; os únicos sons foram os talheres raspando na porcelana chinesa e taças de vinho sendo colocadas na mesa de madeira, e, quando o jantar terminou, Meredith levantou e foi para a pia. Mamãe caminhou graciosamente para fora da cozinha.

— Vou ouvir mais da história esta noite — Nina disse para Meredith, que estava secando os talheres.

A irmã não se virou, tampouco respondeu.

— Você poderia...

— Preciso ir até o estúdio de Papai — disse Meredith. — Tenho que pegar alguns dos arquivos dele no escritório.

— Tem certeza?

— Tenho certeza. Venho adiando isso.

Havia lugares em toda casa que pertenciam a um único indivíduo. Não importava quantos membros da família pudessem usar o espaço ou entrassem e saíssem dele, havia uma pessoa no grupo a quem o lugar pertencia de verdade. Na casa de Meredith, a varanda era dela. Jeff e as meninas a usavam de vez em quando, mas raramente: em festas de verão e coisas assim. Meredith amava a varanda e sentava-se no balanço de palhinha ao longo do ano inteiro.

Em Belye Nochi, quase todos os cômodos pertenciam à mãe dela. A visão defeituosa se refletia em toda a decoração e móveis, desde a cozinha, com suas paredes pálidas e balcões de ladrilhos brancos, até a mesa e cadeiras antigas de madeira. Onde havia cores na casa, ela aparecia salpicada — as bonecas russas no peitoril da janela, os ícones dourados no Canto Sagrado, a pintura da *troika*.

De todos os cômodos de Belye Nochi, apenas um podia ser considerado realmente do pai dela, e era este lugar, o estúdio dele.

Meredith parou à porta. Não precisava fechar os olhos para imaginá-lo sentado à mesa, rindo, falando com suas duas meninas, que brincavam no chão perto dele.

O eco da voz dele era forte ali. Ela podia quase sentir o cheiro da fumaça do cachimbo.

Não conte para sua mãe, você sabe como ela odeia quando eu fumo.

Ela foi até o centro da sala e se ajoelhou no grosso carpete verde-floresta. Duas poltronas estofadas com tecido de padrão escocês ficavam meio viradas uma para a outra, diante da gigantesca escrivaninha de mogno que dominava a sala. As paredes eram de um rico azul-cobalto com detalhes em preto, e para qualquer lado que se olhava havia uma foto da família, em molduras verde-floresta.

Ela sentou-se sobre os calcanhares, por um momento incapaz de seguir adiante com o que precisava fazer ali. Apenas lidar com as roupas dele seria mais difícil do que isso.

Mas tinha que ser feito e ela era a pessoa certa para fazê-lo. Ela e Mamãe precisariam de documentos daquela sala nos meses e anos seguintes. Informações sobre o seguro, registros de contas, registros de impostos, informações do banco, só para mencionar alguns.

Então, Meredith respirou fundo e abriu uma gaveta do arquivo. Durante a hora seguinte, à medida que a noite caía lá fora, ela seguiu cuidadosamente a trilha de papéis da vida de seus pais, separando tudo em três pilhas: *Guardar, Talvez* e *Queimar.*

Ficou grata com a concentração que o trabalho requeria. Apenas raramente percebia sua mente vagando pelo pântano de seu casamento arruinado.

Como agora, quando olhou para uma foto que de alguma forma fora parar em uma pasta de impostos da propriedade. Na foto, Papai, Nina, Jeff, Jillian e Maddy brincavam de pega-pega no jardim da frente. As meninas eram pequenas — pouco mais altas do que a caixa de correio — e estavam vestidas com roupas para a neve cor-de-rosa e iguais. Luzes de Natal e galhos de pinheiros decoravam as cercas, e todos estavam rindo.

Mas onde estava ela? Ela provavelmente estava na sala de jantar, arrumando a mesa com uma obsessão do nível de Martha Stewart[14] ou embrulhando presentes ou rearranjando a decoração.

Ela não estava onde importava, criando lembranças com seu marido e filhas. Talvez pensasse que o tempo era mais elástico, ou o amor mais capaz de perdoar. Colocou a foto no arquivo e abriu outra gaveta. Quando começou a pegar uma pasta, ouviu passos, o barulho da porta da frente e o som da voz de Nina na sala.

Claro. A noite caíra e fizera Nina voltar para dentro, onde a irmã certamente trocaria uma obsessão — a câmera dela — por outra. O conto de fadas.

Meredith pegou uma pasta e a puxou, vendo que a etiqueta fora parcialmente rasgada. A parte que conseguia ler dizia: BepaПeTpoBHa. Ficou quase certa de que aquilo era russo.

Dentro da pasta, achou uma única carta, datada de 20 anos antes, vinda de Anchorage, Alasca, e enviada para a sra. Evan Whitson.

---

[14] Apresentadora de televisão norte-americana que ficou famosa com programas sobre culinária e decoração (N.T.).

Cara sra. Whitson,

Obrigado por sua recente resposta à minha pergunta. Apesar de estar certo de que pode fornecer uma visão muito valiosa ao meu estudo sobre Leningrado, certamente compreendo sua decisão. Se, no entanto, um dia vier a mudar de ideia, eu apreciaria sua participação.

Atenciosamente,
Vasily Adamovich
Professor de Estudos Russos
Universidade do Alasca

Atrás dela, e pela porta aberta, ela ouviu Nina dizer alguma coisa para Mamãe; depois, veio um silêncio prolongado. Por fim, a mãe disse algo, Nina respondeu e a mãe começou a falar de novo.

O conto de fadas. Não havia como não perceber o tom de voz.

Meredith hesitou, dizendo a si mesma para ficar onde estava, que isso não lhe importava, que não poderia importar, que Mamãe não deixaria que importasse, mas, quando ouviu *Vera*, ela dobrou a estranha carta, devolveu-a ao envelope e a colocou na pilha *Guardar*.

Então, levantou-se.

13

Nina colocou a câmera na mesa de café e foi até a mãe, que se encontrava sentada na poltrona favorita de Papai, tricotando. Mesmo naquela morna noite de maio, havia um frio na sala, então Nina acendeu o fogo.

— Você está pronta? — ela perguntou para a mãe.

Mamãe ergueu os olhos. O rosto estava pálido, as faces um pouco cavadas, mas os olhos continuavam brilhantes e claros como sempre.

— Onde paramos?

— Vamos lá, Mamãe. Você lembra.

Mamãe olhou para ela por um longo momento, então, disse:

— As luzes.

Nina apagou todas as luzes da sala e da entrada. O fogo dava um tom quente para a escuridão, e ela sentou-se no chão diante do sofá. Por um momento, a casa ficou em um silêncio quase sobrenatural, como se ela também estivesse esperando. Então, o fogo estalou e em algum lugar uma tábua do assoalho rangeu; a casa se acomodou para ouvir a história.

A mãe começou lentamente.

— No ano após o aprisionamento de seu pai na Torre Vermelha, Vera torna-se outra pessoa, e no Reino das Neves, naquele período negro, isso é algo perigoso de ser. Ela não é mais apenas uma camponesa

comum, a filha de um pobre preceptor camponês. Ela é a filha mais velha de um poeta banido, uma parente de um inimigo do reino. Ela tem que ter cuidado. Sempre.

As primeiras semanas sem Papa são estranhas. Os vizinhos não fazem mais contato visual com Vera. Quando ela aparece nas escadas de noite, portas se fecham com um som como o de cartas caindo.

As carruagens negras estão por todos os lados nesses dias, assim como as histórias sussurradas sobre prisões, sobre pessoas que viraram fumaça e foram perdidas para sempre. Ao completar 17 anos, Vera sabe reconhecer outras famílias de criminosos. Elas se movem como vítimas, com os ombros caídos e os olhos baixos, tentando se fazer menores, comuns. Sem chamar atenção.

É assim que Vera se move agora. Ela não passa mais tempo nenhum diante de um espelho, tentando ficar bonita para os rapazes.

Ela só tenta seguir adiante. Acorda cedo toda manhã e veste um vestido preto e sem formas. As roupas não importam mais para ela; nem importa que seus sapatos sejam feios e as meias não combinem. Assim, ela prepara o kasha[15] *toda manhã para sua irmã, que se tornou uma sombra pálida de Vera, e para a mãe, que agora raramente fala. O som do choro dela pode ser ouvido quase todas as noites. Durante meses, Vera tentou confortar a mãe, mas foi um esforço em vão. A mãe não pode ser confortada. Nenhuma delas pode.*

Assim elas seguem adiante, fazendo o que precisam para sobreviver. Vera trabalha longas horas na biblioteca do castelo. Em salas com cheiro de poeira, couro e pedras, ela entrega o último sonho que o pai teve para ela — que ela se tornasse uma

---

[15] Para os eslavos, qualquer tipo de mingau de cereais (N.T.).

escritora —, ela o devolve como um livro atrasado e saboreia as palavras de outros. Sempre que tem tempo, ela desaparece em um canto e lê histórias e poemas, mas não pode fazer isso com frequência, nem por muito tempo. Vera não pode jamais esquecer que está sendo observada, sempre. Ultimamente, até mesmo crianças estão sendo presas. Assim os pais são forçados a confessar. Vera fica aterrorizada que um dia as carruagens negras com os três trolls parem novamente diante de seu prédio e que estejam indo buscá-la. Ou pior — que queiram Olga ou Mama. É apenas quando está realmente sozinha — em sua cama, de noite, com Olga roncando gentilmente a seu lado — que ela se permite lembrar da garota que uma vez imaginara ser.

É então, na escuridão silenciosa, com o ar frio do inverno passando pelo vidro fino da janela fechada, que ela pensa em Sasha e como o beijo dele a fez chorar.

Ela tenta esquecê-lo, mas mesmo quando os meses passam sem qualquer notícia dele, ela não consegue esquecer.

— Vera? — a irmã sussurra no escuro.

— Estou acordada — ela responde.

Olga imediatamente se aconchega junto dela.

— Estou com frio.

Vera passa os braços ao redor da irmã mais nova e a mantém bem próxima. Ela sabe que deveria dizer algo reconfortante. Como irmã mais velha, é sua tarefa animar Olga e essa é uma obrigação que ela leva a sério, mas está exausta. Não resta mais nada dentro dela para compartilhar.

Por fim, Vera sai da cama e se veste rapidamente. Escondendo o cabelo longo sob o xale, ela vai até a cozinha gelada, onde um pote de kasha diluído em água repousa sobre o fogão.

Mama já saiu. Mais cedo do que de hábito. Ela sai toda manhã bem antes do amanhecer para o trabalho no armazém real de comida; quando ela por fim volta para casa de noite, está cansada demais para fazer algo além de beijar as filhas e ir para a cama.

Vera esquenta o kasha para a irmã, adoçando-o com uma grande colherada de mel, e o leva para ela. Sentadas juntas na cama, elas tomam o café da manhã em silêncio.

— Hoje, de novo? — Olga diz por fim, raspando a tigela para pegar até o último restinho de comida.

— *Hoje* — *Vera confirma. É o mesmo que ela diz para a irmã toda sexta-feira desde que o pai foi levado. Ela não tem palavras a acrescentar; Olga sabe disso. A esperança é uma coisa frágil, quebra facilmente se for muito manuseada. Então, sem dizer mais nada, elas se vestem para o trabalho e saem juntas do prédio.*

Lá fora, o inverno está rangendo os dentes.

Vera ergue o colarinho e caminha rapidamente em frente, o corpo inclinado contra o vento. Flocos de neve queimam suas faces. No rio congelado, ela vê grupos de pescadores curvados sobre buracos no gelo. Na esquina, ela e Olga se separam.

Momentos depois, Vera escuta o rugido distante de um dragão e vê uma carruagem negra virar nessa rua, sua cor vívida em meio à neve que cai e à pedra branca do reino murado. Ela mergulha no banco de neve na sombra de uma árvore de cristal.

Alguém está sendo preso; a família de alguém está sendo arruinada, e tudo que Vera consegue pensar é: Graças a Deus, não é minha família dessa vez. *Ela espera até a carruagem partir e volta a se levantar. Na neve cortante, ela pega o bonde para o outro lado da cidade, para um lugar que se tornou tão familiar para ela quanto seu próprio braço.*

Na entrada do Grande Salão da Justiça, ela para o suficiente apenas para endireitar os ombros. Abre a imensa porta de pedra e entra. A primeira coisa que vê é uma fila de mulheres vestidas de lã com botas de feltro que batem as mãos enluvadas para se manterem aquecidas. Elas avançam, sempre adiante; pessoas na fila, esperando sua vez.

As duas horas seguintes passam em um borrão cinzento, até que por fim Vera está na frente da fila. Ela reúne coragem e se endireita enquanto caminha até o balcão de mármore brilhante, onde um duende está sentado em uma cadeira alta, o rosto tão pálido e sem forma quanto cera derretendo, os olhos dourados abrindo e fechando como os de uma serpente.

— *Nome* — *ele diz.*

Ela responde com a voz mais firme que consegue produzir.

— *Seu marido?* — *ele diz, a voz sibilando no silêncio.*

— *Pai.*

— *Me dê seus papéis.*

Ela faz os papéis deslizarem por cima do balcão frio, observando a mão esguia e peluda se estender sobre eles. *É preciso coragem para ficar ali enquanto ele examina os papéis. E se ele tiver o nome dela em uma lista? Ou se estiverem esperando por ela? É perigoso ficar indo lá, ou é o que a mãe dela diz. Mas Vera não pode parar. Fazer isso é a única esperança que ela tem.*

Ele devolve os papéis.

— O caso está sendo estudado — ele diz. E depois grita: — Próximo.

Ela se afasta aos tropeções do guichê, ouvindo uma velha senhora avançar por trás dela e perguntar sobre o marido.

É uma boa notícia. O pai está vivo. Ele não foi sentenciado e enviado para a Desolação... ou pior. Logo, o Cavaleiro Negro vai perceber que cometeu um erro. Ele vai ver que o pai dela não é um traidor.

Ela ergue o colarinho e volta para o frio lá de fora. Se correr, pode chegar ao trabalho ao meio-dia.

SEXTA-FEIRA APÓS SEXTA-FEIRA, Vera vai ver o duende. A cada vez a resposta é a mesma.

— O caso está sendo estudado. Próximo.

E então a mãe diz para elas que precisam se mudar.

— Não há nada que possamos fazer, Vera — a mãe diz, sentando desconsolada em uma cadeira da mesa da cozinha. O ano anterior foi pesado para ela, deixou sua marca na forma de rugas. Ela fuma um cigarro barato e parece mal se importar que as cinzas caiam no chão de madeira. — Meu pagamento no armazém foi diminuído. Não podemos mais pagar as contas aqui.

Vera gostaria de argumentar com a mãe como costuma fazer, mas não há dinheiro bastante para a lenha de noite e elas estão com frio.

— Para onde vamos? — Vera pergunta. Atrás, ela escuta Olga choramingar.

— Minha mãe ofereceu ajuda.

Vera fica surpresa com isso. Até Olga ergue o rosto.

— Nós nem mesmo a conhecemos — Vera diz.

A mãe dá outra longa tragada no cigarro e exala a rala fumaça azul.

— *Meus pais não aprovam seu pai. Agora que ele se foi...*

— *Ele não se foi* — *Vera diz, decidindo naquele momento que ela nunca vai gostar dessa avó, quanto mais amá-la.*

Apesar de a mãe não dizer nada, a expressão nos olhos escuros dela é fácil de ler: ele se foi.

Olga toca Vera, se atrás de apoio ou para dar conforto, Vera não sabe dizer.

— *Quando vamos mudar?*

— *Esta noite. Antes que o senhorio venha cobrar o aluguel.*

Antes, Vera teria retorquido ou argumentado. Agora, ela suspira e vai para o quarto. Há pouco para levar. Algumas roupas, alguns cobertores, uma escova de cabelo e suas velhas botas de feltro, que estão quase pequenas demais para ela.

Pouco depois, elas estão lá fora, vestidas em camadas com praticamente todas as suas roupas; elas avançam pela neve na direção de sua nova casa.

Por fim, chegam lá. O prédio é pequeno e parece malcuidado. As pedras da fachada estão caindo. Cortinas de tecido barato estão penduradas em ângulos estranhos em várias das janelas.

Elas sobem as escadas até o último apartamento no segundo andar.

A mulher que atende é pesada e com aspecto triste, vestindo um roupão florido que já havia visto dias melhores. O cabelo grisalho está coberto por um xale verde--claro. Ela fuma um cigarro, e os dedos estão manchados onde fica o cigarro.

— *Zoya* — *diz a mulher.* — *E essas são minhas netas. Veronika e Olga. Quem é quem?*

— *Eu sou Vera* — *ela diz, mantendo-se ereta sob o escrutínio da avó.*

A mulher assente.

— *Não haverá problemas com vocês, não é? Nós não precisamos do problema que vocês tiveram.*

— *Não haverá nenhum problema* — *Mama diz calmamente, e elas são conduzidas para dentro.*

Vera para de súbito. Olga colide com ela e dá uma risadinha. Mas a risada para abruptamente.

O apartamento tem só um cômodo com um pequeno fogão para queimar lenha e uma pia, uma mesa de madeira com quatro cadeiras diferentes e uma cama estreita encostada em uma parede. Uma janela sem cortina dá para uma parede de tijolos do outro lado da viela. No canto, uma porta entreaberta revela um armário vazio. Não há banheiro; deve haver um comunal para o prédio todo.

Como podem todas elas viver ali, apertadas como ratos em uma caixa de sapato?

— Venham — a avó diz, amassando a bituca do cigarro em um pires transbordando de cinzas. — Vou mostrar onde podem colocar suas coisas.

Horas mais tarde, na primeira noite em sua nova casa, na sala que cheira a repolho cozido e gente demais, Vera faz uma cama de cobertores no chão e se aconchega junto da irmã.

— Um homem do trabalho vai trazer os móveis amanhã — Mama diz em tom cansado. Olga começa a chorar. Elas todas sabem que móveis não vão ajudar muito.

Vera segura a mão da irmã. Lá fora, uma carroça colide com alguma coisa, um homem grita e trabalha, e Vera não pode evitar pensar que aqueles são os sons de um sonho morrendo.

DEPOIS DISSO, VERA ESTÁ BRAVA o tempo todo, e apesar de tentar esconder seu desprazer com a vida, ela sabe que não consegue. Ela fica mal-humorada e é rápida para criticar. Ela, a mãe e Olga dormem juntas na cama estreita, amontoadas tão próximas que precisam se virar juntas, porque não há outro jeito.

Ela trabalha do amanhecer até o cair da noite e, quando volta para o apartamento, é mais da mesma coisa. Ela cozinha com a mãe e a avó, daí carrega lenha para o fogão para a noite e lava a louça. Trabalho, trabalho, trabalho. Apenas as sextas-feiras são diferentes.

— Você deveria parar de ir lá — a mãe diz quando saem do apartamento. São 5 da manhã e a escuridão é completa nas ruas.

Quando passam por um café, um grupo de jovens nobres bêbados sai tropeçando, rindo e abraçando uns aos outros, e Vera sente uma dor no peito ao vê-los. Eles são tão jovens, tão livres, e ainda assim são mais velhos que ela, que marcha junto com a mãe e a irmã, indo para o trabalho de madrugada em vez de beber café, discutir política e escrever palavras importantes.

A mãe estende a mão e segura a de Vera.

— Desculpe — ela diz baixinho.

É raro elas tocarem no assunto da verdade de suas vidas ou da perda que sofreram. Vera aperta a mão da mãe. Ela quer dizer: Eu sei, *ou:* Está tudo bem, *mas ela tem medo de começar a chorar; então, apenas assente.*

— Bem. Adeus, então — a mãe diz por fim, virando na direção da parada do bonde dela.

— Vejo você de noite.

As três seguem seus caminhos diferentes para o trabalho.

Sozinha, Vera percorre os últimos quarteirões até o Grande Salão da Justiça. Ela entra na longa fila e espera sua vez.

— Nome — diz o duende no balcão quando chega a vez dela.

Diante da resposta, ele pega os papéis e lê. Abruptamente, ele se levanta da cadeira e sai. Lá do outro lado do saguão, em uma grande câmara de vidro, ela pode vê-lo falando com outros duendes e então com um homem em um longo robe negro.

Por fim, o duende volta, senta-se outra vez e entrega os papéis de volta para ela.

— Não há ninguém com esse nome no nosso reino. Você se enganou. Próximo.

— Mas vocês estão *com ele, meu senhor. Eu venho aqui há mais de um ano. Por favor, verifique outra vez.*

— Ninguém com esse nome é conhecido aqui.

— Mas...

— Ele não está aqui — o duende diz, zombando. — Foi-se. Entendeu? Agora, saia. — Ele ergue a cabeça para olhar por trás dela. — Próximo.

Vera quer cair de joelhos e chorar, mas não é bom chamar atenção. Então, ela enxuga as lágrimas dos olhos, endireita os ombros e vai para o trabalho.

O *PAI SE FOI.*

Está ali em um momento e se foi no seguinte. A verdade é que ele está morto, que eles o mataram; quem quer que sejam eles. Os trolls em suas brilhantes carruagens negras e o Cavaleiro Negro, para quem eles trabalham. Porém, não se pode fazer perguntas, nem mesmo as perguntas comuns que faria uma família enlutada. Elas não podem implorar para enterrá-lo, para visitar seu túmulo ou para vestir seu corpo para o enterro. Tudo isso atrairia atenção para elas e para a execução dele, que o Cavaleiro Negro quer negar. Na biblioteca, ela realiza seu trabalho e não diz nada sobre o pai.

A caminho de casa — nada de bondes para ela hoje; ela quer que esta viagem demore —, parece que o inverno está se erguendo do próprio chão. Folhas negras quebradiças caem das árvores e ficam suspensas no ar gelado. A distância, há tantas delas que parece que um bando de corvos está voando baixo demais. Debaixo de um céu de chumbo, os prédios parecem monótonos e abandonados. Até o castelo verde-menta parece largado nesse clima.

Ao chegar em casa, a neve está se acumulando na rua de pedras e nos galhos nus das árvores.

Na porta de casa, ela para apenas o suficiente para recuperar o fôlego. Nesse instante, ela imagina a conversa que terá e a exaustão a domina. Ainda assim, ela endireita a espinha e entra.

A sala está cheia com os móveis de sua antiga vida. A cama da avó está junto da parede e sobre ela há várias colchas. A cama mais estreita delas atrapalha a porta do armário. Quando querem abrir o armário, é preciso empurrar a cama. Uma escrivaninha que a mãe pintou à mão e um par de lamparinas alinham-se junto da parede sob a janela que não abre. A única peça de mobiliário bonita no apartamento — uma maravilhosa mesa de escrever de mogno que era do pai dela — está coberta com os jarros de conservas e cebolas.

Ela vê a mãe diante do fogão. Olga está à mesa, descascando batatas.

A mãe dá uma olhada para ela e tira a panela do fogo, então, enxuga as mãos no avental amarrado na cintura. Apesar de o vestido ser largo e velho, e de o cabelo estar *desarranjado depois de um dia trabalhando com a comida no armazém, os olhos dela são perspicazes e a expressão neles é de compreensão.*

— É sexta-feira — ela diz por fim.

Olga levanta da cadeira. Em um vestido apertado demais, ela parece uma flor saindo de uma semente. Vera não consegue evitar pensar que a irmã é uma criança aos 15 anos, e ainda assim ela lembra que foi com essa idade que conheceu Sasha. Ela então achava que era uma adulta completa. Uma mulher parada em uma ponte com um homem que pretendia amar.

— Você descobriu alguma coisa? — pergunta Olga.

Vera sente a cor sumir do rosto.

— Vamos, Olga — diz Mama rapidamente. — Coloque o casaco e os valenkis[16]. *Nós vamos dar uma volta.*

— Mas minhas botas estão pequenas demais para mim — Olga choraminga. — E está nevando.

— Não discuta — a mãe diz, caminhando até o grande baú de madeira e couro perto da cama delas. — Sua avó logo vai voltar do trabalho.

Vera fica onde está, sem dizer nada, enquanto a mãe e a irmã se vestem para sair no frio. Quando estão prontas, elas saem para o mundo branco e borrado. O barulho dos flocos caindo faz tudo mais ficar em silêncio ao redor delas. Mesmo o lamento e os tinidos do bonde parecem distantes. Nesse mundo sussurrado, elas parecem isoladas, separadas. Estão ainda mais sozinhas quando entram no Grande Parque. Ao chegarem, as luzes da rua estão acesas na praça. Não há ninguém ali fora nesse frio começo de noite, apenas a fileira de casas nobres enfeitadas a distância.

Elas vão até a peça central do parque: a gigantesca estátua de bronze de um cavalo alado. Ele levanta-se desafiador da neve, tornando anões todos que erguem os rostos para vê-lo.

— Estamos em tempos perigosos — Mama diz quando estão diante da estátua. — Existem coisas... pessoas de quem não se pode falar em um apartamento ou mesmo na intimidade de uma amizade. Vamos falar disso... — Ela faz uma pausa, inspira, e suaviza a voz. — Dele... agora e nunca mais. Sim?

---

[16] Tradicionais calçados russos para o inverno, basicamente, botas de feltro (N.T.).

Olga bate o pé na neve.

— *O que está acontecendo?*

Mama olha para Vera, esperando a resposta.

— *Fui ao Grande Salão hoje perguntar sobre Papa — ela diz, sentindo lágrimas nos olhos. — Ele se foi.*

— *O que isso quer dizer? — Olga diz. — Ele se foi? Você acha que fugiu?*

É Mama quem tem a força de fazer que não com a cabeça.

— *Não, ele não fugiu. — Ela olha ao redor novamente e se aproxima mais, de forma que as três estejam se tocando, abraçadas umas às outras à sombra da estátua. — Eles o mataram.*

Olga emite um som terrível, como se estivesse engasgando, e Vera e Mama a abraçam com força. Quando recuam, as três estão chorando.

— *Você sabia — Vera diz, sem se importar em enxugar os olhos, apesar de as lágrimas estarem congelando instantaneamente, grudando seus cílios uns nos outros até que ela mal consiga enxergar.*

Mamãe faz que sim com a cabeça.

— *Quando eles o levaram?*

Ela assente novamente.

— *Você me deixou ir toda sexta-feira — Vera diz. — Se eu soubesse...*

— *Você tinha que descobrir do seu jeito — a mãe diz. — E eu tinha esperança... claro...*

— *Eu não sei o que fazer agora — Vera diz. Ela se sente desconectada de si mesma, de sua própria vida.*

— *Estive esperando que você dissesse isso — Mama diz. — Vocês duas estavam esperando. Com esperança. Agora, vocês sabem: esta é a nossa vida. Nosso Petya não vai voltar. É isto que somos agora.*

— *O que isso quer dizer? — Olga pergunta.*

— *Viva — Mama diz calmamente.*

E Vera compreende. Está na hora de ela parar de perder tempo e começar a fazer alguma coisa com ele.

— *Eu não sei com que sonhar — Vera diz. — Parece tudo tão impossível.*

— *Os sonhos são para homens como seu pai. Eles são o motivo pelo qual lamentamos a falta dele, em privado e em segredo, como se fôssemos criminosas. Ele plantou em suas cabeças todo tipo de fantasias. Deixem que se vão. Parem de ser as crianças dele e sejam mulheres desse reino. Há coisas a fazer lá fora; isso eu garanto.*

A mãe as puxa em um abraço forte e beija o rosto das duas. Quando estão próximas, ela sussurra:

— *Ele amava vocês duas mais do que as palavras dele, mais do que a própria respiração. Isso nunca vai morrer.*

— *Eu sinto falta dele* — *Olga diz, começando a chorar novamente.*

— *Sim* — *Mama diz com a voz embargada.* — *Para sempre. É esse o tempo durante o qual teremos um lugar vazio na mesa.* — *Ela se afasta por fim.* — *Mas não vamos mais falar dele. Nunca. Nem mesmo entre nós.*

— *Mas... não podemos simplesmente impedir os sentimentos* — *Vera diz.*

— *Pode ser* — *a mãe diz* —, *mas você pode se recusar a expressar o que sente, e é isso que vamos fazer.* — *Ela coloca a mão no grande bolso do casaco de lã e tira uma borboleta* cloisonné[17].

Vera nunca tinha visto nada tão lindo. Aquele não era o tipo de peça que sua família podia possuir — *é algo dos reis, ou pelo menos dos magos.*

— *O pai de Petyr fez isso* — *a mãe diz, revelando uma história da família desconhecida para elas.* — *Era para ser da pequena princesa, mas o rei achou que o trabalho não foi bem executado, assim, seu avô foi demitido e aprendeu a fazer tijolos de barro em vez de peças de arte. Ele a deu para seu pai no dia do nosso casamento. E agora é o que temos para lembrar alguém que perdemos em nossa família. Às vezes, se fecho os olhos quando a seguro, eu posso ouvir a risada do nosso Petya.*

— *É apenas uma borboleta* — *Vera diz, pensando que não é algo tão bonito quanto tinha pensado; certamente não é um substituto para a risada de seu pai.*

— *É tudo que temos* — *a mãe diz gentilmente.*

---

[17] Técnica antiga de decoração de objetos feitos de metal, que são pintados com esmalte, podendo ter também pedras preciosas (N.T.).

VERA ENVOLVE-SE EM TRISTEZA DA FORMA *que apenas uma garota adolescente pode fazer, mas, à medida que o inverno enfraquece e a primavera floresce pelo reino, ela começa a sentir-se incomodada com sua melancolia.*

— *Não é justo que eu não possa ir para a universidade* — *ela reclama com a mãe em um dia quente de verão, muitos meses depois que fizeram o funeral de mentira no parque. Elas estão ajoelhadas na terra negra, limpando o pequeno jardim. As duas já trabalharam o dia inteiro na cidade; essa é a rotina de verão delas. Um dia de trabalho no reino e depois uma viagem de duas horas para fora da cidade murada para chegar ao campo, onde alugaram um pequeno terreno.*

— *Você está velha demais para ficar reclamando sobre justiça. Obviamente você entende isso tudo* — *diz a mãe.*

— *Eu quero estudar os grandes escritores e artistas.*

A mãe senta-se sobre os calcanhares e olha para Vera. Na luz densa e dourada das 10 da noite, ela parece quase bonita novamente. Apenas seus olhos castanhos permanecem teimosamente velhos.

— *Você vive no Reino das Neves* — *ela diz.*

— *Eu acho que sei disso.*

— *Sabe mesmo? Você trabalha na melhor biblioteca do mundo. Você tem três milhões de livros à sua disposição todos os dias. O museu real fica no seu caminho para casa. E sua irmã trabalha lá. A qualquer momento que quiser, você pode ir ver as pinturas dos mestres. Galina Ulanova está dançando nessa temporada, e não se esqueça da ópera.* — *Ela solta um* tsc. — *Não venha me dizer que uma jovem mulher deste reino precisa ir para a universidade para aprender. Se acreditar em algo assim, você não é* — *ela abaixa a voz* — *filha dele.* — *É a primeira vez que a mãe menciona Papa e isso tem o efeito desejado.*

Vera desliza para o lado, descendo dos calcanhares, e se senta na terra quente, olhando para a frágil roseta verde de um pequeno repolho a seu lado.

Eu sou filha de Petyr Andreyevich, ela pensa, e, ao fazer isso, lembra-se dos livros que o pai lia de noite para ela e dos sonhos que a encorajava a sonhar.

Durante o restante da semana, Vera contempla a conversa no jardim. No trabalho, fica andando pela biblioteca, caminhando entre as pilhas de livros com o fantasma do pai a seu lado. Ela sabe que tudo que precisa é de alguém que a ajude a compreender as palavras que lê. É como se ela fosse uma semente, com um delicado caule verde empurrando a terra que resiste a seu movimento. Porém, o sol está lá em cima, basta apenas continuar crescendo.

E então um dia ela está ao balcão organizando rolos de pergaminhos quando um rosto familiar aparece. É um homem velho, caminhando com uma bengala pelo chão de mármore, o robe clerical muito gasto deslizando pelo chão atrás dele. Na mesa perto da parede, ele senta-se e abre um livro.

Vera se aproxima dele em silêncio, sabendo que a mãe não aprovaria seu plano, mas subitamente aquele é um plano.

— Com licença — ela diz suavemente para o homem, que ergue os olhos remelentos para ela.

— Veronika? — ele diz depois de um longo momento.

— Sim — ela diz. Esse homem costumava ir à casa deles, nos velhos e melhores tempos. Ela não pensa em mencionar o pai, mas ele está ali entre eles, tão certamente quanto a poeira. — Lamento incomodá-lo, mas estou procurando um preceptor. Não tenho muito dinheiro.

O clérigo tira os óculos. Leva um tempo até falar e, quando o faz, a voz é pouco mais que um sussurro.

— Eu não posso ajudá-la pessoalmente. São esses tempos em que vivemos. Eu deveria parar de escrever. — Ele suspira. — Como se eu pudesse... mas conheço alguns estudantes que talvez não tenham tanto medo quanto um homem velho. Vou perguntar.

— Obrigada.

— Tenha cuidado, jovem Veronika — ele diz, colocando os óculos de novo —, e não conte para ninguém esta conversa.

— Este segredo está seguro comigo.

O clérigo não sorri.

— Nenhum segredo está seguro.

14

Era quase meia-noite quando Meredith por fim chegou em casa. Exausta pela extensão do dia e ainda assim cativada pela história daquela noite, ela deu comida para os cachorros, brincou com eles um pouco e em seguida colocou um moletom mais confortável. Estava na cozinha preparando um chá quando um carro se aproximou.

Jeff. Quem mais poderia ser à meia-noite e meia?

Ela ficou ali, as mãos agarrando a beirada da xícara de porcelana, o coração batendo feito louco quando a porta da frente abriu.

Nina entrou na cozinha, parecendo vagamente incomodada.

Meredith sentiu uma onda de desapontamento.

— Já passa da meia-noite. O que você está fazendo aqui?

Nina foi até o balcão, pegou uma garrafa de vinho, encontrou duas canecas de café na pia, lavou-as e serviu as duas quase até a boca.

— Bem, eu *gostaria* de falar sobre a história, que está ficando detalhada demais para um conto de fadas, mas já que você está com medo dela, vou dizer por que vim aqui. Precisamos conversar.

— Amanhã é...

— Agora. Amanhã você estará de novo com sua armadura e eu estarei intimidada pela sua competência. Vamos. — Então, ela pegou Meredith pelo braço e a levou para a sala, onde acendeu o fogo apertando um botão.

Uooosh, fizeram as chamas de gás, e surgiram calor e luz.

— Aqui — ela disse, entregando uma caneca com vinho para Meredith.

— Você não acha que está um pouco tarde para tomar vinho?

— Não vou nem responder a isso. Você tem sorte que não é tequila, do jeito que estou me sentindo.

Nina. Sempre dramática.

Meredith sentou-se na beirada do sofá, as costas apoiadas no braço dele. Nina sentou-se do outro lado. No meio, os dedos dos pés das duas se tocaram.

— O que você quer, Nina? — Meredith perguntou.

— Minha irmã.

— Não sei o que está querendo dizer.

— Era você que me levava para brincar de pega-pega quando Papai estava trabalhando, lembra? Você sempre fez fantasias para mim. E lembra quando eu tentei ser uma animadora de torcida, você me ajudou com a coreografia durante semanas, e quando eu consegui você ficou feliz por mim, apesar de não ter conseguido uma vaga quando tentou? E quando Sean Bowers me convidou para a festa de formatura, foi você quem me disse para não confiar nele. Talvez não tivéssemos muito em comum, mas éramos *irmãs*.

Meredith tinha esquecido disso tudo, ou pelo menos não pensava nessas coisas havia anos.

— Isso foi há muito tempo.

— Eu fui embora e deixei você. Eu sei. E Mamãe não é alguém fácil com quem ser deixada. E nós não nos conhecemos muito bem, mas eu estou aqui agora, Mere.

— Estou vendo você.

— Mesmo? Porque francamente, você tem sido uma idiota nesses últimos dias. Ou talvez não uma idiota, mas uma espécie de chata, e já me basta ter uma mulher que não fala comigo no jantar. — Nina inclinou-se para a frente. — Estou aqui e sinto falta de você, Mere. É como se você não quisesse olhar para mim ou falar comigo, eu acho...

— Jeff me deixou.

Nina se empertigou abruptamente.

— O quê?

Meredith não conseguiu dizer de novo. Ela balançou a cabeça, sentindo as lágrimas nos olhos.

— Ele está morando no hotel perto do trabalho.

— Aquele *imbecil* — disse Nina.

Meredith deu uma risada.

— Obrigada por assumir que não foi culpa minha.

O olhar que Nina dirigiu para a irmã foi de carinho e compaixão, e Meredith percebeu subitamente por que tantos estranhos se abriam para a irmã. Era aquele olhar, que prometia conforto e atenção, e sem julgamento.

— O que houve? — Nina perguntou suavemente.

— Ele me perguntou se eu ainda o amo.

— E?

— Eu não respondi — Meredith disse. — Eu não respondi. E ainda não liguei para ele, não fui atrás dele nem escrevi para ele uma carta apaixonada nem implorei para voltar. Não é de admirar que ele tenha me deixado. Ele até disse...

— O quê?

— Que eu sou como Mamãe.

— Então agora eu acho que ele é um imbecil e um cuzão.

— Ele me ama — Meredith disse. — E eu o magoei. Eu sei. Foi esse o motivo de ele falar isso.

— Quem dá a mínima para os sentimentos dele? Esse é o seu problema, Mere, você se importa demais com todo mundo. O que é que *você* quer?

Ela não se fazia essa pergunta havia anos. Tinha ido para a faculdade que podiam pagar, não para a que queria; casara-se antes do planejado porque ficara grávida; voltara para Belye Nochi porque Papai precisava dela. Quando foi que havia feito o que queria?

Estranhamente, ela pensou no pomar de antigamente, quando começara a loja de presentes e a estocara com coisas que amava.

— Você vai descobrir, Mere. Eu garanto. — Nina aproximou-se e a abraçou.

— Obrigada. Estou falando sério. Você me ajudou.

Nina voltou a se sentar.

— Lembre-se disso da próxima vez que eu queimar algo no fogão ou deixar a cozinha bagunçada.

— Vou tentar — Meredith disse, inclinando-se para a frente para bater sua caneca contra a de Nina. — A um novo começo.

— Vou beber a isso — Nina disse.

— Você bebe por qualquer motivo.

— É verdade. É uma das minhas qualidades.

Nos dois dias seguintes, Mamãe se fechou, indo de quieta para quase uma estátua, recusando-se até a descer para jantar. Nina teria ficado brava com isso, e talvez até tivesse feito algo a respeito, mas o motivo era óbvio. As três estavam se sentindo do mesmo jeito. À medida que os dias viravam noite e avançavam, Nina se descobriu incapaz de sequer pensar no conto de fadas.

O aniversário de Papai estava chegando.

O dia do aniversário amanheceu brilhante e ensolarado, com um céu azul sem nuvens.

Nina afastou as cobertas e levantou da cama. Aquele era o dia que a fizera voltar para casa. Ninguém mencionou isso, claro, já que elas eram o tipo de mulher que não falava sobre suas dores, mas aquilo estava entre elas o tempo todo, no ar.

Ela foi até a janela do quarto e olhou para fora. As macieiras pareciam estar dançando; milhões de folhas verdes e flores brancas deslizando na luz.

Ela pegou as roupas largadas no chão, vestiu-se depressa e saiu do quarto. Não estava inteiramente certa sobre o que diria para a mãe naquele que era o mais sensível dos dias; sabia apenas que não queria ficar sozinha com seus pensamentos. Suas lembranças.

Do outro lado do corredor, ela bateu à porta da mãe.

— Você já acordou?

— Ao pôr do sol — Mamãe disse. — Vejo você e Meredith lá.

Desapontada, Nina desceu para a cozinha. Depois de um café da manhã rápido, ela foi até a casa de Meredith, mas tudo que encontrou lá foram os *huskies*, dormindo em áreas com sol na varanda. Claro, Meredith tinha ido trabalhar.

— Merda.

Já que a última coisa que desejava era ficar vagando pela casa silenciosa no aniversário do pai, ela voltou para Belye Nochi, pegou as chaves do carro na tigela na mesa de entrada e foi para a cidade, procurando alguma coisa com o que se ocupar até o pôr do sol. No caminho, parou aqui e ali para tirar fotos, e ao meio-dia comeu comida local engordurada na lanchonete da rua Principal.

Antes do final do dia, porém, estava de volta a Belye Nochi. Pendurou a sacola da câmera no ombro e entrou, encontrando Meredith na cozinha, colocando alguma coisa no forno.

— Oi — Nina disse.

Meredith virou-se para ela.

— Eu fiz o jantar. E arrumei a mesa. Pensei que... depois...

— Claro — Nina disse, andando até as portas francesas, olhando para fora. — Como vamos fazer isso?

Meredith foi se colocar ao lado dela, passando o braço pelos ombros da irmã.

— Acho que apenas abrimos a urna e deixamos as cinzas caírem. Talvez você possa dizer alguma coisa.

— Você é que deveria dizer alguma coisa, Mere. Eu o desapontei.

— Ele amava tanto você — Meredith disse. — E tinha orgulho de você.

Nina sentiu as lágrimas surgirem. Lá fora, o céu parecia se dobrar sobre o pomar em fitas de rosa-salmão e o lavanda mais pálido.

— Obrigada — ela disse, apoiando-se na irmã. Ela não tinha ideia de quanto tempo ficaram ali, juntas, sem dizer nada.

— Está na hora — Mamãe disse por fim, atrás delas.

Nina afastou-se de Meredith, preparando-se para o que vinha pela frente. Ela e a irmã se viraram ao mesmo tempo.

Mamãe estava parada à porta, segurando uma caixa de roseira decorada com marfim. Estava praticamente irreconhecível em uma blusa roxa de seda para a noite e calça de linho amarelo-canário. Um cachecol vermelho e azul fora enrolado em seu pescoço.

— Ele gostava de cores — Mamãe disse. — Eu deveria ter usado mais roupas coloridas... — Ela afastou o cabelo do rosto e olhou pela janela para o sol que se punha. Então, ela respirou fundo e caminhou lentamente até elas. — Aqui — ela disse, entregando a caixa para Nina.

Era apenas uma caixa cheia de cinzas, não realmente o pai dela, nem mesmo tudo que ela possuía que restava dele, mas ainda assim, quando pegou a caixa das mãos da mãe, a tristeza que vinha suprimindo caiu sobre ela.

Escutou Mamãe e Meredith deixarem a cozinha e andarem pela sala de jantar. Seguiu-as lentamente.

Um vento fresco entrou pelas portas francesas abertas, tocando seu rosto, trazendo junto o cheiro de maçãs.

— Vamos, Nina — Meredith chamou lá de fora.

Nina reposicionou a alça da câmera ao redor do pescoço e seguiu para o jardim.

Meredith e a mãe já estavam lá, paradas em posturas rígidas junto do banco de ferro embaixo da magnólia. Os últimos raios de sol iluminavam a nova coluna de cobre e a transformavam em uma chama vibrante.

Nina apressou-se para atravessar a grama, notando tarde demais que ali fora estava escorregadio. Tudo aconteceu em um segundo: seu dedo do pé prendeu numa pedra e ela começou a cair; estendeu a mão para impedir a queda e subitamente a caixa voava no ar. Ela bateu em uma das colunas de cobre e se espatifou.

Nina bateu no chão forte o suficiente para sentir o gosto de sangue. Ficou ali, tonta, escutando Meredith repetir *ah, não* várias vezes.

E então a mãe a ajudava a levantar, dizendo algo em russo. Era o tom de voz mais gentil que jamais ouvira vindo da mãe.

— Eu derrubei — Nina disse, passando a mão pelo rosto, tirando a terra da face, e, ao pensar no que havia feito, ela começou a chorar.

— Não chore — disse Mamãe. — Pense no que aconteceria se ele estivesse aqui. Ele diria: *O que você esperava, Anya, adiando isso até escurecer?*

A mãe até chegou a sorrir.

— Podemos dizer que foi um lançamento de cinzas — disse Meredith, com os lábios fazendo uma expressão sarcástica.

— Algumas famílias espalham. Nós lançamos — disse Nina.

Mamãe foi a primeira a rir. O som foi tão estranho que Nina arfou, e então começou a rir também.

Elas ficaram ali, as três, rindo juntas no meio do jardim de inverno, com as macieiras ao redor, e esse foi o melhor tributo que poderiam ter feito para ele. E mais tarde, quando Mamãe e Meredith já haviam entrado, Nina ficou ali, sozinha, no silêncio, olhando para um botão branco e aveludado de magnólia coberto pelo pó cinza.

— Você nos ouviu rindo? Nós nunca tínhamos feito isso antes, não as três, nunca juntas. Nós rimos para você, Papai...

Ela podia jurar que o sentiu a seu lado, que escutou-o respirando no vento. Sabia o que ele teria dito para ela naquela noite. *Belo voo, Neener Beaner. Vejo você no outono.*

— Eu amo você, Papai — ela sussurrou quando um único botão de macieira flutuou na brisa e pousou a seus pés.

MEREDITH TIROU O FRANGO À KIEV do forno e colocou a travessa em cima do fogão para esfriar.

Enxugando as mãos em um pano de prato xadrez, ela respirou fundo e foi até a sala para ficar com a mãe.

— Oi — ela disse, sentando-se ao lado da mãe no sofá.

O olhar que ela lhe dirigiu foi chocante pela tristeza que demonstrava.

Aquilo as conectou por um momento, o bastante para Meredith estender a mão e tocar a mão da mãe.

Pela primeira vez, a mãe não recuou.

Meredith quis dizer alguma coisa — a coisa certa, que amenizaria a dor delas, mas claro que não existiam tais palavras.

— Vamos comer agora — Mamãe disse por fim. — Vá chamar sua irmã.

Meredith assentiu e saiu, indo até o jardim de inverno, onde Nina estava fotografando o botão de magnólia coberto pelas cinzas.

Meredith sentou-se no banco ao lado dela. O céu em tons de bronze tinha escurecido tanto que tudo que realmente conseguiam ver eram as flores brancas, que pareciam prateadas na luz que diminuía.

— Como você está? — Nina perguntou.

— Péssima. E você?

— Já me senti melhor. — Nina colocou a tampa na lente. — Como está Mamãe?

Meredith deu de ombros.

— Quem sabe?

— Ela tem estado melhor ultimamente, sabe? Acho que é o conto de fadas.

— Sem dúvida você pensaria isso. — Meredith suspirou. — Como podemos saber? Eu queria que pudéssemos falar de verdade com ela.

— Acho que ela *jamais* falou de verdade conosco. Nós nem mesmo sabemos a idade dela.

— Como é que não achamos isso estranho quando éramos pequenas?

— Acho que você se acostuma com o que tem à sua volta enquanto é criada. Como aqueles meninos-lobo que acham que são cachorros.

— Só você para achar um jeito de incluir meninos-lobo em uma conversa como essa. Vamos — disse Meredith.

Elas voltaram para dentro e encontraram Mamãe à mesa, com o jantar servido. Frango à Kiev com batatas gratinadas e salada verde. Havia uma garrafa com vodca e três copos no centro da mesa.

— É esse o meu tipo de centro de mesa — disse Nina, sentando-se enquanto Mamãe servia três doses de vodca.

Meredith sentou-se ao lado da irmã.

— Um brinde — a mãe disse calmamente, erguendo seu copo.

Houve um momento de silêncio desconfortável enquanto olhavam umas para as outras. Meredith sabia que as três pensavam em algo para dizer, como honrá-lo sem fazer com que doesse mais ou parecesse algo triste. Ele não gostaria disso.

— Para nosso Evan — Mamãe disse por fim, batendo seu copo nos das filhas. E tomou a bebida de uma vez. — Seu pai adorava quando eu bebia.

— É uma boa noite para o álcool — disse Meredith. Ela tomou sua vodca e estendeu o copo, pedindo mais. A segunda dose desceu queimando sua garganta. — Sinto falta de ouvir a voz dele quando entro em casa — ela disse.

Mamãe também se serviu de outra dose.

— Eu sinto falta de como ele me beijava toda manhã.

— Eu me acostumei a sentir falta dele — Nina disse calmamente. — Me dê mais uma dose.

Depois de tomar a terceira dose de vodca, Meredith sentia o sangue fervilhando.

— Ele não gostaria de nos ouvir falando dele desse jeito — Mamãe disse. — Ele quereria...

No silêncio que se seguiu, elas se entreolharam. Meredith sabia que pensavam a mesma coisa: como seguir adiante? *Você apenas segue,* ela pensou, e então disse:

— Meu feriado favorito é o de Ação de Graças. Eu adoro tudo nele — como minhas filhas ficam ansiosas por ele, as decorações, escutar o primeiro disco de Natal, a comida. E vou dizer agora: eu odiava aquelas malditas viagens em família que costumávamos fazer. Aquela para o leste do Oregon foi a pior. Lembra daquela vez que ficamos nas tipis[18]? Estava fazendo 38 graus e Nina cantou *I Think I Love You* durante 600 quilômetros.

Nina riu.

— Eu *adorava* aquelas viagens para acampar porque nunca sabíamos onde íamos parar. O Natal é meu feriado favorito porque consigo lembrar da data. E a coisa de que mais sinto falta em relação a Papai é que ele estava sempre esperando por mim.

Meredith não sabia que às vezes Nina se sentia sozinha, que, apesar de ficar vagando pelo mundo, ela gostava de saber que havia alguém esperando por ela.

— Eu adorava o espírito aventureiro do seu pai — Mamãe disse. — Se bem que aquelas viagens para acampar eram um inferno. Nina, você nunca deve cantar diante de outras pessoas se elas não puderem sair dali.

— Ra! — Meredith exclamou. — Eu sabia que não era maluca. Você cantando era como ficar ouvindo um motor de dentista.

— Sério? Bem, David Cassidy me escreveu uma carta.

— A assinatura dele foi carimbada. — Meredith sorriu com o golpe final.

Do outro lado da mesa, Mamãe suspirou como se mal as estivesse escutando.

— Ele sempre prometia que me levaria ao Alasca. Vocês sabiam disso? Para ver de novo a Belye Nochi e a aurora boreal. É disso que mais lembro a respeito do Evan. Ele me salvou.

Ela ergueu os olhos subitamente, como se percebendo que havia mostrado algo de si mesma. Então, afastou a cadeira e levantou.

— Eu também sempre quis ir ao Alasca — disse Meredith. Ela não queria que a mãe saísse da mesa, não agora.

— Eu vou para meu quarto — Mamãe disse.

Meredith correu para segurar o braço dela.

— Aqui, Mamãe...

Mamãe puxou o braço.

— Eu não sou uma inválida.

Meredith ficou ali, olhando Mamãe sair da cozinha e desaparecer.

---

[18] Tenda típica dos índios lakota da América do Norte, de formato cônico, com estrutura de madeira e couro animal em volta (N.T.).

— Ela consegue mesmo me confundir.

— Você disse tudo, mana.

Naquela noite, Meredith e Nina ficaram acordadas até mais tarde, falando sobre o pai e trocando lembranças de infância. As duas tentavam, cada uma a seu modo, agarrar-se àquele dia, para celebrar realmente o aniversário dele. Depois, quando Meredith estava deitada sozinha na cama, começou o que sabia que seria um novo hábito em sua vida: falar com o pai nos momentos de silêncio. Talvez não conseguisse obter os conselhos dele, mas de alguma forma dizer as palavras em voz alta ajudava. Ela contou para ele sobre Jeff e sua confusão e a incapacidade de dizer o que o marido queria ouvir. E ela sabia o que o pai teria perguntado para ela. Era a mesma pergunta que Nina havia feito.

O que você quer?

Era algo em que ela não pensava seriamente havia anos. Tinha passado a última década pensando no que faria no jantar, onde as meninas deveriam estudar, como embalar maçãs para o mercado externo. Havia pensado em produção de frutas e escolha de faculdades, reparos em casa e como economizar para o ensino e os impostos.

Mas, durante o dia seguinte inteiro, enquanto tentava se concentrar no trabalho, a pergunta ficou retornando, até que por fim ela conseguiu uma espécie de resposta.

Não sabia exatamente o que queria, mas percebeu subitamente o que *não* queria. Estava cansada de correr demais, de se esconder por trás de uma agenda lotada e de fingir ter problemas que não existiam.

Depois do trabalho, ela atravessou a cidade até o prédio do Wenatchee World.

— Oi — ela disse da porta do escritório de Jeff.

Ele ergueu o rosto do jornal aberto sobre a mesa. Ela viu que ele não tinha dormido bem, e a camisa precisava ser lavada. A barba por fazer lhe dava uma aparência diferente, mais jovem, mais *hippie*; alguém que ela não conhecia.

Ele passou a mão pelo cabelo cor de areia.

— Meredith.

— Eu deveria ter vindo antes.

— Eu esperava que viesse.

— Você estava certo em partir. — Ela olhou pela janela, para os carros passando. — Precisamos descobrir para onde vamos a partir daqui.

— É isso que você veio me dizer?

Era? Mesmo agora ela não tinha certeza.

Ele levantou da mesa e veio até ela. Ela sentiu seu olhar no rosto, procurando algo em seus olhos.

— Porque não é isso que eu estava esperando escutar.

— Eu sei. — Ela odiava desapontá-lo, mas não poderia dar o que ele queria, apesar de saber que seria mais fácil dizer as palavras e ter sua vida de volta e pensar nas coisas mais tarde. — Desculpe, Jeff. Mas você mudou as coisas e me fez pensar. Pela primeira vez na vida, não quero fazer o que se espera. Não quero colocar a felicidade de todo mundo acima da minha própria. E agora não sei o que dizer para você.

— Você pode dizer que *não* me ama?

— Não.

Ele pensou nisso, sem chegar a franzir a testa.

— Certo. — Jeff sentou-se na beirada da mesa e ela sentiu a distância entre eles, subitamente, de uma forma que nunca sentira antes. — Maddy disse que você mandou um pacote com coisas de casa na semana passada.

— Jillian recebeu o dela uma semana antes.

Ele assentiu, olhando para ela.

— E o aniversário do seu pai?

— Eu o aguentei. Vou contar tudo para você algum dia. Tem uma história engraçada de Nina.

Algum dia.

Estava a ponto de perguntar a ele sobre o livro quando bateram na porta. Uma bela mulher jovem com cabelo loiro despenteado colocou a cabeça pela fresta da porta.

— Ainda está de pé a pizza com cerveja, Jeff? — ela perguntou, com os dedos ao redor da maçaneta da porta.

Jeff olhou para Meredith, que deu de ombros.

Pela primeira vez, ela imaginou o que ele estaria fazendo enquanto estavam separados. Nunca lhe ocorrera que ele poderia inventar uma nova vida, fazer novos amigos. A moça sorriu de forma um tanto brilhante demais e disse adeus com a voz firme. Fazendo um gesto rápido com a cabeça para a Miss Jornalismo Americano de jeans apertado e suéter com gola em V, Meredith saiu do escritório e dirigiu para casa. Lá, ela deu comida para os cachorros, pagou algumas contas e colocou roupas na máquina de lavar. O jantar foi uma tigela de granola, que comeu em pé diante da pia. Depois, ela ligou para as duas meninas e ouviu sobre as aulas que estavam tendo e os rapazes que achavam atraentes.

Foi Jillian que perguntou sobre Jeff.

— O que você quer dizer com como está Papai? — disse Meredith, balbuciando, percebendo tarde demais que havia sido uma pergunta inocente.

— Você sabe, as alergias dele. Ele estava tossindo muito ontem à noite.

— Ah, isso. Ele está bem.

— Você está estranha.

— Só estou ocupada, querida. — Meredith riu de forma nervosa. — Você sabe como é o negócio de maçãs nessa época do ano.

— O que isso tem a ver com Papai?

— Nada.

— Ah, bom. Diga que eu o amo, está bem?

A ironia daquilo não passou despercebida por Meredith.

— Claro.

Ela desligou o telefone e olhou pela janela da cozinha para a escuridão. Na parede a seu lado, o relógio da cozinha tiquetaqueava através dos minutos. Pela primeira vez, ela sentiu a verdade de sua situação: ela e Jeff estavam se separando. Separados. Distantes. Ela deveria ter percebido isso antes, é claro, mas de alguma forma não tinha realmente entendido isso até agora. Havia tantas coisas acontecendo em Belye Nochi que os problemas de seu casamento haviam ficado em segundo plano.

E subitamente ela não queria estar ali sozinha, não queria assistir a alguma *sitcom* e tentar se entreter.

— Vamos, bichinhos — ela disse, pegando o casaco —, vamos dar um passeio.

Dez minutos depois, estava em Belye Nochi. Acomodou os cachorros na varanda e entrou, chamando Nina.

Encontrou a mãe na sala, tricotando.

— Oi, Mamãe.

A mãe assentiu, mas não ergueu os olhos.

— Olá.

Meredith tentou não se sentir desapontada.

— Vou começar a empacotar novamente. Você precisa de alguma coisa? Você comeu?

— Estou bem. Nina fez jantar. Obrigada.

— Onde ela está?

— Saiu.

Meredith esperou por mais informações, que não recebeu, e disse:

— Estarei lá em cima se precisar de mim.

Arrastando caixas para cima, ela foi para o closet dos pais. O lado esquerdo era de Papai: uma fila de cardigás e camisas de golfe de cores brilhantes. Ela as tocou gentilmente, deixando os dedos deslizarem pelas mangas macias. Logo as roupas dele estariam empacotadas e seriam dadas, mas essa ideia era mais do que Meredith podia suportar no momento.

Então ela olhou para o lado de Mamãe. *Ali* era onde deveria começar.

Ela foi até a pilha de suéteres na prateleira acima dos vestidos. Pegando a pilha toda, colocou tudo no chão. Ajoelhando-se, começou a árdua tarefa de escolher, eliminar e dobrar. Estava tão concentrada no trabalho que mal notou a passagem do tempo e ficou surpresa quando escutou a voz de Nina.

— Você está confortável, Mamãe? — Nina disse.

Meredith foi até a porta do closet, abrindo-a só um pouquinho.

Mamãe estava na cama, com o abajur de seu lado aceso. O cabelo branco estava solto, passado por trás das orelhas.

— Estou cansada.

— Eu lhe dei tempo — disse Nina, sentando-se no chão diante da lareira negra apagada.

Meredith não se moveu; em vez disso, ela apagou a luz do closet e ficou onde estava.

Mamãe suspirou.

— Está bem — ela disse, apagando o abajur.

— *Belye nochi* — Mamãe disse, transformando as palavras em mágica líquida, subitamente cheias de paixão e mistério. — É a estação da luz no Reino das Neves, quando as fadas brilham em folhas verdes resplandecentes e arco-íris rodopiam pelo céu da noite. As luzes das ruas são acesas, mas

apenas para efeito decorativo, oásis dourados posicionados ao longo das ruas polidas embaixo delas, e, nos raros dias em que a chuva cai, tudo fica espelhado na luz.

Em um desses dias, Vera está limpando as estantes de vidro na grande câmara de manuscritos perdidos dos elfos. Ela pediu para realizar esse trabalho. O rumor é que às vezes os elfos aparecem para aqueles que acreditam neles, e Vera quer acreditar novamente.

Sozinha no salão dos manuscritos (nesses novos tempos perigosos, poucos estudiosos ousam inquirir sobre o passado), ela murmura uma canção que o pai lhe ensinou.

— A biblioteca deve ser silenciosa.

Vera se assusta com a voz e deixa cair o pano. A mulher diante dela parece uma personagem de histórias: alta e muito magra, com um nariz que parece um bico.

— Desculpe, madame. Ninguém nunca vem aqui. Eu pensei...

— Não faça isso. Nunca se sabe quem pode estar ouvindo.

Vera não sabe dizer se as palavras são um aviso ou uma reprimenda. Nos dias que correm, é difícil distinguir essas nuances.

— Novamente, eu me desculpo, madame.

— *Bom. Madame Dufours disse-me que um estudante da faculdade está requisitando sua assistência. O clérigo Nevin o enviou. Ajude-o, mas não se esqueça de suas tarefas.*

— *Sim, madame* — *Vera diz. Do lado de fora ela está calma, mas por dentro é como um cachorrinho pulando, pedindo para sair. O clérigo encontrou um estudante que a ensinará! Ela espera a bibliotecária sair e então recolhe seu material de limpeza.*

Movendo-se depressa demais (ela tenta ir mais devagar, mas não consegue; faz tanto tempo desde a última vez que se sentiu animada assim), ela mal toca no corrimão de madeira quando corre para baixo pelos degraus de mármore. Embaixo, o saguão principal da biblioteca é cheio de mesas e pessoas movendo-se entre elas. Uma fila serpenteia a partir do balcão da bibliotecária.

— *Veronika.* — *Ela escuta seu nome e se vira lentamente.*

Ele está com a aparência exatamente igual à de que ela recorda: com aquele cabelo dourado longo demais e todo cacheado. O queixo largo foi barbeado recentemente; uma pequena manchinha vermelha no pescoço testemunha que ele veio a toda pressa. Mas são os olhos verdes dele que a capturam novamente.

— *Sua Alteza* — *ela diz, tentando parecer casual.* — *Que bom vê-lo novamente. Quanto tempo faz?*

— *Não faça isso.*

— *Não fazer o quê?*

— *Você sabe o que aconteceu na Ponte Fontanka.*

O sorriso dela desaparece; ela tenta recuperá-lo. Não será novamente ingênua e boba. Não de novo.

— *Aquilo foi apenas uma noite. Anos atrás.*

— *Não foi uma noite comum, Vera.*

— *Por favor. Não me provoque, Sua Alteza.* — *Para seu horror, sua voz fraqueja um pouquinho.* — *E você nunca voltou.*

— *Você tinha 15 anos* — *ele disse.* — *Eu tinha 18.*

— *Sim* — *ela diz, franzindo as sobrancelhas. Ela ainda não compreende o que ele quer dizer.*

— *Eu estive esperando por você.*

PELA PRIMEIRA VEZ NA VIDA, Vera finge estar passando mal. Ela vai até a bibliotecária e declara ter dores horríveis no estômago e implora para receber permissão para ir mais cedo para casa.

É algo terrível de fazer, e perigoso. Se Mama souber disso, Vera terá problemas, tanto por mentir quanto pelos motivos que a levaram a mentir. E se Vera for vista nas ruas quando supostamente está doente?

Mas uma menina de sua idade não pode agir segundo o medo quando o amor está à mão.

Ainda assim, ela é esperta o bastante para ir direto para casa quando é liberada do trabalho. No bonde, fica junto da barra de metal, agarrando-se com força enquanto o carro avança e sacode. No apartamento, ela abre a porta lentamente e olha lá dentro.

A avó está diante do fogão, mexendo alguma coisa em um grande caldeirão negro.

— Você chegou cedo — ela diz, usando as costas da mão para afastar dos olhos o cabelo grisalho úmido.

O cheiro doce dos morangos fervendo enche o apartamento. Na mesa, há pelo menos uma dúzia de jarros de vidro esperando as tampas de metal colocadas ao lado.

— Não havia movimento na biblioteca — Vera diz, sentindo o rosto ficar vermelho com a mentira.

— Então você pode...

— Eu vou para o campo — Vera diz. Diante do olhar inquiridor da avó, ela acrescenta: — Vou pegar alguns pepinos e repolho.

— Ah. Está bem, então.

Vera fica ali por mais um momento, olhando para o perfil severo da avó. O vestido largo dela está esfarrapado na bainha e as meias estão desfiadas e cheias de buracos. Um lenço azul velho cobre o cabelo grisalho e frisado.

— Diga para a Mama que vou voltar mais tarde. Não vou estar em casa a tempo para o jantar, tenho certeza.

— Tenha cuidado — diz a avó. — Você é jovem... e filha dele. Não é bom ser notada.

Vera assente para esconder o rubor no rosto — novamente. Ela vai até o canto do apartamento, onde a velha bicicleta enferrujada delas fica apoiada na parede. Ela leva a bicicleta até a porta e sai do apartamento.

Ela nunca havia corrido tanto pelas ruas de seu amado Reino das Neves na bicicleta instável. Lágrimas tornam a visão desfocada e são carregadas para o cabelo que ondula. Quando as pessoas entram em sua frente, ela toca a campainha no guidom e passa zunindo ao lado deles. Durante todo o caminho até a cidade, ao longo do rio e por cima da ponte, ela pode sentir o bater rápido de seu coração e o nome dele fica se repetindo em sua cabeça.

Sasha. Sasha. Sasha.

Ele ficou esperando por ela, assim como ela ficou esperando por ele. Tamanha sorte parece impossível, um pouco de ouro encontrado na estrada poeirenta de sua vida. Na entrada com intrincados arabescos negros do Jardim de Verão, ela para e desce da bicicleta.

A beleza do jardim do castelo a impressiona. Contornado por água em três lados, o parque é um refúgio verde maravilhoso na cidade murada. O ar cheira a limas e pedra quente. Magníficas estátuas de mármore alinham-se pelas passagens bem cuidadas.

Ela faz o que planejaram: anda pela passagem levando a bicicleta do lado, tentando parecer calma, como se esse fosse um passeio normal de fim de tarde por um lugar para o qual camponeses raramente vão. Mas seu pulso está acelerado e os nervos parecem eletrificados.

E então ali está ele, parado ao lado de uma limeira, sorrindo para ela.

Ela erra um passo e tropeça, batendo na bicicleta. Ele está ao lado dela em um instante, segurando seu braço.

— Por aqui — ele diz, levando-a para um local profundo entre as árvores, onde ela vê que ele preparou um cobertor e uma cesta.

A princípio eles sentam-se de pernas cruzadas sobre a lã morna, os ombros tocando-se. Pelo caramanchão verde, ela pode ver a luz do sol pondo fogo na água e dourando uma estátua de mármore. Logo, ela sabe, as passagens estarão cheias de lordes e damas e amantes ansiosos por caminhar sob a luz morna de uma noite de junho.

— *O que você tem feito desde... a última vez que o vi?* — ela pergunta, não ousando olhar para ele. Ele esteve em seu coração por tanto tempo que é como se já o conhecesse, mas ela não o conhece. Ela não sabe o que dizer ou como dizer e, subitamente, está com medo de haver uma forma errada de avançar, um erro que, uma vez cometido, não possa ser desfeito.

— *Estou na faculdade clerical, estudando para ser um poeta.*

— *Mas você é um príncipe. E poesia é proibida.*

— *Não tenha medo, Vera. Não sou como seu pai. Eu tomo cuidado.*

— *Ele disse o mesmo para minha mãe.*

— *Olhe para mim* — Sasha diz calmamente, e Vera vira-se para ele.

É um beijo que, quando iniciado, nunca termina de verdade. Interrompido, sim. Pausado, certamente. Mas, daquele momento em diante, Vera vê toda a sua vida como estando a apenas um instante de beijá-lo novamente. Naquela noite no parque, eles começam a delicada tarefa de unir suas almas, criando um todo composto por suas duas metades separadas.

Vera conta para ele tudo que há para saber sobre ela e escuta extasiada a história da vida dele — *como foi ter nascido nas áreas selvagens do norte e ser deixado em um orfanato e depois ser encontrado por seus pais nobres. Sua história de privação e solidão faz com que ela o abrace mais e o beije mais desesperadamente e prometa amá-lo para sempre.*

Com isso, ele vira um pouco, até ficar bem ao lado dela, seus rostos próximos.

— *Eu vou amar você tanto assim, Vera* — ele diz.

Depois disso, não há mais nada a ser dito.

Eles andam de mãos dadas pelo pálido brilho púrpura do fim do dia. As estátuas de alabastro parecem cor-de-rosa nessa luz. Lá fora, na cidade, eles ficam no meio das pessoas novamente, estranhos que parecem amigos nessa noite branca, quando o vento soprando do rio sussurra entre as folhas. Luzes da aurora boreal dançam pelo céu em tons impossíveis.

No final da ponte, sob o poste de luz, eles param e olham um para o outro.

— *Venha amanhã à noite. Para o jantar* — ela diz. — *Quero que conheça minha família.*

— *E se elas não gostarem de mim?*

Não há hesitação na voz dele, nenhuma revelação do que sente, mas Vera vê o coração dele tão bem como se estivesse pulsando no recôncavo pálido de suas mãos. Ela ouve nele a dor de um garoto que foi abandonado e recuperado tanto tempo depois que o dano já fora causado.

— *Elas vão amar você, Sasha* — *ela diz, sentindo dessa vez como se fosse a mais velha dos dois.* — *Acredite.*

— *Dê-me mais um dia* — *ele diz.* — *Não conte para ninguém sobre nós. Por favor.*

— *Mas eu amo você.*

— *Mais um dia* — *ele diz novamente.*

Ela acha que não há nada de mais em concordar, apesar de ele estar sendo tolo. E, ainda assim, ela sorri diante da ideia de passar outra noite mágica como aquela, quando não há nada além deles dois. Ela certamente pode fingir mais uma vez que está doente.

— *Vou encontrar você amanhã à 1 hora. Mas não entre na biblioteca. Eu preciso do meu trabalho.*

— *Estarei esperando na ponte sobre o fosso do castelo. Quero mostrar algo muito especial para você.*

Vera o solta por fim e caminha pela rua, com sua bicicleta fazendo barulho ao lado. Subindo a escada, ela tenta não fazer barulho enquanto vai até o segundo andar e abre a porta. As velhas dobradiças rangem, a bicicleta produz ruídos.

A primeira coisa que ela percebe é o cheiro de fumaça. Então, vê a mãe, sentada à mesa, fumando um cigarro. Um cinzeiro transbordando está perto do cotovelo dela.

— *Mama!* — *Vera grita. A bicicleta cai batendo na parede.*

— *Psiu* — *a mãe diz com intensidade, olhando para a cama onde Vovó está roncando.*

Vera afasta a bicicleta e vai até a mesa. Ali não há luzes acesas, mas um brilho pálido ilumina a janela mesmo assim, dando a cada superfície dura na sala um aspecto suave; isso é especialmente verdade em relação ao rosto da mãe, que está contraído em uma expressão tensa de raiva.

— *E onde estão os legumes do jardim?*

— Ah! Eu bati em um banco com a bicicleta e caí na rua. Perdi tudo. — À medida que a mentira vai saindo, Vera se agarra nela. — E eu me machuquei. Ai, meu quadril está doendo muito. É por isso que demorei tanto. Eu tive que vir a pé.

A mãe olha para ela sem sorrir.

— Dezessete é jovem demais, Vera. Você ainda não está preparada para a vida... e o amor... como acha que está. E estamos em tempos perigosos.

— Você tinha 17 quando se apaixonou por Papa.

— Sim — a mãe diz, suspirando. É um som de derrota, como se já soubesse de tudo que aconteceu.

— Você faria tudo de novo, não faria? Amar Papa, é o que quero dizer.

A mãe se encolhe diante dessa palavra — amar.

— Não — a mãe diz suavemente. — Eu não o amaria novamente, não um poeta que se importa mais com suas preciosas palavras do que com a segurança de sua família. Não se eu soubesse como seria viver com um coração partido. — Ela apaga o cigarro. — Não. Essa é minha resposta.

— Mas...

— Eu sei que você não entende — a mãe diz, virando-se para o outro lado. — Espero que nunca entenda. Agora, venha para a cama, Vera. Deixe-me fingir que você ainda é minha menina inocente.

— Eu sou — Vera protesta.

A mãe olha para ela uma última vez e diz:

— Porém, não por muito tempo, eu acho. Pois você quer estar apaixonada.

— Você fala como se estar apaixonada fosse como pegar uma doença.

A mãe não diz nada, apenas sobe na cama estreita com Olga, que solta um ronco e joga o braço ao redor dela.

Vera quer fazer mais perguntas, explicar como se sente, mas ela vê que a mãe não está interessada. É por isso que Sasha pediu mais um dia? Ele sabia que Mama resistiria?

Ela escova os dentes e se veste para dormir, trançando o longo cabelo. Subindo na cama ao lado da mãe, ela se aproxima, encontrando calor nos braços dela.

— Tenha cuidado — a mãe sussurra no ouvido de Vera. — E não minta mais para mim.

15

NA MANHÃ SEGUINTE, VERA DESPERTA cedo o bastante para lavar o cabelo na pia da cozinha e escová-lo até secar.

— Aonde você vai? — Olga pergunta sonolenta da cama.

Vera leva um dedo aos lábios e faz um psiu.

A mãe ergue-se na cama em um cotovelo.

— Não precisa fazer psiu para sua irmã, Veronika. Posso sentir o cheiro da água de rosas que você colocou no cabelo.

Vera pensa em mentir para a mãe, talvez dizer que acontecerá algo importante na biblioteca, mas no fim apenas não diz nada.

A mãe afasta as cobertas ralas e levanta da cama estreita. Ela e Olga deslizam de lado como nadadoras sincronizadas e levantam juntas em suas camisolas brancas desgastadas.

— Traga seu jovem homem aqui no domingo — diz Mama. — Sua avó não vai estar aqui.

Vera lança os braços ao redor da mãe e a abraça com força. Então, como fizeram dia após dia por mais de um ano, as três tomam café da manhã e saem juntas.

Quando Mama vira na direção do armazém e se afasta, Olga emparelha com Vera.

— Me conte.

Vera passa o braço pelo da irmã.

— É o Príncipe Aleksandr. Sasha. Ele esteve esperando que eu crescesse e, agora que cresci, ele está apaixonado por mim.

— O príncipe — *Olga diz maravilhada.*

— Vou vê-lo outra vez esta noite. Então, diga para Mama que estou bem e que voltarei para casa quando puder. Não quero que ela fique preocupada.

— Ela vai ficar furiosa.

— Eu sei — *Vera diz.* — Mas o que posso fazer? Eu o amo, Olga.

Na esquina, Olga para.

— Você vai voltar para casa, não é?

— Eu prometo.

— Está bem, então. — *Olga lhe dá um beijo em cada face e segue pela rua na direção do trabalho dela, no museu.*

Vera pega um bonde na rua seguinte e segue nele por vários quarteirões. Está ocupada pensando em modos de escapar do trabalho mais cedo quando entra na biblioteca.

A bibliotecária está parada no magnífico saguão, com os braços cruzados e o pé direito batendo no chão de mármore impacientemente.

Vera para derrapando.

— Madame Plotkin. Lamento estar atrasada.

A bibliotecária olha para o relógio na parede.

— Sete minutos, para ser precisa.

— Sim, madame. — *Vera tenta parecer arrependida.*

— Você foi vista ontem no parque.

— Ah, não. Madame Plotkin, por favor...

— Você dá valor a este emprego?

— Sim, madame. Muito. É preciso dele. Por causa da minha família.

— Se eu fosse a filha de um criminoso do reino, eu teria cuidado.

— Sim, madame. Claro.

A bibliotecária esfrega as mãos, como se tivessem de alguma forma ficado sujas durante a conversa e agora quer que fiquem limpas.

— Bom. Agora vá para o depósito e abra as caixas que estão lá.

— Sim, madame.

— Espero que não vá ficar doente de novo.

PRESA O DIA INTEIRO NO DEPÓSITO ESCURO E POEIRENTO, *Vera sente-se como um passarinho batendo contra o vidro de uma janela. Ela imagina Sasha na ponte, esperando primeiro com um sorriso e depois com a testa franzida.*

Está desesperada para correr daquele silêncio opressivo, mas seu medo é maior do que o amor, ao que parece, e isso a deixa ainda mais envergonhada. Ela é a filha de um criminoso do reino e não pode chamar atenção. Sua família mal consegue sobreviver do jeito que as coisas estão. A perda desse emprego as arruinaria. E por isso ela fica, movendo-se de forma errática às vezes, fazendo com que os colegas chamem sua atenção, dizendo para tomar cuidado e ser mais atenta.

Hora após hora ela olha para o relógio, desejando que o ponteiro preto avance... avance... que faça seu clique e vá adiante, e, quando o turno por fim termina, ela larga o que está fazendo e corre para a porta, emergindo na luz brilhante da escadaria. Ela desce correndo os largos degraus de mármore. No saguão, força-se a diminuir a velocidade e move-se da forma mais casual que consegue, atravessando o chão de mármore.

Lá fora, ela corre: desce os degraus, atravessa a rua até a parada do bonde. Quando o carro para ruidosamente diante dela, ela se espreme entre a multidão; há tanta gente a bordo que ela nem precisa segurar a barra para não cair.

Na parada, ela salta e corre até a esquina.

A rua está vazia.

Então, ela vê as carruagens negras. Duas delas, estacionadas diante da ponte do fosso.

Vera não se move. É como se seus joelhos tivessem esquecido como se dobrar, e ela precisa de toda a sua coragem para continuar respirando. Eles sabem que ela é uma camponesa, esgueirando-se para se encontrar com alguém da família real, e estão à sua espera. Ou talvez estejam atrás dele. Nem um príncipe está seguro e fora do alcance do Cavaleiro Negro.

— Você não deveria estar aqui.

Ela escuta as palavras como se viessem de longe, e então alguém a segura, fazendo com que se vire.

Um homem está a seu lado.

— Eles o levaram. Você não deveria estar aqui.

— Mas...

— Nada de mas. Quem quer que ele fosse para você, é melhor esquecê-lo e ir para casa.

— Mas eu o amo.

O rosto carnudo do homem se suaviza em simpatia.

— Esqueça o seu jovem homem — ele diz —, e vá.

Ele a empurra com uma firmeza que a faz tropeçar de lado. Nos velhos tempos, um empurrão assim teria sido rude, mas agora é uma gentileza, um lembrete de que esse não é o lugar para parar e chorar.

— Obrigada, senhor — ela diz baixinho, enquanto se afasta dele.

Lágrimas correm de seus olhos e ela as enxuga de forma relutante. Seus olhos queimam quando ergue o rosto e vê a ondulante forma de um homem jovem parado sob um poste de luz apagado.

Dali, parece ser Sasha, com seu cabelo desarranjado, sorriso largo e queixo forte. Enquanto acelera o passo, ela diz a si mesma que está sendo tola, que ele se foi e de agora em diante todo homem jovem, loiro e atraente a fará lembrar de Sasha; ainda assim, mais ou menos um metro adiante, ela começa a correr. Um segundo antes de ele começar a se mover em sua direção, ela sabe que não há engano. É mesmo seu

Sasha, agora correndo para ela.

— Vera — ele diz, tomando-a nos braços, beijando-a tão profundamente que ela tem que afastá-lo para respirar.

— Você esperou o dia todo?

— Um dia? Você acha que isso é tudo que eu esperaria? — Ele a puxa para mais perto.

Juntos, eles atravessam a rua. O Teatro Real ergue-se do concreto como um bolo confeitado, verde e branco, o teto adornado com uma lira e uma coroa. Uma fila começa a se formar na calçada. Vera vê como as pessoas estão lindamente vestidas — com peles e joias e luvas brancas.

Sasha a leva por uma porta nos fundos do teatro. Ela o segue por um corredor escuro e sobem uma escada.

Eles contornam o salão principal e entram em um camarote privativo.

Vera olha pelo salão escuro, maravilhada, vendo a decoração dourada e os candelabros de cristal. Nesse camarote — obviamente sendo reformado —, mesmo as ferramentas e a desordem não conseguem esconder os detalhes esplêndidos. As cadeiras da frente do camarote são forradas com pelos de cabra angorá; no fundo, escondido na sombra, há um sofá otomano forrado de veludo empoeirado. Parada ao lado dele, ela escuta as portas abrirem embaixo, e pessoas bem vestidas fluem para dentro do teatro. O zumbido das conversas ergue-se até as traves.

Ela vira-se para Sasha.

— Temos que ir. Este não é meu lugar.

Ele a puxa para as sombras. Cortinas de veludo azul amortecem seus corpos quando se encostam na parede.

— Este camarote não será usado esta noite. Se alguém vier, vamos dizer que somos da limpeza. Ali estão nossas vassouras.

As luzes piscam e o silêncio cai sobre o auditório. No palco, as cortinas em dourado e veludo azul se separam.

A música começa com uma nota alta, pura, e então segue com uma sinfonia de sons radiantes. Vera nunca ouviu nada tão belo quanto essa música, e então Galina Ulanova — a grande bailarina — salta pelo palco como um raio de luz.

Vera se inclina para a frente, tão perto das cortinas de veludo do camarote quanto ousa ficar.

Por mais de duas horas, ela não se move, enquanto a história romântica de uma princesa sequestrada por um mago malvado é contada no palco com recursos complexos. E, quando o mago é posto de joelhos pelo amor, Vera se descobre chorando por ele, por ela, por tudo aquilo...

— Meu papa teria amado isso — ela diz para Sasha.

Ele remove as lágrimas dela com beijos e a puxa até o sofá otomano.

Ela sabe o que acontecerá agora; pode sentir a paixão ganhando vida entre eles, desenrolando-se.

Ela o deseja, não há dúvida quanto a isso; ela o quer da forma como uma mulher deseja um homem, mas não sabe muito mais que isso. Ele deita nas almofadas macias, puxando-a por cima dele, e, quando desliza a mão sob o vestido dela, Vera começa a tremer um pouco. É como se seu corpo estivesse assumindo o controle.

— Você tem certeza disso, Verushka? — ele sussurra, e a ternura a faz sorrir, a faz lembrar de que é Sasha quem está ali. Ela ficará em segurança.

— Eu tenho certeza.

***

No domingo, Vera é uma garota inteiramente diferente. *Ou talvez seja uma mulher. Ela e Sasha se encontraram em segredo depois do trabalho todos os dias desde o balé, e Vera está tão profundamente apaixonada por ele que sabe que nunca haverá um jeito de escapar. Ele é sua outra metade.*

— Você tem certeza disso, Verushka? — ele pergunta agora para ela, enquanto sobem a escada até a entrada do prédio.

Ela segura a mão dele. Ela tem certeza o bastante para os dois.

— Sim. — Mas, quando vai abrir a porta, ele segura sua mão.

— Case comigo — ele diz, e ela ri para ele.

— Claro que sim.

Então, ela o beija e o convida para entrar.

O saguão está escuro e cheio de caixas. Eles sobem a escada estreita até o segundo andar. Na porta do apartamento, ela para tempo bastante para beijá-lo e depois abre a porta com um floreio.

O pequeno apartamento é pobre, mas absolutamente limpo. A mãe cozinhou o dia inteiro, e o cheiro doce e saboroso de cozido de javali enche o lugar.

— *Este é meu príncipe, Mama.*

A mãe e Olga estão do outro lado da mesa, as mãos nas cadeiras diante delas. Ambas estão usando belas blusas floridas com saias simples de algodão. Mama colocou um par de meias puídas e saltos para o evento; Olga está apenas de meias.

Vera as vê pelos olhos de Sasha; sua mãe cansada, outrora bonita, e Olga, que está pronta para se tornar mulher. A irmã sorri de forma tão ampla que seus dentes grandes e tortos parecem de tamanho normal.

A mãe dá a volta na mesa.

— *Temos ouvido muito a seu respeito, Sua Alteza. Bem-vindo à nossa casa.*

Olga dá uma risadinha.

— *Eu ouvi* mesmo *muito sobre você. Ela não consegue parar de falar.*

Sasha sorri.

— *Ela também fala de vocês para mim.*

— *Essa é nossa Veronika* — *Mama diz.* — *Ela é uma faladeira.* — *Ela dá a mão para Sasha com firmeza, olhando para ele. Quando parece satisfeita, solta a mão dele e vai até o* samovar. — *Você quer chá?*

— *Sim. Obrigado* — *ele diz.*

— *Você está frequentando a faculdade clerical, pelo que sei* — *Mama diz para ele.* — *Isso deve ser excitante.*

— *Sim. E também sou um bom aluno. Darei um bom marido.*

A mãe se encolhe um pouco mas serve o chá.

— *E o que está estudando?*

— *Espero um dia ser um poeta como o seu marido.*

Vera vê tudo como que em câmera lenta: a mãe ouve as palavras terríveis juntas — poeta *e* marido — *e tropeça. A frágil xícara na mão dela cai lenta-*

mente, quebrando no chão. O chá quente atinge os tornozelos nus de Vera e ela grita de dor.

— *Um poeta?* — *a mãe diz com calma, como se nada tivesse acontecido, como se um valioso bem da família não estivesse quebrado a seus pés.* — *Eu achava que ser príncipe já era perigoso o bastante, mas isso...*

Vera não pode acreditar que esqueceu de avisar Sasha sobre isso.

— *Não se preocupe, Mama. Você não precisa...*

— *Você diz que a ama* — *Mama diz, ignorando Vera* —, *e eu posso ver em seus olhos que é verdade, mas você vai fazer isso com ela assim mesmo, essa coisa perigosa que já aconteceu com nossa família.*

— *Eu não colocaria Vera em perigo de jeito nenhum* — *ele diz em tom solene.*

— *O pai dela me prometeu a mesma coisa* — *Mama diz amargamente. O simples uso da palavra* — pai — *demonstra como está furiosa.*

— *Você não pode nos impedir de nos casarmos* — *Vera diz.*

Dessa vez, a mãe olha para ela, e naqueles olhos que ama está um desapontamento quase insuportável.

Vera sente sua confiança se esvaindo. Dez minutos antes, seria inconcebível ter que escolher entre Sasha e sua família... mas não foi exatamente isso que sua mãe fez? Mama escolheu seu poeta e fugiu com ele, apenas para voltar para casa coberta de vergonha. E agora, apesar de a mãe a aceitar, resta pouco amor entre elas.

Vera coloca a mão no ventre, esfregando sem pensar. Nos meses que virão, ela se lembrará desse momento e compreenderá que essa criança já estava crescendo dentro dela, mas tudo que sabe então é que está com medo de...

— Pare. — Meredith empurrou a porta do *closet* e saiu de seu esconderijo. O quarto estava azul por causa do luar e, dentro dele, Mamãe parecia exausta. Os ombros começavam a parecer arredondados e seus dedos longos e pálidos começavam a tremer. Pior que isso, porém, era a palidez súbita de sua pele. Meredith foi até a cama. — Você está bem?

— Você estava escutando — Mamãe disse.

— Eu estava escutando — ela admitiu.

— Por quê? — Mamãe perguntou.

Meredith deu de ombros. Honestamente, não tinha resposta para essa pergunta.

— Bem. Você está certa — Mamãe disse, encostando novamente nos travesseiros —, eu *estou* cansada.

Foi a primeira vez em *toda* a sua vida que Mamãe admitiu que Meredith estava certa sobre alguma coisa.

— Nina e eu vamos cuidar de você. Não se preocupe. — Ela quase estendeu a mão para acariciar o cabelo da mãe, como teria feito com uma criança que parecesse tão cansada quanto Mamãe parecia estar. Quase.

Nina foi até a cama e parou ao lado de Meredith.

— Mas quem vai cuidar de vocês duas? — Mamãe perguntou.

Meredith começou a responder e parou. Ela percebeu de repente que aquela tinha sido a coisa mais carinhosa que a mãe jamais dissera para elas e que, além disso, a pergunta fazia sentido.

Mamãe um dia não estaria mais ali, e restariam apenas elas duas. Elas cuidariam uma da outra?

— ENTÃO — NINA DISSE QUANDO SAÍRAM para o corredor —, quanto da história você tem ouvido em segredo?

Meredith continuou andando.

— Tudo.

Nina a seguiu, descendo a escada.

— Então, *por que* você tinha que interromper?

Na cozinha, Meredith colocou água para ferver.

— Não entendo você — ela disse para a irmã. — Quando olha por um pedaço de vidro do tamanho da unha do meu polegar, você vê tudo.

— Sim. E daí?

— Esta noite você ficou sentada no quarto com Mamãe todo aquele tempo e não notou que ela estava desmontando bem na sua frente.

— É o que você diz.

Meredith quase riu da falta de maturidade daquilo.

— Olhe. Foi um dia difícil e posso ver que você está querendo brigar, mas eu definitivamente não quero. Então, vou para casa, para minha cama vazia, e vou tentar dormir a noite toda. Amanhã, falamos sobre o conto de fadas, está bem?

— Certo. Mas nós *vamos* falar sobre isso.

— Está bem.

Bem depois de Meredith ter saído, Nina continuava sozinha na cozinha, pensando a respeito do que a irmã havia dito.

Você não notou que ela estava desmontando bem na sua frente.

Era verdade.

Se Mamãe estava desmontando, Nina não conseguira notar. Poderia dizer que a culpa era de seu interesse pelas palavras, ou da escuridão no quarto, mas nenhuma das respostas era bem verdade.

Muito tempo atrás, Nina desenvolvera uma habilidade de sobrevivência bem simples: ela aprendera como olhar para a mãe sem realmente vê-la. Ainda se lembrava do dia em que isso começara.

Estava com 11 anos e ainda tentava amar a mãe de uma forma incondicional. Seu time de *softball*[19] tinha conseguido uma vaga no torneio estadual, que ocorreria em Spokane.

Ela ficara muito animada, passara semanas incapaz de falar de qualquer outra coisa. Ela pensara, de forma ingênua: *Agora ela vai ter orgulho de mim.*

Nina ficou surpresa com o quanto doía lembrar daquele dia. Papai estava no trabalho, por isso Mamãe é quem ficara encarregada de colocá-la no trem. Elas foram junto com Mary Kay e a mãe dela, as duas falando muito animadas o

---

[19] Jogo similar ao beisebol, com as mesmas regras, mas no qual a bola tem que ser lançada forçosamente de baixo para cima, fazendo um arco, portanto, com muito menos força do que no lançamento normal do beisebol (N.T.).

tempo todo até a estação. Ali, Nina lembrava de ter colocado a mochila no ombro e corrido adiante para um bando de meninas, rindo o tempo todo, gritando:

— Tchau, Mamãe. Eu vou acenar do trem!

Assim que embarcaram, todas as meninas se amontoaram nas janelas para acenar para seus pais, que permaneciam na plataforma.

Nina olhara pela multidão, mas sua mãe não estava lá, não ficara na plataforma com os outros pais.

Ela não se importara em dar um aceno de adeus para Nina.

Dali em diante, Nina ficara como Meredith, uma filha só do pai, que raramente falava com a mãe e não esperava nada dela.

Fora a única forma que encontrara de se proteger da dor.

Agora, precisava repensar esse hábito. Durante anos, olhava para a mãe sem realmente vê-la, assim como ela e Meredith haviam ouvido o conto de fadas sem realmente escutar. Elas haviam assumido que era apenas ficção; elas ouviam apenas para escutar a voz da mãe.

Mas agora era tudo diferente.

Para cumprir a promessa que fizera para o pai, Nina tinha que fazer mais que isso: precisava ver de verdade e ouvir de verdade. Cada palavra.

16

Nina passou uma noite agitada sonhando com reis aprisionados, carruagens negras puxadas por dragões e meninas que cortavam seus dedos por amor.

Por fim, ela parou de tentar dormir e acendeu o abajur. Esfregando os olhos, pegou um bloco de papel e uma caneta.

O conto de fadas estava mudando.

Ou talvez *mudar* não fosse a palavra certa; tinham chegado a um lugar na história que era novo para Nina. Nunca ouvira essa parte da camponesa e do príncipe. Tinha certeza disso.

E era tão detalhada. Não era de jeito nenhum como um conto de fadas. Mas o que significava?

Ela escreveu: *PONTE FONTANKA (real).*

Encostou a caneta no papel e repassou a história ponto por ponto.

CIGARROS (desde quando mães de contos de fada fumam? E por que a mãe não fumava nas partes anteriores?).

GALINA ALGUMA COISA. Não conseguia de jeito nenhum lembrar o sobrenome da bailarina, mas era um nome russo.

Com isso, Nina desceu para o escritório do pai e ligou o computador. A conexão discada levou um século para começar a funcionar, mas, quando a internet apareceu, ela fez buscas sobre cada palavra em que conseguiu pensar. Estava tão entretida nessa busca de informações que, quando Meredith tocou seu ombro, ela deu um pulo.

— Parece que você não dormiu — disse Meredith.

Nina inclinou-se para a frente e ergueu o rosto para a irmã.

— É o conto de fadas. Ontem à noite foi tudo novo, não é? Nunca ouvimos essa parte.

— Foi novo — disse Meredith.

— Você notou as mudanças? A mãe de Vera está fumando cigarros e com meias puídas e Vera está grávida antes de se casar. Quando foi que já se ouviu coisas assim em um conto de fadas? E ouça só: Galina Ulanova foi uma grande bailarina russa que dançou no Teatro Mariinsky, em Leningrado, até 1944 e, depois disso, ela esteve no Bolshoi, em Moscou. E veja esta foto: o teatro tem uma lira e uma coroa na cúpula.

Meredith se aproximou.

— Foi exatamente assim que Mamãe descreveu.

Nina digitou um pouco e uma imagem de um Jardim de Verão apareceu.

— Real. Em São Petersburgo, que era Leningrado. E Petrogrado antes disso. Os russos mudam os nomes de tudo junto com seus líderes. Está vendo as estátuas de mármore e as limeiras? E aqui está o Cavaleiro de Bronze; é uma estátua famosa do parque. Não é um cavalo alado, mas um homem a cavalo.

Meredith ficou pensativa.

— Encontrei uma carta nos arquivos de Papai. De um professor no Alasca. Ele estava perguntando para Mamãe sobre Leningrado.

— Mesmo? — Nina se aproximou do computador, os dedos voando sobre o teclado enquanto voltava para a biografia de Galina Ulanova. — Ela foi muito famosa em Leningrado nos anos 1930. Se soubéssemos a idade da Mamãe, ajudaria... — Ela digitou *LENINGRADO 1930*.

Na tela, apareceu uma lista de *links*. Um deles — *GRANDE TERROR* — chamou a atenção de Nina e ela clicou nele.

— Ouça isto — ela disse quando o site foi carregado. — Os anos 1930 foram caracterizados pelo Grande Expurgo do Partido Comunista, no qual a polícia secreta de Stalin prendeu camponeses, políticos oponentes que pareciam ser radicais, minorias étnicas e artistas. Foi um período de ampla vigilância policial, prisões no meio da noite, "julgamentos" secretos, anos de aprisionamento e execuções.

— Peruas negras — Meredith disse, inclinando-se sobre o ombro da irmã para ler o resto. — A polícia secreta buscava as pessoas em peruas negras.

— O Cavaleiro Negro é Stalin — Nina disse. — É uma história dentro de uma história.

Ela se afastou do computador. Ela e Meredith se entreolharam e, naquele olhar, Nina sentiu a primeira conexão de verdade da vida delas.

— Uma parte é real — Nina disse baixinho, sentindo um arrepio percorrer seu corpo.

— E você notou que ela não tem estado louca ou confusa ultimamente? — Meredith disse.

— Não desde que começou a contar a história. Você acha que Papai sabia que contar a ajudaria?

— Não sei — Meredith disse. — Não sei o que isso significa.

— Eu também não sei, mas nós vamos descobrir.

No trabalho, Meredith tinha problemas para se concentrar nos detalhes de qualquer coisa que fizesse. Não achava que alguém houvesse notado, mas, durante as reuniões ou quando ouvia alguém falar ao telefone ou ler um relató-rio, descobria sua atenção vagando de volta para Mamãe e o conto de fadas.

No final do dia, ela estava tão obcecada quanto a irmã. Depois do trabalho, foi direto para casa dar comida para os cachorros e então seguiu para Belye Nochi e o escritório do pai.

Ajoelhada no carpete grosso diante das caixas, encontrou aquela com o rótulo ARQUIVOS, VÁRIOS 1970-1980 e a abriu.

Começaria por ali. Nina podia ser ótima em pesquisa investigativa, mas Meredith sabia onde olhar dentro de casa. Se havia uma carta sobre o passado de Mamãe, poderia haver outras. Ou talvez outros documentos, escondidos em arquivos com o nome errado, ou fotos, deixadas com outras recordações.

Encontrou o arquivo rotulado ВераПеТроВНа e o puxou para fora. Relendo a carta do professor Adamovich, ela foi até o computador e se sen-tou. O único *link* que apareceu na busca apontava para o site da Universidade do Alasca.

Ela pegou o telefone e discou. Precisou tentar várias vezes, mas por fim con-seguiu ser transferida para o Departamento de Estudos Russos e uma mulher com sotaque forte atendeu.

— Posso ajudar?

— Espero que sim — Meredith disse. — Estou tentando achar o professor Vasily Adamovich.

— Ah, puxa — a mulher disse —, aí está um nome que faz tempo que não escuto. O dr. Adamovich se aposentou há mais ou menos 12 anos. Mas ele teve vários ótimos sucessores e eu ficaria feliz em colocá-la em contato com alguém.

— Eu realmente preciso falar com o dr. Adamovich. Tenho algumas pergun-tas sobre as pesquisas dele.

— Ah, bem, então acho que não posso ajudar.

— Como faço para entrar em contato diretamente com o professor?

— Infelizmente, não tenho uma resposta para isso.

— Obrigada — Meredith disse, desapontada. Desligou o telefone e foi até a janela do estúdio. Dali, podia ver um canto do jardim de inverno. Naquele fim de dia quente, o banco estava vazio, mas, enquanto Meredith olhava, Mamãe cruzou o quintal, envolta em um cobertor grande, uma parte do tecido xadrez arrastando-se na grama atrás dela. No jardim, ela tocou cada uma das colunas de cobre; então, sentou-se e pegou o tricô na sacola.

Daquele ângulo, Meredith podia ver como Mamãe mantinha o queixo enfiado no corpo e como os ombros estavam curvados. Qualquer que fosse a força requerida para a mãe ficar tão empertigada e altiva diante das filhas, não fazia nada disso lá no jardim. Era como se estivesse falando consigo mesma ou com as flores ou... com Papai. Ela sempre sentara lá sozinha, falando, ou isso era algo novo; mais um subproduto do amor perdido?

— Ela está lá fora de novo? — Nina perguntou, entrando no escritório. Seu cabelo estava molhado e ela vestia um grande robe marrom e chinelos de pele de ovelha.

— Claro. — Meredith pegou a carta e a mostrou para Nina. — Liguei para a universidade. O professor está aposentado e a mulher com quem falei não sabia mais nada.

Nina leu a carta.

— Então, sabemos com certeza que Mamãe tem uma conexão com Leningrado e que o conto de fadas se passa lá e pelo menos parte dele provavelmente é verdadeira. Então, vou fazer a pergunta óbvia: ela é a Vera?

Ali estava a pergunta de 64 mil dólares.

— Se Mamãe é Vera, ela ficou grávida com 17 anos. Então, ou ela teve um aborto ou...

— Nós temos um irmão ou irmã em algum lugar.

Meredith olhou pela janela para a mulher que ficava sempre tão sozinha. Seria possível que ela tivesse mesmo outro filho, e possivelmente netos, em algum lugar? Seria possível que os tivesse deixado e nunca voltado?

Não. Nem mesmo Anya Whitson era assim insensível.

Meredith havia sofrido dois abortos em final de gravidez nos anos seguintes aos do nascimento das filhas. Passara por um período terrível lidando com as perdas. Havia frequentado um psicólogo durante algum tempo e conversara com Jeff até ficar óbvio que ficar ouvindo era muito doloroso para ele. No fim, ela não tinha ninguém — nenhum amigo ou membro da família — com quem confidenciar. Nas poucas vezes que mencionara aquilo, as pessoas diziam imediatamente que precisava "ver alguém", sem compreender que tudo que ela realmente queria era lembrar de seus filhos.

A única pessoa com quem nunca houvera interação sobre isso fora sua mãe.

Certamente, nenhuma mulher que houvesse passado pela perda de um filho, fosse no útero ou no mundo, poderia ver outra mulher passar por um sofrimento similar sem dizer nada.

— Acho que não — ela disse por fim. — E Vera obviamente enxerga cores. — Quando criança, Meredith havia lido em uma enciclopédia sobre o defeito de nascença da mãe. Acromatopsia, era como se chamava, e uma coisa era certa: sua mãe jamais havia visto um céu lavanda. — Talvez Mamãe seja Olga.

— Ou quem sabe Vera seja a mãe de Mamãe. É improvável, mas, como não sabemos a idade dela, tudo é possível. Isso seria bem algo dela, nos contar a história dela de uma forma que não consigamos saber quem *ela* é. Como vamos descobrir?

— Vamos fazer com que ela continue contando. Eu vou examinar esta casa de alto a baixo. Se tiver algo para achar, eu vou achar.

— Obrigada, Mere — Nina disse. — É bom estarmos juntas nisso.

DURANTE O JANTAR, NAQUELA NOITE, Nina se concentrou em agir normalmente. Bebeu a vodca, comeu a comida e fez sua tentativa de puxar conversa, mas durante o tempo todo estava observando Mamãe atentamente, pensando: *Quem é você?* Foi preciso muita força de vontade para não fazer a pergunta em voz alta. Como jornalista, ela sabia que o momento era essencial e que nunca se fazia uma pergunta até ter uma ideia muito boa de qual seria a resposta. Ela podia ver que Meredith se encontrava na mesma batalha.

Então, quando Mamãe levantou depois da comida e disse:

— Estou cansada demais para contar histórias hoje. — Nina quase ficou aliviada.

Ela ajudou a irmã com os pratos (certo, Meredith fez a maior parte do trabalho), então deu um beijo de boa-noite nela e foi para o estúdio de Papai, onde entrou na internet. Fez buscas sobre tudo que conseguiu achar sobre Leningrado nos anos 1920 e 1930. Conseguiu muitas informações, mas nenhuma resposta concreta.

Por fim, quando eram quase 2 da manhã, ela se afastou do computador, aborrecida. Tinha páginas e mais páginas de informações, mas nenhum *fato* — além do que já sabia. A história transcorria em Leningrado no governo de Stalin.

Ela bateu com a caneta na mesa e falou em voz alta, repassando o que sabia. Outra vez. Enquanto o fazia, foi olhando as anotações.

O envelope do professor apareceu debaixo do bloco. Ela pegou a carta e a leu outra vez, estudando-a palavra por palavra. *Leningrado. Participação. Estudo. Compreensão.*

A mãe sabia alguma coisa, tinha visto ou experimentado alguma coisa importante o bastante para ter sido o assunto de uma pesquisa universitária.

Mas o quê?

O Grande Terror? A repressão de Stalin? Ou talvez ela tivesse sido uma primeira bailarina...

— Pare com isso — Nina disse em voz alta, afastando a atenção da pasta de arquivo verde empoeirada com o rótulo BepaПeTpoBHa. Então, olhou para a carta. — O que você queria saber dela, Vasily Adamovich?

Foi quando ela viu, no momento em que disse o nome dele em voz alta.

Nina se endireitou.

Estava na assinatura dele.

Quando ele assinara o nome, Vasily, a primeira letra parecia um *B*.

O coração de Nina batia acelerado quando pegou o arquivo. Havia um espaço depois do *a*? Poderiam ser um primeiro e segundo nomes? Ela separou a palavra na segunda letra maiúscula e ficou com *Bepa*.

Vepa.

Fez uma pesquisa na internet sobre o alfabeto russo e comparou as letras. Вepa era Vera.

Vera.

Então, traduziu o resto das letras. ПеТроВНа.

Petrovna.

Um pouco mais de pesquisa e ela compreendeu os nomes russos. Primeiro vinha o nome, depois o patronímico — uma identificação masculina ou feminina do pai — e por fim o sobrenome. Então, aquele arquivo continha dois de três nomes — *ovna* era o sufixo para filha. Vera Petrovna significava *Vera, filha de Petyr.*

Nina encostou na cadeira, sentindo o surto de adrenalina que sempre vinha quando descobria um ponto-chave de uma história. Vera era uma pessoa real. Real o bastante para colocar seu nome em um arquivo e importante o suficiente para conservar esse arquivo por 20 anos.

Aquilo não era uma resposta completa; não respondia à grande pergunta sobre a identidade de Mamãe e, infelizmente, sem um sobrenome, ela não podia localizar mais nada on-line. O estudo na universidade poderia ser sobre Vera, e Mamãe poderia tê-la conhecido ou saber algo sobre ela. Ou, claro, ela poderia ser Vera. Ou Olga. Essas respostas, Nina teria que encontrar em outro lugar.

Esse Vasily Adamovich — Vasily, filho de Adam — sabia qual era a conexão entre Mamãe e Vera, e essa conexão era importante o bastante para ela ter sido incluída no estudo.

E, com isso, Nina formulou um plano.

17

Às 5h47, Meredith saiu para sua corrida. Os cachorros foram com ela, competindo ansiosamente por atenção.

Às 7 horas, ela estava no pomar andando entre as fileiras de árvores com o capataz, verificando o progresso das novas frutas, notando os danos causados pela geada e conferindo o trabalho manual dos trabalhadores de embalar as maçás, e às 10 horas encontrava-se à sua mesa, lendo projeções de colheita.

Mas tudo em que realmente pensava era o conto de fadas.

Eu vou perguntar diretamente: você é Vera?

Essa ideia era como um botão de maçã; ela florescia, crescia e ganhava corpo. Parecia impossível que algo que ouvira sua vida inteira e julgara irrelevante pudesse ter algum valor; era como descobrir que a pintura em cima de sua lareira era um Van Gogh do começo da carreira.

Mas era verdade; havia escutado as palavras durante anos e apenas as aceitara como vinham, sem questionar, sem nunca olhar mais profundamente. Talvez todas as crianças façam isso com as histórias da família. Quanto mais se ouve uma coisa, menos se questiona a veracidade dela.

Ela colocou de lado os relatórios da colheita e voltou-se para o computador. Durante a hora seguinte, fez pesquisas aleatórias. Leningrado, Stalin, Vera, Olga (se estivesse procurando noivas russas por encomenda, os nomes teriam rendido muitos resultados), Ponte Fontanka, Grande Terror. Estátua do Cavaleiro de Bronze. Não apareceu nada que valesse a pena, apenas mais e mais evidências de que o pano de fundo do conto de fadas era muito real.

Encontrou uma longa lista de trabalhos publicados de Vasily Adamovich. Ele escrevera a respeito de praticamente todas as facetas da vida russa e soviética, dos primeiros dias até a revolução bolchevique, passando pelo assassinato dos Romanovs à subida de Stalin ao poder e os terrores do regime dele e o ataque de Hitler durante a Segunda Guerra Mundial, até a tragédia de Chernobyl. O que quer que tivesse acontecido com os russos no século XX, ele havia estudado.

— Isso é uma grande ajuda — Meredith murmurou, batendo com a caneta na mesa. Quando acrescentou *APOSENTADORIA* à busca, conseguiu um *link* inesperado de um artigo de jornal.

O dr. Vasily Adamovich, ex-professor de estudos russos na Universidade do Alasca em Anchorage, sofreu um ataque cardíaco ontem em sua casa em Juneau. O dr. Adamovich é bem conhecido nos círculos acadêmicos por sua prolífica produção de publicações, mas os amigos dizem que é um exímio jardineiro e pode contar aterrorizantes histórias de fantasmas. Ele se aposentou da função de professor em 1989 e frequentemente trabalhava como voluntário na biblioteca do bairro. Ele está se recuperando em um hospital local.

Meredith pegou o telefone e ligou para Informações. O operador não tinha número algum de um Vasily Adamovich em Juneau. Desapontada, Meredith pediu o número da biblioteca.

— Há vários números, madame.

— Me dê todos — Meredith respondeu, tomando nota dos números de todos os ramais.

Ela teve sorte na quarta tentativa.

— Alô — ela disse —, estou tentando achar o dr. Vasily Adamovich.

— Ah, Vasya — disse a mulher que atendeu. — Ninguém liga atrás dele já faz um bom tempo, fico triste em dizer.

— É essa a biblioteca onde era voluntário?

— Dois dias por semana, durante anos. As crianças do colegial o adoravam.

— Estou tentando falar com ele...

— Pelo que sei, ele está em um asilo.

— Você sabe qual?

— Não. Desculpe. Eu não sei, mas... você é amiga de Vasya?

— A minha mãe é. Mas ela não fala com ele faz muito tempo.

— Você sabe que ele teve um ataque cardíaco?

— Sim.

— Ouvi dizer que ele estava bem mal. Tem problemas para falar.

— Certo, entendi. Obrigada por sua ajuda. — Meredith desligou o telefone.

Quase ao mesmo tempo, Daisy entrou no escritório.

— Tem um problema no depósito. Nada urgente, mas Hector quer que você passe por lá hoje, se puder. Se estiver muito ocupada, tenho certeza de que posso resolver isso.

— Sim — disse Meredith, olhando para suas anotações. — Por que você não faz isso?

— E depois eu vou para o Taiti.

— Sim, está bem.

— Usando o cartão de crédito da empresa.

— Muito bem. Obrigada, Daisy.

Daisy cruzou a sala com passos rápidos e sentou-se na cadeira diante da mesa de Meredith.

— Chega — ela disse, cruzando os braços. — Comece a falar.

Meredith ergueu os olhos. Honestamente, estava surpresa. Do que Daisy estava falando?

— O quê?

— Eu acabo de dizer que vou para o Taiti com tudo pago pela empresa. Meredith riu.

— Então você está dizendo que eu não estava escutando.

— O que está acontecendo?

Meredith levou em conta que Daisy estava com os Whitson há mais tempo que qualquer um podia lembrar.

— Quando você conheceu minha mãe?

As sobrancelhas muito desenhadas de Daisy ergueram-se em surpresa.

— Bem, vamos ver. Acho que eu tinha uns 10 anos. Talvez um pouco antes. Todos só falavam nisso, pelo que me lembro. Porque seu pai estava saindo com Sally Herman quando foi para guerra e, quando voltou, estava casado.

— Então, ele mal a conhecia.

— Não sei nada sobre isso. Ele estava apaixonado por ela, isso eu sei. Minha mãe disse que jamais vira um homem tão apaixonado. Ela cuidou de Anya.

— Quem?

— Minha mãe. Durante a maior parte daquele primeiro ano.

Meredith franziu a testa.

— Como assim?

— Ela estava doente. Você sabe disso, não sabe? Acho que ela ficou de cama por um ano mais ou menos e depois um dia ela simplesmente ficou melhor. Minha mãe achava que as duas seriam grandes amigas, mas você conhece Anya.

Era uma novidade surpreendente, realmente. Surpreendente. Não lembrava de sua mãe jamais ter tido sequer uma tosse.

— Doente como? O que havia de errado com ela? — O que faria uma mulher passar um ano de cama? E o que a fizera ficar subitamente melhor?

— Eu não sei. Mamãe nunca falou muito sobre isso.

— Obrigada, Daisy. — Ela observou Daisy sair da sala e fechar a porta.

Durante as horas seguintes, Meredith conseguiu trabalhar um pouco, mas na maior parte do tempo ficou pensando na mãe.

Às 5 horas, ela desistiu de fingir e saiu do escritório, dizendo:

— Daisy, você pode ver aquilo no depósito para mim? Se for um problema de verdade, estarei com meu celular. Caso contrário, estou encerrando o dia.

— Pode deixar, Meredith.

Dez minutos depois, quando entrou na casa da mãe, o cheiro de pão assando a recebeu. Encontrou a mãe na cozinha, envolta em seu grande avental branco, as mãos cobertas de farinha. Como sempre acontecia, estava fazendo pão suficiente para um exército. O *freezer* da garagem estava cheio de pão.

— Oi, mãe.

— Você chegou mais cedo.

— Não tinha muito que fazer no trabalho, então pensei em vir e empacotar mais coisas para você. Quando estiver tudo organizado, nós podemos decidir o que pode ser doado.

— Se você quiser.

— Você se importa com o que eu guardar ou der?

— Não.

Meredith não sabia o que dizer diante disso. Como *nada* tinha qualquer importância para sua mãe?

— Onde está Nina?

— Ela disse que tinha algo para fazer e saiu faz uma hora. Ela levou a câmera, então...

— Ninguém sabe quando vai voltar.

— Certo. — Mamãe voltou a trabalhar na massa de pão.

Meredith ficou ali mais um minuto, depois, tirou o casaco e o pendurou no cabide junto da porta. Começou a caminhar pelo corredor na direção do escritório do pai, mas, quando estava chegando à porta, ela parou. Da última vez em que empacotara as coisas da mãe, não havia procurado nada, não tinha examinado os bolsos nem verificado o fundo das gavetas.

Olhando para a cozinha, vendo Mamãe ainda amassando o pão, ela foi até a escada e subiu para o quarto principal.

No closet largo e longo, as roupas pretas e cinzentas da mãe ficavam alinhadas na parede da direita. Quase tudo era de lã merina macia ou algodão escovado.

Golas olímpicas e cardigás e saias longas e calças macias. Não havia nada de roupas da moda ou chamativas ou caras.

Roupas nas quais se esconder.

O pensamento veio do nada, deixando-a surpresa. Era o tipo de coisa que teria notado antes, se tivesse olhado de verdade.

A mãe contar a história estava mudando a percepção delas sobre tudo, umas das outras acima de tudo. Com esse pensamento veio outro: o que na peça — e também no conto de fadas — havia incomodado tanto Mamãe anos atrás? Antes, Meredith sempre assumira que a raiva de sua mãe com a peça de Natal tinha sido dirigida para ela, que, ao escolher usar o conto de fadas como peça de Natal, Meredith havia feito algo errado.

Mas e se não tivesse sido nada com Meredith ou Nina? E se tivesse sido uma reação ao ver as palavras sendo interpretadas?

Ela entrou mais no closet e parou diante das gavetas da mãe. Tinha alguma coisa ali que revelaria sua mãe. Tinha que haver. Que mulher não guardava alguma lembrança escondida de olhares estranhos?

Ela puxou a porta até restar apenas uma fresta por onde via o quarto e voltou para as gavetas, abrindo a de cima. Roupas de baixo bem dobradas em três pilhas: branco, cinza e preto. Meias organizadas em bolas de cores similares. Vários sutiás preenchiam um canto. Ela deixou os dedos passarem por baixo de tudo, sentindo a madeira macia do fundo da gaveta. A culpa a fez produzir uma careta, mas ela seguiu adiante na segunda e terceira gavetas, com os suéteres e camisetas bem dobrados. Ajoelhando, abriu a gaveta de baixo. Lá dentro, encontrou pijamas, camisolas e um maiô fora de moda.

Nada escondido. Nada mais pessoal do que roupas de baixo.

Desapontada e vagamente embaraçada, ela fechou a gaveta. Com um suspiro, levantou-se e ficou ali olhando as roupas. Estava tudo perfeitamente arrumado. Cada coisa em seu lugar; a única coisa que não se encaixava era um casaco de lã azul-safira pendurado bem no fundo do closet.

Meredith lembrava desse casaco. Tinha visto a mãe usá-lo uma vez — em uma apresentação do *Quebra-Nozes*, quando ela e Nina eram garotinhas. Papai tinha insistido, rodeando Mamãe e beijando-a, e dissera:

— Vamos, Anya, só dessa vez...

Ela foi até lá e pegou o casaco. Era de casimira azul brilhante em um estilo clássico dos anos 1940, com ombros largos, cintura marcada e mangas largas com punhos. Botões de Lucite com entalhes intrincados iam da garganta até a cintura. Meredith o vestiu; o forro de seda era deliciosamente macio. Surpreendentemente, serviu muito bem; vesti-lo a fez imaginar a mãe quando jovem em vez de velha, como uma menina sorridente que adoraria a sensação da casimira.

Mas ela não o adorara, ela raramente o usara. Mas também não o jogara fora, e, para uma mulher que guardava tão poucas lembranças, era algo estranho para conservar. A menos que não quisesse ferir os sentimentos de Papai. Deveria ter sido bem caro.

Ela colocou as mãos nos bolsos e virou para se olhar no espelho de corpo inteiro atrás da porta.

Foi quando sentiu alguma coisa escondida, costurada no forro por trás do bolso.

Ela tateou, procurando a beirada do compartimento secreto, e trabalhou nele por alguns segundos, por fim extraindo uma foto muito maltratada, toda amassada, em preto e branco, de duas crianças.

Meredith olhou para aquilo. A imagem estava levemente desfocada e o papel tão amassado e com veios que era difícil enxergar claramente, mas eram duas crianças, com cerca de 3 ou 4 anos, de mãos dadas. A princípio, pensou que eram ela e Nina, mas então notou os casacos pesados antiquados e as botas que as crianças vestiam. Virou a foto e encontrou uma palavra escrita em tinta preta. Em russo.

— Meredith!

Ela ruborizou, sentindo culpa, antes de perceber que era Nina, subindo a escada de forma tão ruidosa quanto um elefante. Meredith abriu a porta do closet.

— Estou aqui, Nina.

Vestindo calça cáqui, uma camiseta combinando e botas para caminhar, Nina parecia pronta para partir em um safári.

— Aí está você, eu estava procu...

Meredith a segurou pelo braço e a puxou para dentro do closet.

— Mamãe ainda está na cozinha?

— Assando pão suficiente para alimentar um país do terceiro mundo? Sim. Por quê?

— Veja o que achei — Meredith disse, mostrando a foto.

— Você andou bisbilhotando? Boa garota. Eu não achava que você fosse capaz disso.

— Dê uma olhada.

Nina pegou a fotografia, olhou para ela por um longo tempo e então a virou. Depois de olhar rapidamente a palavra, ela a virou novamente.

— Vera e Olga?

O coração de Meredith pareceu perder uma batida.

— Você acha?

— Não sei dizer se são meninos ou meninas. Mas esta aqui meio que parece com a Mamãe, você não acha?

— Honestamente? Não sei. O que devemos fazer com isso?

Nina pensou a respeito.

— Deixe aqui por enquanto. Vamos levá-la conosco. Mais cedo ou mais tarde, perguntamos para Mamãe.

— Ela vai saber que eu bisbilhotei nas coisas dela.

— Não. Ela vai saber que *eu* bisbilhotei. Eu sou a jornalista, lembra? Bisbilhotar é o que os jornalistas fazem.

— E descobri por Daisy que Mamãe estava doente quando casou com Papai. Eles acharam que ela morreria.

— Mamãe? Doente? Ela nunca teve sequer um resfriado.

— Eu sei. Estranho, não é?

— Agora estou certa quanto ao meu plano — Nina disse.

— Que plano?

— Eu conto no jantar. Mamãe precisa ouvir também. Vamos, vamos lá.

Nina esperou com óbvia impaciência enquanto Meredith colocava a foto de volta em seu esconderijo e pendurava o casaco no lugar. Juntas, foram para baixo.

A mãe estava sentada à mesa da cozinha. No balcão, havia dúzias de pães e vários sacos do restaurante chinês local.

Nina levou a comida chinesa para a mesa, posicionando as caixas de papelão ao redor da garrafa e dos copos de vodca.

— Posso tomar vinho em vez da vodca? — Meredith perguntou.

— Claro — Nina disse sem prestar muita atenção, servindo duas doses em vez de três.

— Você parece... animada — Mamãe disse.

— Como um pequinês quando chega o carteiro — Meredith acrescentou quando a irmã sentou-se do outro lado da mesa.

— Eu tenho uma surpresa — Nina disse, erguendo seu copo. — Saúde.

— O que é? — Meredith perguntou.

— Primeiro, nós falamos — Nina disse, pegando o bife com brócolis e servindo uma porção em seu prato. — Vamos ver. O que mais gosto de fazer é viajar. Adoro paixão em todos os formatos. E meu namorado quer que a gente se estabeleça.

Meredith ficou chocada com a última parte. Era algo tão íntimo. Para sua surpresa, ela decidiu se equiparar.

— Eu adoro comprar coisas bonitas. Eu costumava sonhar em abrir uma cadeia de lojas de presentes Belye Nochi, e... meu marido me deixou.

Mamãe ergueu o rosto com uma expressão de surpresa, mas não disse nada.

— Eu não sei o que vai acontecer — Meredith disse por fim. — Acho que talvez o amor possa simplesmente... dissolver.

— Não, não pode — a mãe disse.

— Então, como...

— Você aguenta — a mãe disse. — Até suas mãos estarem sangrando, e ainda assim você não larga.

— Foi assim que você e Papai permaneceram felizes por tanto tempo? — Nina perguntou.

Mamãe pegou a colher para servir o *chow mein*[20].

— Claro que é disso que estou falando.

— Sua vez — Nina disse para Mamãe.

---

[20] Prato chinês com macarrão salteado, podendo levar vários vegetais, ovos, carne, camarão ou outros ingredientes (N.T.).

Meredith poderia ter chutado a irmã. Pela primeira vez, estavam *conversando* de verdade com a mãe e Nina queria voltar ao jogo.

Mamãe olhou para a comida em seu prato.

— O que mais gosto de fazer é cozinhar. Adoro a sensação de um fogo em uma noite fria. E... — Ela fez uma pausa.

Meredith percebeu que estava se inclinando para frente.

— E... eu tenho medo de várias coisas. — Ela pegou o garfo e começou a comer.

Meredith recuou, impressionada. Era impossível imaginar a mãe com medo de coisa alguma, mas ainda assim ela revelara isso, então devia ser verdade. Ela queria perguntar: *O que a deixa com medo?*, mas não teve coragem.

— Está na hora da minha surpresa — Nina disse, sorrindo. — Nós vamos para o Alasca.

Meredith ergueu as sobrancelhas.

— Nós quem?

— Você, eu e Mamãe. — Ela tirou três passagens do bolso. — Em um navio de cruzeiro.

Meredith estava chocada demais para dizer qualquer coisa. Sabia que deveria protestar, dizer que precisava trabalhar, que os cachorros não podiam ficar sozinhos — qualquer coisa —, mas a verdade é que *queria* ir. Queria se afastar do pomar e do escritório e da conversa que tivera com Jeff. Daisy poderia cuidar do armazém.

Mamãe ergueu os olhos lentamente. Seu rosto estava pálido; os olhos azuis pareciam queimar através da palidez.

— Você vai me levar ao Alasca? Por quê?

— Você disse que era seu sonho — Nina disse com simplicidade. Meredith poderia beijá-la. Havia tanta gentileza na voz da irmã. — E você também disse, Mere.

— Mas... — Mamãe falou, balançando a cabeça.

— Nós precisamos disso — Nina disse —, nós três. Precisamos estar juntas e eu quero que Mamãe veja o Alasca.

— Em troca do resto da história — Mamãe disse.

Uma pausa desconfortável caiu sobre a mesa.

— Sim. Nós queremos ouvir todo o... conto de fadas, Mamãe, mas isso é outra coisa. Eu vi seu rosto quando disse que sempre sonhou em ir ao Alasca. Você *sonhou* com essa viagem. Deixe que Meredith e eu a levemos.

Mamãe levantou e foi até as portas francesas da sala de jantar. Ali, olhou para o jardim de inverno, que agora estava todo florido.

— Quando partimos?

NA MANHÃ SEGUINTE, NINA ESTAVA parada junto da cerca, com a câmera nas mãos, observando os trabalhadores entrarem na propriedade. Mulheres foram para o barracão, onde empacotariam maçãs do estoque frio para serem enviadas para o mundo todo; em alguns meses, Nina sabia, elas estariam ocupadas separando o produto da colheita segundo a qualidade. Ao longo das fileiras, trabalhadores em jeans desbotados, muitos com cabelos negros, subiam e desciam nas escadas sob os galhos, embrulhando com cuidado as maçãs incipientes para protegê-las de insetos e dos elementos.

Ela estava a ponto de voltar para dentro de casa quando um carro azul sujo parou diante da garagem. A porta do motorista abriu. Tudo que Nina viu foi o cabelo negro com estrias prateadas e começou a correr até ele.

— Danny! — ela gritou, lançando-se nos braços dele com tanta força que ele deu dois passos para trás e colidiu com o carro, mas ainda assim a segurou.

— Você não é uma mulher fácil de encontrar, Nina Whitson.

Sorrindo, ela o pegou pela mão.

— Você conseguiu. Venha, deixe-me mostrar o lugar para você.

Com um orgulho inesperado, ela mostrou para ele o pomar que o pai amara. De vez em quando, contava lembranças do passado; mas, principalmente, falou-lhe sobre a história que a mãe estava contando.

Por fim, ela disse:

— Por que você está aqui?

Ele sorriu para ela.

— Vamos antes cuidar de outras coisas. Onde fica seu quarto?

— No segundo andar.

— Droga — ele disse —, você vai me fazer trabalhar para valer.

— Eu vou fazer valer a pena. Prometo — ela disse, bcijando a orelha dele. Ele a carregou escada acima até o quarto de infância dela.

— Animadora de torcida, é? — ele disse, olhando para o pompom vermelho e branco empoeirado, largado em um canto. — Como é que nunca fiquei sabendo disso?

Ela começou a desabotoar a camisa dele. As mãos dela estavam frenéticas enquanto o despiam. A antecipação do contato com ele era uma tortura deliciosa e, quando estavam os dois nus na cama, ele começou a acariciá-la com um ardor que se igualava ao dela. Sentia-se em chamas com o desejo por ele, não havia outro jeito de descrever. E, quando atingiu o orgasmo, foi tão intenso que parecia que estava se quebrando em pedaços.

Depois, ele girou, apoiando o corpo em um cotovelo, e olhou para ela. O rosto dele estava profundamente bronzeado e marcado, as rugas nos olhos como pequenos cortes brancos de faca. O cabelo havia levantado voo enquanto faziam amor, transformado em dúzias de asas negras cacheadas. Ele sorria, mas havia algo contido ali, e a expressão dos olhos era quase de tristeza.

— Você perguntou por que estou aqui.

— Dê a uma garota uma chance de respirar, está bem?

— Você está respirando — ele disse calmamente. Com essas três palavras, e a expressão dos olhos dele, ela entendeu tudo.

— Certo — ela disse, e dessa vez teve que se forçar a olhar para ele. — Por que está aqui?

— Eu estava em Atlanta. De lá, é só um pulinho.

— Atlanta? — ela disse, mas sabia o que ficava em Atlanta. Todo jornalista sabia.

— CNN. Eles me ofereceram meu próprio programa. Histórias pelo mundo contadas com profundidade. — Ele sorriu. — Estou cansado, Neens. Estive vagando pelo mundo durante décadas, minha perna ruim dói o tempo todo e estou cansado de tentar me manter no nível do pessoal de vinte anos. Mas, acima de tudo... estou cansado de estar sempre tão sozinho. Eu não me importaria de andar pelo mundo se tivesse um lugar para onde voltar.

— Parabéns — ela disse de forma neutra.

— Case comigo — ele disse, e a sinceridade nos olhos azuis dele a fizeram querer chorar. Ela pensou, de forma absurda: *Eu devia ter tirado mais fotos dele.*

— Se eu responder sim — ela disse, tocando o rosto dele, sentindo a nada familiar maciez da face —, você vai esquecer a CNN e ficar na África comigo? Ou talvez possamos ir para o Oriente Médio ou para a Malásia? Eu poderia dizer, em uma sexta-feira: *Eu quero uma boa comida tailandesa,* e nós subiríamos em um avião?

— Já fizemos isso tudo, amor.

— E o que eu faria em Atlanta? Aprenderia a fazer a torta de pêssego perfeita e receberia você em casa com um copo de uísque?

— Qual é, Neens, eu sei quem você é.

— Sabe mesmo? — Nina sentiu como se subitamente estivesse caindo. O estômago doía, os olhos ardiam. Como poderia dizer sim... como poderia dizer não? Ela amava esse homem. Disso, estava certa. Mas e o resto? Estabelecer-se? Uma casa na cidade ou um lugar nos subúrbios? Um endereço permanente? Como poderia lidar com isso? A única vida que sempre quisera era a que tinha agora. Ela simplesmente não podia criar raízes — isso era para homens como seu pai e mulheres como sua irmã, que gostavam que o chão onde pisavam fosse plano. E, se Danny realmente amasse Nina, ele saberia disso.

— Venha para Atlanta comigo no fim de semana. Vamos conversar com algumas pessoas, ver o que há disponível para você. Você é uma fotojornalista de renome mundial, puxa vida. Eles vão rastejar implorando para lhe darem um trabalho. Vamos, amor, nos dê uma chance.

— Eu vou para o Alasca com Mamãe e Meredith.

— Eu trago você de volta para a viagem, eu juro.

— Mas... o conto de fadas... eu tenho que fazer mais pesquisas. Não posso simplesmente abandonar a história. Talvez em duas semanas, quando tudo terminar...

Danny se afastou dela.

— Sempre haverá outra história para ir atrás, não é, Neens?

— Isso não é justo. Estamos falando da história da minha família, da promessa que fiz para meu pai. Você não pode me pedir para abandonar isso.

— E foi isso o que pedi?

— Você sabe o que estou querendo dizer.

— Porque acho que eu a pedi em casamento e não ouvi uma resposta.

— Preciso de mais tempo.

Ele se inclinou e a beijou; dessa vez, foi um beijo lento, macio e triste. E, quando ele a tomou nos braços e fizeram amor novamente, ela descobriu algo novo, algo que não sabia antes: sexo podia significar muitas coisas; uma delas era um adeus.

MEREDITH NÃO SAÍA DE FÉRIAS SEM JEFF e as meninas havia muito tempo. Enquanto fazia e refazia a mala, descobriu seu entusiasmo com a viagem crescendo como uma bola de neve. Sempre quisera ir ao Alasca.

Então, por que nunca tinha ido?

A pergunta, quando lhe ocorreu, a fez parar de arrumar a bagagem. Ela olhou para a mala aberta sobre a cama, mas, em vez de ver a malha branca bem dobrada, o que viu foi a paisagem branca de sua própria vida.

Era sempre ela quem organizava as férias da família, mas sempre deixava que um dos outros escolhesse o destino. Jillian quisera conhecer o Grand Canyon, então tinham ido acampar lá no verão; Maddy sempre fora uma Tiki-Girl, e duas férias da família no Havaí haviam cimentado esse apelido; e Jeff adorava esquiar, então iam ao Sun Valley todos os anos.

Mas nunca tinham ido para o norte até o Alasca.

Por que não? Por que Meredith sempre estivera tão pronta a pôr de lado sua própria felicidade? Ela pensara que haveria tempo para essas escolhas depois, que, se pusesse as crianças na frente durante 19 anos, depois poderia mudar o curso e ser aquela que importava. Tão fácil quanto mudar de faixa em uma avenida. Mas não havia sido assim, pelo menos não para ela. Havia perdido demais de si mesma criando as filhas para simplesmente voltar a ser quem era antes.

Olhando ao redor por seu quarto, havia lembranças por todos os lados, pedaços da vida que vivera — fotos da família, projetos de arte que as meninas realizaram ao longo dos anos, suvenires que ela e Jeff compraram juntos. Ali, junto da cama, estava uma fotografia que ela via todo dia da vida e ainda assim jamais observara de verdade em anos. Na foto, ela e Jeff estavam jovens — crianças, na verdade —, um casal recém-casado com uma menininha careca de olhos brilhantes entre eles. O cabelo de Jeff estava comprido e loiro, da cor do trigo, soprado pelo vento sobre o rosto bronzeado. E o sorriso no rosto dele era de tirar o fôlego com toda a sua honestidade.

Ela é nós, ele havia dito para Meredith naquele dia, tantos anos atrás, enquanto seguravam a filha, Jillian, entre eles. *O melhor de nós.*

E, subitamente, o pensamento de perdê-lo era mais do que podia suportar. Ela pegou a chave do carro e foi até o trabalho dele, mas, chegando lá, quando olhou para ele, percebeu que tinha um medo igual de perder a si mesma.

— Eu queria lembrar você de que vamos partir amanhã — ela disse depois do que deve ter sido o silêncio mais longo do mundo.

— Eu sei disso.

— Você vai ficar na casa, não é? As meninas vão ligar para você todo dia, eu acho. Elas têm certeza de que você não pode sobreviver sem mim.

— E você acha que elas estão erradas?

Ele estava próximo, tão próximo que ela poderia tocá-lo com um esforço mínimo. De súbito, teve vontade de fazer isso, mas se controlou.

— E estão?

— Quando você voltar para casa, nós conversamos.

— E se... — As palavras escaparam de sua boca antes que ela sequer percebesse que diria alguma coisa.

— E se o quê?

— E se mesmo quando voltar eu não souber o que dizer? — ela disse por fim.

— Depois de 20 anos?

— Passou tão depressa.

— É uma pergunta, Mere. Você me ama?

Uma pergunta.

Como era possível que toda a sua vida adulta afunilasse nisso?

À medida que o silêncio se expandia, ele pegou uma foto emoldurada sobre a mesa.

— Isso é para você — ele disse.

Ela olhou para a foto, sentindo as lágrimas surgindo. Era a fotografia do casamento deles. Ele a mantivera na mesa de trabalho por todos esses anos.

— Você não quer mais que fique na sua mesa?

— Não é por isso que estou dando para você.

Ele tocou o rosto dela com uma gentileza que de alguma forma comunicou mais do que 20 anos de vida em comum, de conhecer um ao outro, de paixão e amor e dos desapontamentos que vêm com as duas coisas, e ela soube que ele lhe dera a foto para que se lembrasse disso.

Ela ergueu os olhos para ele.

— Eu nunca contei para você que queria ir ao Alasca. Acho que teve muitas coisas que eu não disse. — Ela podia ver, pela forma como ele a olhava, que entendia, e subitamente lembrou-se de como ele a conhecia bem. Ele estivera a seu lado ao longo da graduação, do nascimento das filhas e da morte do pai. Ele fora a testemunha primária da maior parte de sua vida. Quando havia parado de falar com ele sobre seus sonhos? E por quê?

— Eu queria que você tivesse dito.

— Sim. Eu também.

— As palavras importam, eu acho — ele disse por fim. — Talvez seu pai soubesse disso o tempo todo.

Meredith assentiu. Como era possível que sua vida inteira fosse destilada nessa verdade tão simples? As palavras importam. Sua vida fora definida por coisas ditas e não ditas, e agora seu casamento era ameaçado pelo silêncio.

— Ela não é quem nós pensávamos que fosse, Jeff. Minha mãe, quero dizer. Às vezes, quando ela está nos contando a história, é como... eu não sei. Ela se converte em outra mulher. Eu quase tenho medo de descobrir a verdade, mas não posso parar. Tenho que saber quem ela é. Talvez depois eu consiga saber quem eu sou.

Ele assentiu e se aproximou. Inclinando-se, ele a beijou no rosto.

— Boa viagem, Mere. Espero que encontre o que está procurando.

18

Era um daqueles raros dias de um azul cristalino no centro de Seattle, quando o Monte Rainier dominava o horizonte da cidade. O litoral estava vazio nesse começo de estação; logo, porém, as lojas de suvenires e os restaurantes de frutos do mar ao longo dessa rua estariam cheios de turistas. Mas agora a cidade pertencia aos locais.

Meredith olhou para o imenso navio de cruzeiro ancorado no Píer 66. Dúzias de passageiros passavam pelo terminal e se alinhavam para a partida.

— Vocês estão prontas? — Nina perguntou, pendurando a mochila em um ombro.

— Não entendo como você consegue viajar com tão pouca coisa — Meredith disse, arrastando a mala atrás de si enquanto caminhavam até o funcionário parado junto das portas de saída. Elas entregaram a bagagem e foram para a prancha de embarque. Quando chegaram ali, Mamãe parou de súbito. Meredith quase colidiu com ela.

— Mãe? Você está bem?

Mamãe fechou o casaco de lã preta e colarinho alto a seu redor e olhou para o navio.

— Mãe? — Meredith disse outra vez.

Nina tocou o ombro da mãe.

— Você cruzou o Atlântico de navio, não foi? — ela disse gentilmente.

— Com seu pai — Mamãe disse. — Não lembro muito da viagem, exceto esta parte. Embarcar. Partir.

— Você ficou doente — Meredith disse.

Mamãe ficou surpresa.

— Sim.

— Por quê? — Nina perguntou. — O que estava errado com você?

— Agora, não, Nina. — Mamãe reposicionou a alça da bolsa no ombro. — Bem. Vamos encontrar nossos quartos.

No alto da prancha, um homem de uniforme conferiu os documentos delas e as levou para as cabines, uma ao lado da outra.

— Vocês têm lugares no primeiro turno do jantar. Aqui está o número da mesa. Sua bagagem será trazida para as cabines. Serviremos o coquetel na proa enquanto saímos do porto.

— Coquetel? — Nina disse. — Estamos nessa. Vamos, senhoras.

— Encontro vocês lá — Mamãe disse. — Preciso de um momento para me organizar.

— Está bem — Nina disse —, mas não demore demais. Precisamos comemorar.

Meredith seguiu Nina pelo interior resplandecente em borgonha e azul até a proa arredondada do navio. Havia centenas de pessoas no convés, reunidas ao redor da piscina e nos parapeitos. Garçons de uniformes brancos e pretos carregavam drinques reluzentes com guarda-chuvas em bandejas prateadas brilhantes. Em uma área perto de uma bancada com comida, havia uma banda de *maria-chi*[21] tocando.

---

[21] Grupo musical típico do estado de Jalisco, no México, composto por instrumentos de corda e eventualmente metais (N.T.).

Meredith apoiou-se no parapeito e tomou um golinho da sua bebida.

— Você vai me contar sobre ele?

— Quem?

— Danny.

— Ah.

— Ele é um tesão, aliás, e voou até lá só para ver você. Por que ele não ficou por lá?

Atrás delas, o apito do navio soou. As pessoas ao redor bateram palmas e comemoraram enquanto o navio imenso se afastava do porto. Mamãe não estava à vista. Grande surpresa.

— Ele queria que eu mudasse para Atlanta para nos estabelecermos.

— Você não parece muito animada com isso.

— Eu, me estabelecer? Eu não apenas amo minha carreira, eu vivo para isso. E, falando sério, casamento não é para mim. Por que simplesmente não podemos dizer que vamos continuar nos amando e viajar até precisarmos de cadeira de rodas?

Até um mês atrás, Meredith responderia com clichês, diria para Nina que o amor era a única coisa que importava na vida e que Nina estava chegando a uma idade em que deveria iniciar uma família, mas havia aprendido uma ou duas coisinhas nos meses desde a morte de Papai. Cada escolha mudava a estrada pela qual se seguia e era fácil demais terminar indo na direção errada. Às vezes, se estabelecer podia ser apenas desistir.

— Eu admiro isso em você, Neens. Você tem uma paixão e a segue. Você não se curva para os outros.

— O amor basta? E se eu o amar mas não puder ficar parada em um lugar? E se eu nunca quiser uma cerca branca e um bando de crianças correndo em volta?

— É tudo uma questão de escolhas, Neens. Ninguém pode dizer o que é certo para você.

— Se tivesse que fazer tudo de novo, você ainda escolheria Jeff, mesmo com tudo que aconteceu?

Meredith não havia pensado nisso, mas a resposta veio sem problemas. De alguma forma, era mais fácil admitir ali, com nada além de estranhos e água ao redor.

— Eu casaria com ele outra vez.

Nina passou o braço ao redor dela.

— Sim — ela disse —, mas você ainda pensa que não sabe o que quer.

— Eu te odeio — Meredith disse.

Nina deu um aperto no ombro dela.

— Não, não odeia. Você me ama.

Meredith sorriu.

— Acho que amo sim.

A MAÎTRE AS LEVOU ATÉ UMA MESA JUNTO de uma janela imensa. Pelo vidro, viam-se quilômetros de oceano vazio, o topo das ondas iluminadas pelo sol que se punha. Quando ocuparam seus lugares, Mamãe sorriu para a *maître* e agradeceu a ela.

Meredith ficou tão surpresa com o calor no sorriso de Mamãe que chegou a fazer uma pausa. Durante anos, havia tomado conta da mãe, encaixando essa tarefa entre todas as outras em sua agenda apertada. Por causa disso, ela raramente olhara de verdade para Mamãe; havia se movido ao redor e além dela quando ia a caminho de Papai. Mesmo nos últimos meses, quando fora tão comum estarem apenas elas duas, houvera poucos momentos de conexão honesta. Ela sabia que a mãe era distante e gelada, e era assim que a via.

Mas a mulher que acabara de sorrir era completamente diferente disso. Segredos dentro de segredos. Era isso que descobririam nessa viagem? Que a mãe delas era como uma daquelas preciosas bonecas russas? E, se fosse, chegariam a ver de verdade aquela guardada mais lá dentro?

Entregando cardápios para elas, a *maître* disse:

— Tenham um bom jantar. — E se afastou.

Quando o garçom chegou, alguns minutos depois, nenhuma delas havia dito nada.

— Nós todas precisamos de bebidas — Nina disse. — Vodca. Russa. A melhor que você tiver.

— De jeito nenhum — Meredith disse. — Eu não vou beber vodca pura nas minhas férias. — Ela sorriu para o garçom. — Eu quero um daiquiri de morango, por favor.

Nina sorriu.

— Está bem. Eu quero uma dose pura de vodca e uma margarita com gelo. E muito sal.

— A vodca e um cálice de vinho — Mamãe disse.

— E a reunião dos AA vai começar — Meredith disse.

Surpreendentemente, Mamãe sorriu.

— A nós — Nina disse quando as bebidas chegaram. — A Meredith, Nina e Anya Whitson. Juntas, talvez, pela primeira vez.

Mamãe se encolheu e Meredith percebeu que ela não olhou para as filhas, nem mesmo quando tocaram seus copos.

Meredith descobriu-se observando Mamãe com atenção; notou que surgia uma pequena contração nos cantos da boca quando ela olhava para o vasto oceano azul. Só quando a noite caiu foi que a tensão pareceu sumir do rosto dela. Ela acompanhou a conversa e deu suas três novas respostas ao jogo. Bebeu um segundo cálice de vinho, mas pareceu ficar mais agitada do que relaxada com o álcool, e, quando terminou a sobremesa, ela levantou quase que imediatamente.

— Eu vou para o meu quarto — ela disse. — Vocês me acompanham?

Nina levantou no mesmo instante, mas Meredith foi mais lenta em responder.

— Tem certeza, Mamãe? Talvez seja melhor você descansar esta noite. Amanhã podemos continuar a história.

— Obrigada — disse a mãe —, mas não. Vamos. — Ela girou nos calcanhares e se afastou.

Meredith e Nina tiveram que se apressar para acompanhá-la pelos corredores cheios de gente.

Elas entraram na cabine que ocupavam e vestiram moletons. Meredith havia acabado de escovar os dentes quando Nina parou a seu lado, tocando seu ombro.

— Eu vou mostrar para ela a foto e perguntar quem são as crianças.

— Acho que não é uma boa ideia.

— Isso porque você é uma boa garota que segue as regras e tenta ser educada. — Ela sorriu. — Eu sou a outra irmã. Você pode dizer que não sabia nada sobre isso. Vai confiar em mim nessa?

— Claro — Meredith disse por fim.

Elas saíram da cabine e foram até a da mãe, ao lado.

Mamãe abriu a porta e as levou para a suíte espaçosa. Como elas esperavam, a cabine estava absolutamente limpa; não havia roupas ao redor, nenhum item pessoal em local algum. A única descoberta inesperada foi uma chaleira com três xícaras na mesa de centro.

Mamãe se serviu de chá e foi até a poltrona colocada no canto da sala. Sentou-se e colocou um cobertor sobre as pernas.

Meredith sentou no sofá diante dela.

— Antes que apague a luz — Nina disse —, tenho algo que quero mostrar, Mamãe.

Mamãe ergueu o rosto.

— Sim?

Nina se aproximou. Para Meredith, tudo parecia estar em câmera lenta quando Nina tirou a fotografia do bolso e a entregou para Mamãe.

Mamãe inspirou com força. O pouco de cor que havia em seu rosto sumiu.

— Você mexeu nas minhas coisas?

— Sabemos que o conto de fadas se passa em Leningrado e que parte dele é real. Quem é Vera, Mamãe? — Nina perguntou. — E quem são essas crianças?

Mamãe balançou a cabeça.

— Não me pergunte.

— Nós somos suas filhas — Meredith disse gentilmente, tentando suavizar as perguntas feitas pela irmã. — Só queremos conhecer você.

— Era o que Papai queria, também — Nina acrescentou.

Mamãe olhou para a fotografia, que vibrava em sua mão trêmula. A sala ficou tão parada que podiam ouvir as ondas batendo na lateral do navio, bem lá embaixo.

— Vocês estão certas. Não é um conto de fadas. Mas, se quiserem ouvir o resto, vão permitir que eu conte a história do único jeito que consigo.

— Mas quem...

— Nada de perguntas, Nina. Apenas escute. — Mamãe podia estar pálida e cansada, mas sua voz era aço puro.

Nina sentou-se ao lado de Meredith, segurando a mão dela.

— Está bem.

— Muito bem, então. — Mamãe se encostou na poltrona. Seu dedo passou pela foto, sentindo a superfície lisa. Dessa vez, as luzes estavam acesas quando ela começou a falar. — Vera se apaixonou por Sasha naquele dia no Jardim de Verão e, para ela, essa é uma decisão que nunca vai mudar. Apesar de sua mãe não concordar, por ter medo do amor de Sasha pela poesia, Vera é jovem e está apaixonada pelo marido. Quando a primeira criança deles nasce, parece um milagre. Anastasia é como a chamam, e ela é a luz da vida de Vera. Quando Leo nasce no ano seguinte, Vera não pode imaginar que seja possível ser mais feliz, apesar de ser um mau momento na União Soviética. O mundo sabe disso, eles sabem sobre a maldade de Stalin. As pessoas estão desaparecendo e morrendo. Ninguém sabe disso melhor do que Vera e Olga, que ainda não podem dizer em segurança o nome do pai. Mas, em junho de 1941, é impossível se preocupar, ou é o que parece para Vera quando ela se ajoelha na

rica terra negra e cuida do jardim. Ali, nos arredores da cidade, ela e Sasha têm um pequeno terreno onde cultivam legumes para atravessar o longo inverno branco de Leningrado. Vera ainda trabalha na biblioteca, enquanto Sasha estuda na universidade, aprendendo apenas o que Stalin permite. Eles se tornam bons soviéticos, ou pelo menos soviéticos quietos, pois as peruas negras estão por todos os lados nesses dias. Sasha está a um ano de terminar a graduação e espera encontrar trabalho como professor em uma das universidades.

— *Mama, veja!* — *Leo a chama, mostrando uma pequena cenoura cor de laranja, ainda mais raiz do que legume. Vera sabe que deve admoestá-lo, mas o sorriso dele é tão contagiante que ela se perde. Aos 4 anos, ele tem os cachos dourados e a risada fácil do pai.*

— *Coloque a cenoura de volta, Leo, ela ainda precisa de tempo para crescer.*

— *Eu disse para ele não arrancar* — *diz Anya, de 5 anos, que é tão séria quanto o irmão é alegre.*

— *E você estava certa* — *Vera diz, lutando para não sorrir. Apesar de ter apenas 22 anos, as crianças a transformaram em adulta; é apenas quando ela e Sasha estão sozinhos que ainda são realmente jovens.*

Quando Vera termina o trabalho no jardim, ela pega as crianças, uma em cada mão, e começa o longo caminho de volta até o apartamento.

Está no final da tarde quando retornam a Leningrado, e as ruas estão cheias de gente correndo e gritando. A princípio, Vera acha que é apenas a belye nochi *que energizou todo mundo, mas, quando chega à Ponte Fontanka, ela começa a ouvir trechos de conversas, o começo de uma dúzia de discussões, um zumbido de ansiedade.*

Ela ouve um som rascante vindo de um alto-falante e a palavra — Atenção — *lançada como uma faca na madeira. Agarrando as mãos das crianças, ela abre caminho pela multidão quando o anúncio começa.*

— *Cidadãos da União Soviética... às 4 da manhã e sem declaração de guerra... tropas alemãs atacaram nosso país...*

O anúncio continua e continua, dizendo a eles para serem bons soviéticos, para se alistarem no Exército Vermelho, para resistirem ao inimigo, mas Vera não consegue mais ouvir. Tudo em que consegue pensar é que precisa chegar em casa.

As CRIANÇAS ESTÃO CHORANDO BEM ANTES *de Vera retornar ao apartamento perto do aterro Moika. Ela mal as ouve. Apesar de ser mãe, segurando as mãos de seus bebês, ela é uma filha também, e uma esposa, e é a mãe e o marido que quer ver agora. Ela* leva as crianças, subindo pela escada suja, passando por corredores que estão assustadoramente silenciosos. No apartamento deles, não há luzes acesas, então leva algum tempo até seus olhos se adaptarem.

Mamãe e Olga, ainda usando as roupas do trabalho, estão em uma das janelas, prendendo folhas impressas nos vidros. Com o retorno de Vera, a mãe se afasta ansiosa da janela que estava cobrindo, dizendo:

— Graças a Deus. — E abraça Vera. — Temos coisas a fazer depressa — Mamãe diz, e Olga termina a janela e se aproxima. Vera pode ver que Olga esteve chorando, as faces sardentas estão marcadas pelas lágrimas e seu cabelo vermelho está todo desarrumado. Olga desenvolveu um tique nervoso de puxar o próprio cabelo quando está com medo.

— Vera — Mama diz com ímpeto —, pegue Olga e vá até a loja. Compre o máximo que puder de coisas que durem. Trigo sarraceno, mel, açúcar, banha de porco. Qualquer coisa. Eu vou correr até o banco e pegar todo o nosso dinheiro. — Então, ela se ajoelha diante de Leo e Anya. — Vocês vão ficar aqui sozinhos esperando nós voltarmos.

Anya começa imediatamente a choramingar.

— Eu quero ir com você, Baba.

Mama toca o rosto de Anya.

— As coisas estão diferentes agora, mesmo para crianças. — Ela levanta e pega sua bolsa no outro quarto, verificando se sua caderneta bancária azul está ali.

As três deixam o apartamento, fechando a porta ao saírem, ouvindo a fechadura girar. Do outro lado, quase que imediatamente vem o choro.

Vera olha para a mãe.

— Eu não posso simplesmente deixar os dois aqui, trancados no...

— De agora em diante, você vai fazer muitas coisas inimagináveis — a mãe diz, em tom cansado. — Agora, vamos, antes que seja tarde demais.

Lá fora, o céu está lindo, azul e sem nuvens, e os lilases que crescem embaixo das janelas do primeiro andar soltam seu perfume no ar. Parece impossível que a guerra ameace Leningrado em um dia como esse... Até que elas viram a esquina e chegam ao banco, onde as pessoas estão amontoadas em uma multidão diante da porta fechada, agitando suas cadernetas no ar e gritando; as mulheres choram.

— *Já é tarde demais* — *Mama diz.*

— *O que está acontecendo?* — *Olga pergunta, puxando novamente o cabelo de forma nervosa, olhando ao redor. Ao lado dela, uma mulher idosa emite um gemido e cai no chão, desfalecida. Em segundos, ela é engolida pela multidão.*

— *Os bancos estão fechados. Muita gente tentou tirar dinheiro.* — *Mama morde o lábio de baixo até sair sangue e então as leva até a mercearia. Ali, as pessoas estão saindo com o que podem carregar. As prateleiras estão praticamente vazias. Os preços já estão dobrando e triplicando.*

Vera tem problemas para compreender aquilo. A guerra acaba de ser anunciada, os suprimentos já acabaram e as pessoas ao redor parecem estupefatas e desesperadas.

— *Já passamos por isso antes* — *Mama diz com simplicidade.*

Na mercearia, elas só têm dinheiro para trigo sarraceno, farinha, lentilhas secas e banha de porco. Levando os parcos suprimentos de volta pelas ruas cheias de gente, elas chegam ao apartamento logo depois das 6 horas.

Vera escuta os filhos chorando e isso parte seu coração. Ela abre a porta e abraça os dois. Leo abraça seu pescoço e não quer largar, dizendo:

— *Fiquei com saudade, Mama.*

Vera pensa então que nunca mais vai seguir o conselho da mãe em relação a isso: nunca mais vai deixar as crianças sozinhas.

— *Onde está seu papa?* — *ela pergunta para Anya, que apenas ergue os ombros pequenos.*

Ele deveria estar em casa a essa altura.

— *Tenho certeza de que ele está bem* — *a mãe diz.* — *Está difícil andar pelas ruas.*

Mas a preocupação ataca Vera, ficando mais forte a cada minuto que passa. Por fim, às 8 horas, ele entra no apartamento. Um lado do rosto está sujo e o cabelo empapado de suor.

— *Verushka* — *ele diz, tomando-a nos braços, abraçando-a com tanta força que ela não pode respirar.* — *Os bondes estão cheios. Eu corri até aqui. Vocês estão bem?*

— *Agora, estamos* — *ela diz.*

E ela acredita no que diz.

NAQUELA NOITE, ENQUANTO A AVÓ RONCA *no calor da escuridão, Vera senta-se na cama. A grande confusão de fita adesiva e folhas de jornal nas janelas deixa passar só um pouquinho de luz. Do lado de fora, a cidade está estranha, lugubremente silenciosa. É como se Leningrado tivesse inalado profundamente e estivesse com medo de exalar.*

Nessa escuridão sombria, o apartamento deles parece ainda menor e mais apinhado. Com as três camas estreitas na área da sala e as crianças em berços na cozinha, mal sobra espaço para andar ali. Até na hora das refeições eles não podem ficar todos juntos. Não há espaço na mesa nem cadeiras para todo mundo.

Não longe dela, Mama e Olga também estão acordadas, sentadas em suas camas. Ao lado de Vera, Sasha está mais quieto do que Vera jamais viu.

— Não sei o que devemos fazer — Olga diz. Aos 19 anos, ela deveria estar pensando em amor e romance e no futuro, não em guerra. — Talvez os alemães nos salvem. O Camarada Stalin...

— Shhh — Mama diz rispidamente, olhando rápido para a mãe dela, que continua dormindo. Algumas coisas não podem jamais ser ditas em voz alta. Olga já deveria saber disso.

— Amanhã, vamos ao trabalho — Mama diz —, e no dia seguinte vamos fazer o mesmo, e no dia depois daquele. Agora, temos que dormir. Aqui, Olga, vire para lá. Eu abraço você.

Vera escuta a cama cansada gemer enquanto elas se ajeitam para dormir. Ela se estica ao lado do marido, tenta se sentir segura nos braços dele. A luz é pouca demais para conseguir ver claramente seu rosto; ele é apenas manchas cinzentas e negras, mas a respiração é segura e constante, e seu som, no ritmo do bater do coração dela, faz com que se acalme. Ela toca o rosto dele, sente os pelos suaves da barba que está crescendo, adianta-se para beijá-lo e, por um momento, quando os lábios dele estão nos seus, não há nada mais, mas então ele recua e diz:

— Você vai ter que ser forte, Verushka.

— Nós vamos ser fortes — ela diz, abraçando-o.

*D*UAS *NOITES DEPOIS*, *ELES SÃO ACORDADOS pelo barulho de armas de artilharia.*

Vera pula da cama, o coração disparado. Cai sobre a cama da mãe ao tentar alcançar os filhos. Os tiros fazem vibrar as janelas finas e ela ouve passos no corredor e gente gritando.

— Depressa — Sasha diz, parecendo surpreendentemente calmo. Ele leva todos juntos, enquanto Mama pega toda a comida que consegue carregar. Não é senão quando estão lá fora na rua, reunidos com o grupo dos vizinhos sob um pálido céu azul, que eles compreendem: aquelas são armas antiaéreas russas, praticando para o que virá.

Não há abrigos na rua deles. É Mama quem organiza as pessoas no prédio deles: amanhã, elas irão para a área de estocagem no porão para fazer um abrigo.

Por fim, entre o som dos disparos e o silêncio sobrenatural entre cada rajada, Sasha olha para Vera. Leo está dormindo nos braços dele (o menino consegue dormir em praticamente qualquer situação) e Anya está ao lado dele, chupando o polegar com ar preocupado e acariciando a ponta do cobertor. É um hábito de bebê que desapareceu muito antes do começo da guerra e agora retorna.

— Você sabe que tenho que ir — Sasha diz para Vera.

Ela faz que não com a cabeça, pensando subitamente que esses disparos não querem dizer nada; a expressão no rosto do marido é algo infinitamente mais assustador.

— Eu sou um estudante universitário e um poeta — ele diz. — E você é a filha de um criminoso do Estado.

— Você ainda não publicou nada da sua poesia...

— Eu sou suspeito, Vera, e você sabe disso. E você também é.

— Você não pode ir. Eu não vou deixar.

— Está feito, Vera — é o que ele diz. — Eu me juntei ao Exército Voluntário do Povo.

Então, Mama está junto dela, agarrando seu braço.

— Claro que você vai, Sasha — ela diz controlada, e Vera escuta o aviso na voz da mãe. É tudo sempre sobre as aparências. Mesmo agora, quando os disparos ecoam ao redor deles, uma perua negra perambula pela rua.

— É a coisa certa a fazer — Sasha diz. — Somos o Exército Soviético. O melhor do mundo. Vamos acabar com os alemães rapidinho e eu vou voltar para casa.

Vera sente a pequena Anya a seu lado, segurando sua mão, escutando cada palavra, assim como os vizinhos e até mesmo os estranhos. Ela sabe o que deve sentir e dizer, mas não sabe se tem a força para fazê-lo. Seu pai uma vez disse algo bem parecido: Não se preocupe, Veronika Petrovna, eu sempre vou estar aqui com você.

— Prometa que vai voltar para mim — ela diz.

— Eu prometo — ele diz com facilidade.

Mas Vera sabe: não faz sentido pedir algumas promessas e é inútil quando são feitas. Quando ela se volta para a mãe, essa verdade passa entre elas e Vera compreende sua própria infância. Ela terá que ser forte por seus filhos.

Ela olha para o marido.

— Essa é uma promessa que vou fazer você cumprir, Aleksandr Ivanovich.

Pela manhã, ela acorda cedo; na escuridão silenciosa, ela encontra a única foto deles, tirada no dia do casamento.

Ela olha para seus rostos brilhantes e sorridentes. Lágrimas borram a imagem quando ela a tira da moldura, dobra-a no meio duas vezes e a coloca no bolso do casaco dele.

Ela escuta passos às suas costas e sente as mãos dele em seus ombros.

— Eu amo você, Verushka — ele diz suavemente, beijando a lateral do rosto dela.

Ela está feliz por ele estar atrás dela. Não sabe se teria a força necessária para olhar nos olhos dele ao dizer:

— Eu amo você também, Sasha.

Volte para mim.

Passado um instante, ele se foi.

19

Vera e Olga têm sorte com seus empregos. Olga trabalha no Museu Hermitage e Vera, na Biblioteca Pública de Leningrado. Agora, as duas passam os dias em salas escuras e silenciosas, colocando obras-primas de arte e literatura em caixotes para que a história do Estado soviético nunca se perca. Quando o trabalho do dia termina, Vera caminha sozinha até em casa. Às vezes, ela desvia do caminho para ver o Jardim de Verão e lembrar do dia em que encontrou Sasha ali, mas está ficando mais e mais difícil de lembrar. O aspecto de Leningrado já está mudando. O Cavaleiro de Bronze está coberto de sacos de areia e tábuas de madeira. Redes de camuflagem estão penduradas em cima do Smolny[22]; tinta cinza foi espalhada sobre os pináculos

---

[22] Instituto Smolny. Prédio construído entre 1806 e 1808 que teve um papel proeminente na história russa. O nome Smolny vem do local em que o prédio foi erguido, onde nos primeiros tempos de São Petersburgo era produzido piche (*smola*, em russo) para ser usado como calafetagem na construção e manutenção de barcos. Assim, o lugar era chamado *smolny* — lugar do piche (N.T).

dourados do Almirantado[23]. *Para qualquer lado que ela olhe, as pessoas estão atarefadas — construindo abrigos contra ataques aéreos, fazendo fila para conseguir comida, cavando trincheiras. Os céus acima ainda estão azuis e sem nuvens, e ainda nenhuma bomba caiu sobre eles, mas isso acontecerá e eles sabem disso. Todo dia, os alto-falantes trombeteiam relatos sobre os avanços das tropas alemãs. Ninguém acredita que os alemães chegarão a Leningrado — não a cidade mágica deles, construída sobre lama e ossos —, mas bombas cairão ali. Eles não têm nenhuma dúvida quanto a isso.*

No caminho para casa, Vera para no banco e retira os 200 rublos a que tem direito todo mês. Depois de pegar seu dinheiro, fica na fila para conseguir três filões de pão e uma lata de queijo. Hoje, ela tem sorte; há comida ao final de sua longa espera. Às vezes, ela chega na frente da fila apenas para vê-la ser fechada.

Quando finalmente chega em casa, às 8 horas, encontra Anya e Leo brincando de guerra na sala, pulando de cama em cama, fazendo som de tiros um na direção do outro.

— Mama! — Leo grita quando a vê. O rosto dele se abre em um sorriso cheio de gengiva e ele corre para ela, lançando-se em seus braços. Anya vem logo atrás, mas ela não abraça Vera com tanta força. Anya está incomodada com essa história de guerra e quer que todos saibam disso. Ela não gosta de passar seus dias no berçário e só voltar para casa às 6, e de ter que ficar com a "fedorenta senhora Newsky do apartamento ao lado".

— Como estão meus bebês? — Vera pergunta, puxando Anya para seus braços mesmo assim. — O que vocês dois fizeram na escola hoje?

— Eu estou velha demais para a escola de bebês — Anya a informa, contraindo o rosto em concentração.

Vera dá tapinhas na cabeça da filha e vai para a cozinha. Ela está ao fogão, colocando água para ferver, quando Olga entra no apartamento.

— Você ouviu? — ela diz ofegante.

Vera vira-se.

— O que foi?

Olga olha nervosa para Anya e Leo, que estão brincando com pauzinhos.

---

[23] Cidadela do século 18 construída segundo o modelo de Versalhes e que era o palácio de verão do Czar Pedro I (N.T.).

— *As crianças de Leningrado* — *ela diz, baixando a voz.* — *Estão sendo evacuadas.*

Na manhã da evacuação, Vera acorda sentindo-se enjoada. Ela não pode fazer isso, não pode pôr seus bebês em um trem que vai para algum lugar distante e simplesmente seguir adiante com sua vida. Ela fica na cama, sozinha, um momento tão privativo quanto é possível nesse apartamento lotado, olhando para o teto marcado por manchas de água e ferrugem. Consegue ouvir a mãe virando agitada e Olga roncando suavemente na cama a apenas meio metro dela.

— Vera? — *Mama diz.*

Vera vira-se de lado.

Mama está olhando para ela. Estão próximas, em suas camas, que ficam lado a lado, quase perto o bastante para se tocarem. Um cobertor muito puído desliza do ombro de Mama quando Olga se vira.

— Você não pode pensar nisso — *ela diz, e Vera imagina se um dia saberá o que seus filhos pensam antes mesmo de eles pensarem.*

— Como posso não pensar? — *Vera diz. Durante toda a vida ela compreendeu o que significava ser uma boa soviética, como seguir as regras, manter a cabeça baixa e não fazer nada que chamasse atenção. Mas isso... como poderia aceitar isso cegamente?*

— Os olhos do Camarada Stalin estão por toda parte. Ele certamente está observando os alemães e sabe onde colocar nossas crianças para que fiquem seguras. E as crianças de todos os trabalhadores devem ir. É assim que é.

— E se eu não as vir nunca mais?

Mama afasta as cobertas e levanta da cama, cruzando o pequeno espaço entre elas. Deita-se na cama, ocupando o lado de Sasha, e puxa Vera para seus braços, acariciando o cabelo negro dela como costumava fazer quando Vera era pequena.

— Nós, mulheres, fazemos escolhas por outros, não por nós mesmas, e, quando somos mães, nós... suportamos o que for preciso por nossas crianças. Você vai protegê-

-las. Isso vai doer em você; isso vai doer nelas. Seu trabalho é esconder que seu coração está se partindo e fazer o que elas precisam que você faça.

— Sasha me disse que eu teria que ser forte.

Mama assente.

— Mas eu não acho que os homens compreendam. Mesmo o seu Sasha. Eles marcham para longe com suas armas e suas ideias e pensam que sabem o que é ter coragem.

— Agora você está falando de Papa.

— Talvez esteja.

Elas ficaram ali deitadas mais algum tempo, sem falar nada.

Pela primeira vez em um longo tempo, ela está pensando no pai. Por mais que doa, é melhor do que pensar no que está por vir. Ela fecha os olhos e, na escuridão, está na rua diante do velho apartamento deles, observando seu pai partir.

Os dedos dela estão congelando dentro das luvas de lã e os dedos dos pés formigam com o frio.

— Eu quero ir ao café com você — ela declara, inclinando o rosto na direção dele. Uma neve fina está caindo ao redor deles; flocos caem em suas faces nuas.

Ele sorri para ela, o grande bigode negro saliente sobre o lábio.

— Aquilo não é lugar para uma menina, você sabe disso, Verushka.

— Mas você vai ler sua poesia. E Anna Akhmatova vai estar lá. Ela é mulher.

— Sim — ele diz, tentando parecer duro —, uma mulher. E você ainda é uma menina. Um dia — ele diz, comprimindo a mão enluvada contra o ombro dela —, você vai escrever suas belas palavras. A essa altura, eles estarão ensinando novamente literatura nas nossas escolas em vez desse terrível realismo soviético que é a ideia de Stalin de progresso. Seja paciente. Acene para mim depois que eu atravessar a rua e então vá para dentro.

Ela fica ali na neve, vendo-o partir. Pequenos beijos de fogo branco caem em suas faces, quase imediatamente tornando-se gotas de água que deslizam para baixo, escorregando como dedos frios por baixo de seu colarinho.

Logo ele não passa de um vulto, uma mancha de lã cinza movendo-se naquela brancura toda. Ela pensa que talvez ele tenha parado para acenar para ela, mas não consegue ter certeza. Em vez disso, ela vê como a noite cai sobre a neve, como muda a cor e as texturas, e tenta gravar isso na memória para poder descrever em seu diário.

— *Você lembra quando eu costumava sonhar em ser uma escritora?* — *Vera diz suavemente agora.*

Leva um longo tempo até a mãe responder, ainda mais suavemente.

— *Eu lembro de tudo.*

— *Talvez algum dia...*

— *Shhh* — *a mãe diz, acariciando o cabelo dela.* — *Isso só vai doer mais. Disso eu sei.*

Vera percebe o desapontamento na voz da Mama e a aceitação. Vera imagina se um dia falará dessa forma também, se parecerá mais fácil desistir. Antes que possa pensar no que dizer, ela escuta Leo na cozinha. Sem dúvida, ele está falando com o coelho de pelúcia que é seu melhor amigo.

Vera pensa: Começou. *Ela sente o beijo da mãe, escuta as palavras sussurradas em seu ouvido, mas não consegue entendê-las. O rugido em sua cabeça está forte demais. Ela ergue-se na cama e se senta. Apesar de essa manhã estar quente, assim como esteve a noite anterior, ela está vestindo saia e suéter. Um par de sapatos gastos espera ao pé da cama. Todos eles dormem vestidos agora. Um ataque aéreo pode ocorrer a qualquer instante.*

O som de movimentos toma o pequeno apartamento: Olga reclama que ainda está com sono e seus braços doem de tanto encaixotar peças de arte; a avó assoa o nariz; Anya informa a todos que está com fome.

É tudo tão comum.

Vera engole o bolo que se formou em sua garganta, mas ele não vai embora. Na cozinha, vê Leo — *que é idêntico ao pai, com cachos dourados angelicais e expressivos olhos verdes. Leo. Seu leão. Ele está rindo agora, dizendo para seu pobre coelho estragado e com um olho só que talvez eles possam ir alimentar os cisnes no Jardim de Verão hoje.*

— *É uma guerra* — *Anya diz, parecendo incrivelmente superior para alguém com 5 anos. Sua pronúncia infantil transforma a frase em algo mais suave, mas todo o fogo de Anya está nos olhos. É puro aço, essa menina; exatamente como Vera uma vez imaginou ser.*

— *Na verdade* — *Vera diz* —, *nós vamos dar um passeio.* — *Ela se sente fisicamente doente quando diz isso, mas a mãe se aproxima por trás dela; com um toque, Vera consegue ir adiante. Ela cruza a cozinha e pega os casacos deles. Na noite anterior, Vera ficou acordada até tarde, costurando dinheiro e cartas nos forros dos casacos de seus bebês.*

Leo está de pé em um instante, batendo as mãos animado, dizendo:

— Passeio! — De novo e de novo. Até Anya está sorrindo. Faz apenas cinco dias desde o anúncio da guerra, mas nesses dias a antiga vida deles desapareceu.

O café da manhã transcorre como uma procissão de funeral, com espiadelas silenciosas e olhos baixos. Ninguém além de Mama consegue olhar para Vera. Ao final da refeição, a avó levanta. Quando olha para Vera, seus olhos se enchem de lágrimas e ela vira para o outro lado.

— Vamos, Zoya — a avó diz com a voz embargada —, não vai ser bom chegar atrasada.

Vera pode ver que o lábio da mãe está sangrando onde ela o esteve mordendo. Ela vai até os netos e se ajoelha, abraçando os dois com força.

— Não chore, Baba — Leo diz. — Você pode passear com a gente amanhã.

Do outro lado da cozinha, Olga começa a chorar e tenta imediatamente se controlar.

— Eu vou agora, Mama.

Mama interrompe o abraço lentamente e se levanta.

— Sejam bons. — É a última coisa que ela diz para os netos. Ela entrega cem rublos para Vera. — É tudo que tenho. Desculpe...

Vera assente e abraça a mãe mais uma vez. Então, ela se endireita.

— Vamos, crianças.

O dia está lindo e ensolarado. Os seis caminham juntos tanto quanto é possível; Mama e Baba se separam primeiro, virando na direção dos armazéns de comida Badayev onde ambas trabalham; Olga é a próxima a se separar. Ela abraça a sobrinha e o sobrinho com força, tenta esconder as lágrimas e corre na direção da parada do bonde.

Agora, são apenas Vera e seus filhos, caminhando pela rua cheia de gente. Em volta deles, trincheiras estão sendo escavadas, abrigos sendo construídos. Eles param no Jardim de Verão, mas os cisnes não estão na lagoa e as estátuas foram cobertas por sacos de areia. Não há crianças brincando ali hoje, nenhuma campainha de bicicleta tinindo.

Sorrindo demais, Vera conduz as crianças de mãos dadas e as leva até uma parte da cidade onde elas nunca foram.

Dentro do prédio em que entram há um completo pandemônio. Filas serpenteiam pelo saguão em todas as direções, fluindo a partir de balcões transbordando de papéis, administrados por membros do Partido em roupas castanho-claras com rostos severos e desapontados.

Vera sabe que devem ir direto até a primeira fila de processamento e esperar sua vez, mas subitamente ela não tem a força que precisaria ter. Respirando fundo, ela leva as crianças até um canto. Ali não está quieto — os sons das pessoas estão por todos os lados —, passos, gritos, espirros, orações. O lugar todo cheira a odor corporal, cebolas e carne em conserva.

Vera se ajoelha.

Anya torce o nariz.

— É fedido aqui, Mama.

— O Camarada Floppy não gosta deste lugar — Leo diz, abraçando seu coelho.

— Vocês lembram, quando Papa foi embora para se juntar ao Exército Voluntário do Povo, que ele nos disse que teríamos que ser fortes?

— Eu sou forte — Leo diz, mostrando um punho gorducho.

— Sim — Anya diz. Ela agora está desconfiada. Vera vê que a filha está olhando os casacos nos braços da mãe e a mala que ela trouxe de casa.

Vera pega o casaco pesado de lã vermelha e o coloca em Anya, abotoando-o até a garganta.

— Está quente demais para isso, Mama — Anya reclama, se contorcendo.

— Vocês vão fazer uma viagem — Vera diz em tom suave. — Não vai demorar muito, é só uma semana ou duas. E você pode precisar do seu casaco. E aqui... aqui nesta mala eu coloquei mais algumas roupas e um pouco de comida. Caso seja necessário.

— Você não está usando um casaco — Anya diz, franzindo a testa.

— Eu... bem... eu tenho que trabalhar e ficar em casa, mas vocês vão voltar para casa bem depressa e eu vou estar esperando por vocês. Quando voltarem...

— Não — Anya diz com firmeza. — Eu não quero ir sem você.

— Eu também não quero — Leo choraminga.

— Não temos escolha. Vocês entendem o que isso quer dizer? A guerra está vindo e nosso grande Camarada Stalin quer que vocês, crianças, fiquem em segurança. Vocês vão fazer uma viagem curta de trem para o sul até nosso Exército Vermelho triunfar. Depois, vão voltar para casa, para Papa e para mim.

Agora Leo está chorando.

— Você quer que a gente vá? — Anya pergunta, os olhos azuis cheios de lágrimas. Não, Vera pensa, mesmo enquanto assente.

— Quero que você cuide do seu irmão — ela diz. — Você é tão forte e esperta. Você vai ficar sempre com ele e nunca se afastar. Está bem? Você pode ser forte por mim?

— Sim, Mama — Anya diz.

Nas próximas cinco horas, eles ficam em uma fila depois de outra. As crianças são processadas e classificadas e enviadas para outras filas. No final da tarde, o centro de evacuação está literalmente lotado de crianças e suas mães, mas o local encontra-se estranhamente quieto. As crianças sentam onde as mandaram sentar, os rostos brilhando com o suor por causa dos casacos que não precisam usar, as pernas balançando embaixo deles. As mães não se olham; dói demais ver sua própria dor refletida nos olhos de outra mulher.

E finalmente o trem chega. Rodas de metal guincham; a fumaça sobe pelo ar. A princípio, a multidão apenas continua ali — ninguém quer se mover —, mas, quando o apito penetra o silêncio, eles correm como uma manada, mães passando uma adiante da outra, usando os cotovelos com força, tentando conseguir para seus bebês assentos no trem que os salvará.

Vera abre caminho até a frente da fila. O trem parece vivo a seu lado, exalando fumaça, tinindo. Membros do Partido patrulham a área como tubarões, forçando mães a se separarem dos filhos. Leo está soluçando, agarrado a Vera. Anya também está chorando, mas de um jeito silencioso que, de certa forma, é ainda pior.

— Cuidem um do outro e fiquem juntos. Não deem sua comida para os outros. Tem dinheiro costurado nos seus bolsos se precisarem, e meu nome e endereço também. — Ela usa alfinetes para prender pequenas etiquetas com os nomes nas lapelas deles.

— Para onde nós vamos? — Anya pergunta. Ela está tentando ser adulta; é algo de partir o coração em alguém tão jovem. Aos 5 anos, ela deveria estar brincando com bonecas, não parada em uma fila que a levará para longe de casa.

— Para o campo, em um parque de verão perto do rio Luga. Vocês vão ficar em segurança lá, Anya. Não vai demorar nada e eu vou lá buscar vocês. — Vera brinca com a etiqueta na lapela da filha, como se tocar aquela peça de identificação ajudasse.

— Subam a bordo — grita um camarada. — Agora. O trem vai partir.

Vera abraça a filha, depois o filho, e então levanta lentamente, sentindo como se seus ossos estivessem se quebrando ao fazê-lo.

Outras pessoas estão cuidando de seus bebês agora, segurando-os, entregando-os a outras pessoas.

Eles estão chorando e acenando. Anya segura a mão de Leo; ela mostra para sua mãe como o está segurando com força, como está sendo forte.

E então eles se vão.

A princípio, Vera não consegue se forçar a se mover. As pessoas a empurram para fora de seus caminhos, murmurando pragas desesperadas, ferais. Elas não veem que ela está paralisada, que não pode se mover? Por fim, alguém a empurra com tanta força que ela cai de joelhos. Ela consegue sentir crianças sendo passadas por cima de sua cabeça, passadas de um adulto para outro.

Vera levanta-se lentamente, notando sem grande atenção que suas meias rasgaram nos joelhos. Ela vai para o lado, procurando as janelas do trem, começando a correr de carro em carro, até perceber que seus filhos são pequenos demais para serem vistos do lado de fora.

Tão pequenos.

Ela disse para eles tudo que deveria dizer?

Cuidem de seus casacos; o inverno chega rápido demais, mesmo que digam que vocês vão voltar em uma semana.

Nunca se separem um do outro.

Escovem os dentes.

Comam sua comida. Toda. E estejam na frente da fila em todas as refeições.

Cuidem um do outro.

Eu amo vocês.

Nesse ponto, Vera tropeça, quase cai. Ela não disse que os amava. Estava com medo que isso fizesse com que chorassem ainda mais, então segurou as preciosas palavras, aquelas que realmente importavam.

Ela emite um som. A dor nela vem de algum lugar fundo, bem fundo dentro dela, e apenas emerge. Gritando, ela abre caminho pela multidão, usando cotovelos para passar por mulheres que a fitam com seus olhos vazios e desesperados. Ela luta até chegar ao trem.

— Eu sou uma trabalhadora não essencial — ela informa à mulher na frente da fila, que parece cansada demais para se importar.

— Papéis?

— Eu deixei cair nesta confusão — ela diz, indicando a multidão. A mentira tem gosto amargo em sua língua e a deixa com o estômago enjoado. É o tipo de coisa que chama atenção, e nada — nem mesmo a guerra — é tão assustadora quanto a atenção da polícia secreta. Ela se endireita. — Os trabalhadores não estão cuidando da evacuação. Não é eficiente. Talvez eu deva relatar isso para alguém.

A crítica funciona. A mulher cansada se endireita e assente bruscamente.

— Sim, camarada. Você tem razão. Eu serei mais atenciosa.

— Bom. — O coração de Vera está pulando em seu peito quando ela passa pela mulher e entra no trem. A cada passo ela tem certeza de que alguém irá segurá-la, gritar: Fraude! e arrastá-la dali.

Mas ninguém o faz e por fim ela se acalma, vendo o mar de rostos de crianças à sua frente. Elas estão apertadas como sardinhas em assentos cinzentos, envoltas em casacos e chapéus neste dia ensolarado de verão — prova de que ninguém acredita que estarão de volta em duas semanas, apesar de ninguém ousar dizer isso. Os rostos delas são redondos e brilham com lágrimas e suor. Elas estão quietas. Quietas demais. Não falam, não riem, não brincam. Apenas ficam ali sentadas, parecendo derrotadas e entorpecidas. Há algumas mulheres ao redor. Trabalhadoras da evacuação, professoras de berçários e provavelmente algumas como Vera, que não podiam se separar dos filhos nem desafiar uma ordem do Estado.

Ela não quer pensar sobre o que fez ou o que isso vai significar para sua família. Eles precisam desesperadamente do dinheiro que ganha na biblioteca...

O trem parece despertar embaixo dela. O apito soa e ela sente que começam a se mover. Mal tocando os assentos, incapaz de fazer contato visual com as crianças a seu redor, ela vai de um carro para outro.

— Mama!

Ela escuta a voz de Anya erguer-se acima do arquejar ruidoso do trem. Vera avança com ímpeto até o pequeno assento onde suas crianças estão sentadas, apertadas uma do lado da outra, as cabeças tão embaixo que não conseguem ver do lado de fora do trem.

Ela desliza para o assento, puxando os filhos para seu colo, e os cobre de beijos.

O rosto redondo de Leo, molhado de suor e lágrimas, já está sujo, apesar de ela não conseguir imaginar como ele conseguiu fazer isso. Os olhos dele estão marejados com as lágrimas, mas ele não está chorando dessa vez, e Vera imagina se seu adeus fez alguma coisa com ele, se agora ele é menos inocente ou não tão jovem.

— Você disse que tínhamos que ir.

A garganta de Vera está tão apertada que ela só consegue assentir.

— Eu segurei a mão dele, Mama — Anya diz solenemente. — Cada minuto.

COMO TODO BOM SOVIÉTICO, *Vera não se permite questionar o governo. Se o Camarada Stalin quer proteger as crianças levando-as para o sul, ela os coloca no trem. Seu grande ato de rebeldia, ir com elas, parece algo pequeno e, quanto mais distante fica de Leningrado, menor parece. Ela cuidará para que elas cheguem em segurança ao destino e, quando souber que está tudo bem, retornará para seu trabalho na biblioteca. Se tiver sorte, isso não levará mais que um dia ou dois. Ela explicará para a chefe, a Camarada Plotkin, que era seu dever patriótico acompanhar as crianças nessa evacuação ordenada pelo Estado.*

As palavras importam aqui, na União Soviética. Palavras como patriótico, *efi-ciente,* essencial. *Ninguém quer questionar a coisa errada. Se Vera conseguir agir de forma decidida e sem medo, talvez se saia bem.*

Se apenas Mama não fosse ficar tão preocupada. E Olga.

— Mama, estou com fome — Leo diz choroso. Ele está encolhido em seu colo como uma folha nova de samambaia; seu coelho cinza de pelúcia agarrado entre os braços. Ele chupa o polegar e acaricia o cetim cor-de-rosa macio da parte interna da orelha do coelho.

Eles ficaram no trem apenas algumas horas e ninguém disse nada sobre refeições, nem quando chegarão ao destino.

— Logo, meu pequeno leão — Vera diz, dando tapinhas no ombro dele. Ela pode ver como as crianças ao redor estão saindo do torpor, ficando agitadas. Algumas chora-mingam; outras começam a chorar. Vera está para pegar um saquinho de uvas-passas

que trouxe com ela quando o apito do trem guincha. Ele não para dessa vez, não apita uma vez como se em um cruzamento e depois para. Em vez disso, o som continua e continua, como um grito de mulher. Os freios travam, fazendo um som de metal raspando em metal, e o trem treme em resposta, começando a diminuir a velocidade.

Tiros emergem por todos os lados. Ouve-se o barulho do motor de um avião e começam as explosões.

Vera olha para fora, vendo fogo por todos os lados. O pânico irrompe dentro do trem. Todos gritam e correm para as janelas.

Uma mulher com a camisa do Partido e calça de lã azul amassada abre caminho pelo carro, dizendo:

— Todos para fora do trem. Vamos. Para o celeiro atrás de nós. Agora!

Vera pega os filhos e corre. Ocorre-lhe depois, quando está na frente da fila, que ela é uma adulta, que deveria ter ajudado as crianças desacompanhadas, mas não está pensando direito. Os aviões continuam voando acima; as bombas caem e o fogo começa.

Lá fora, tudo é fumaça e gritos. Não consegue ver nada além de destruição — prédios em chamas, buracos negros e fumegantes no chão, casas arruinadas.

Os alemães estão aqui, avançando com seus tanques, suas armas e suas bombas. Vera vê um homem vindo em sua direção; ele usa um uniforme do exército.

— Onde estamos?

— Cerca de 40 quilômetros ao sul do rio Luga — ele grita enquanto passa correndo por ela.

Ela puxa as crianças mais para perto. Elas choram agora, os rostos marcados de preto. Eles correm com a multidão para um celeiro gigante e se amontoam dentro dele.

Ali dentro está quente e cheira a medo, fogo e suor. Eles podem ouvir os aviões acima e sentir as bombas que fazem o chão tremer.

— Eles nos levaram direto para os alemães — uma mulher diz com amargura.

— Shhh — dizem dúzias de outros, mas aquilo não pode ser desdito. Essa verdade fica gravada na mente de Vera como um pedaço de metal e não pode ser removida.

Todas essas pessoas — na maioria, crianças — esperando por uma noite que não cairá, por proteção que pode não aparecer. Como confiar em um líder que envia as crianças do país direto para o inimigo?

Graças a Deus ela está com elas. E se estivessem sozinhas?

Ela sabe que pensará nisso mais tarde, e por muito tempo; ela provavelmente chorará de alívio. Mas depois. Agora, precisa agir.

— Precisamos sair deste celeiro — ela diz, baixinho a princípio, mas, quando outra bomba cai perto o bastante para fazer vibrar as vigas e cair poeira sobre eles, ela diz de novo, mais alto: — Precisamos sair deste celeiro. Se uma bomba nos atingir...

— Cidadã — diz alguém —, o Partido nos quer aqui.

— Sim, mas... nossas crianças. — Ela não diz o que está em sua mente: não pode. Mas muitos sabem, de qualquer forma. Ela pode ver nos olhos deles. — Eu vou levar minhas crianças para fora daqui. Vou levar quem quiser ir.

Há um murmúrio ao redor dela. Isso não a surpreende. Seu país é um lugar de muito medo nesses dias e ninguém sabe o que é mais provável matá-los: os alemães ou a polícia secreta.

Ela aperta as mãos dos filhos e começa a se mover lentamente pela multidão. Até as crianças abrem caminho para deixá-la passar. Os olhos que encontram os seus são desconfiados e cheios de medo.

— Eu vou com você — diz uma mulher. Ela é velha e enrugada, o cabelo grisalho escondido por baixo de um lenço sujo. Quatro crianças estão agarradas a ela, vestidas para o inverno, seus rostos pálidos sujos de cinzas.

Elas são as únicas.

Vera, a mulher e as seis crianças saem do celeiro, passando pelas crianças silenciosas. Lá fora, o campo está cinzento com a fumaça.

— É bom começarmos a andar — diz a mulher.

— A que distância estamos de Leningrado? — Vera pergunta, imaginando se fez a coisa certa. Ela se sente exposta, vulnerável aos aviões voando no alto. Para a esquerda, uma bomba cai e um prédio explode.

— Cerca de 90 quilômetros — a mulher diz. — Não vai nos ajudar em nada ficar falando.

Vera ergue Leo nos braços e segura Anya. Ela sabe que não conseguirá carregar o filho por muito tempo, mas quer começar assim. Por precaução. Ela sente o coração dele batendo forte contra o seu.

Nos anos que virão, ela esquecerá como foi dura a jornada, como os pés das crianças ficaram cheios de bolhas até sangrar, como a comida acabou, como dormiram em celeiros de feno como criminosos, escutando a noite toda com medo de ataques aéreos e bombas caindo, como acordaram em pânico, pensando que tinham levado um tiro, tateando em busca de ferimentos que não estavam ali. Em vez disso, ela se lembrará do motorista do caminhão que deu-lhes carona e das pessoas que pararam para lhes dar pão e perguntar o que tinham visto ao sul. Ela se lembrará de como contou o que não sabia antes: que guerra é fogo, medo e corpos caídos nas valetas ao lado da estrada.

Quando chega em casa e cai nos braços da mãe, ela está abatida, cansada e ferida; seus sapatos gastaram em alguns pontos e a dor nos pés não passa, mesmo em um balde de água quente. Mas nada disso importa. Não agora.

O que importa é Leningrado, sua maravilhosa cidade branca. Os alemães estão se movendo na direção de sua casa. Hitler jurou que removeria essa cidade do mapa.

Vera sabe o que deve fazer.

Amanhã, bem cedo de manhã, ela sairá de sua cama estreita e vestirá várias camadas de roupa. Empacotará toda a salsicha e as frutas secas que puder carregar e, como milhares de outras mulheres de sua idade, irá novamente para o sul para proteger tudo que ama. É o dever de todo cidadão.

— Temos que pará-los em Luga — ela diz para a mãe, cuja face se enruga em compreensão. — Eles precisam de trabalhadores lá.

Mama não pergunta por que ou como ou por que você? Todas essas respostas estão claras. É apenas a primeira semana inteira de guerra e Leningrado já está se tornando uma cidade de mulheres. Todos os homens entre 14 e 60 anos foram para a luta. Agora, as meninas estão indo para a guerra também.

— Eu vou cuidar das crianças — é tudo que a mãe diz, mas Vera pode ouvir: Você faça o favor de voltar para nós *tão claramente quanto se tivesse sido dito em voz alta.*

— Eu não vou ficar fora muito tempo — Vera promete. — A biblioteca vai dizer que sou patriótica. Vai ficar tudo bem.

Mama apenas assente. Elas duas sabem que é ficção, essa promessa de Vera, mas não dizem nada. Ambas querem acreditar.

20

— ACHO QUE ISSO BASTA POR ESTA NOITE — Mamãe disse.

Meredith foi a primeira a levantar. Movendo-se quase cautelosamente, ela cruzou o pequeno espaço acarpetado e parou diante de Mamãe.

— Você não parece tão cansada esta noite.

— Aceitação — Mamãe disse, baixando os olhos para as próprias mãos.

A resposta inesperada fez Nina levantar. Ela foi ficar do lado da irmã.

— O que você quer dizer com isso?

— Você estava certa, Nina. Seu pai me fez prometer que contaria essa história para vocês. Eu não queria. E lutar contra algo me deixa cansada.

— Foi por isso que você ficou tão... louca depois da morte de Papai? — Meredith perguntou. — Porque estava ignorando os desejos dele?

— Esse talvez tenha sido um dos motivos — a mãe disse, dando de ombros levemente, como que dizendo que os motivos não importavam muito.

Kristin Hannah

Nina e Meredith ficaram ali mais um momento, mas o tênue fio de intimidade que fora criado naquela noite agora tinha sumido. Novamente, Mamãe mal fazia contato visual com elas.

— Certo — Meredith disse por fim. — Viremos buscar você de manhã para o café.

— Eu não quero...

— Nós queremos — Nina disse em uma voz que silenciou o protesto da mãe. — Amanhã, nós três vamos ficar juntas. Você pode reclamar, protestar ou gritar comigo, mas sabe que não vou mudar de ideia e que no fim vai ser do meu jeito.

— Ela está certa — disse Meredith, sorrindo. — Ela vira uma megera quando as coisas não são do jeito dela.

— E como distinguimos? — Mamãe disse.

— Isso foi uma piada? — Nina disse, sorrindo.

Era como ver o sol ou andar de bicicleta pela primeira vez. O mundo inteiro subitamente ficou brilhante.

— Vão embora — Mamãe disse, mas Nina pôde ver que ela estava tentando não sorrir com elas, e apenas essa pequena mudança fez Nina ganhar asas.

— Vamos, irmãzona — ela disse, passando um braço pela cintura de Meredith.

Elas deixaram a cabine de Mamãe e foram para a delas.

A cabine longa e estreita era surpreendentemente espaçosa. Havia uma pequena sala de estar — com um sofá que podia ser transformado em cama, uma mesa de centro, uma televisão e duas camas. Duas portas deslizantes davam para a varanda particular delas. Nina ligou a televisão, que mostrou o progresso do navio em um mapa náutico. Não havia serviço de celular ou internet ali nas águas da Colúmbia Britânica e nenhuma programação de televisão. Se quisessem ver um filme, teriam que pegar um emprestado da biblioteca do navio.

— O banheiro é meu — Meredith disse assim que fecharam a porta, e Nina não conseguiu segurar a risada. Era uma frase que vinha direto da infância delas.

Meredith está do meu lado, Papai, diz para ela ir para lá.

Nina quebrou o meu robô de propósito.

Não me façam parar este carro, vocês duas.

Nina sorriu com a última frase. Quando Meredith saiu do banheiro, parecendo perfeitamente limpa e pronta para dormir em seu pijama de flanela cor-de-rosa, Nina foi se preparar para dormir. Pela primeira vez em anos, ela e a irmã estavam dormindo no mesmo quarto.

— Você está sorrindo — Meredith disse.

— Estava pensando em nossas viagens para acampar.

— "Não me façam parar este carro" — Meredith disse, e as duas riram. Por um momento mágico, os anos sumiram e eram crianças novamente, disputando um pequeno espaço no assento de trás de um Cadillac conversível vermelho, com John Denver cantando sobre estar no alto das montanhas.

— Mamãe nunca participou — Meredith disse, o sorriso sumindo.

— Como ela ficava tão quieta?

— Sempre pensei que era porque não se importava, mas agora fico pensando... Papai estava certo: o conto de fadas está mudando tudo.

Nina assentiu e se ajeitou na cama.

— A foto — ela disse depois de um momento. — São Anya e Leo, certo?

— Provavelmente.

Nina virou-se para olhar para a irmã. A pergunta que estava entre elas a noite toda, ganhando peso e massa, estava próxima agora, impossível de ignorar.

— Se Mamãe é Vera — ela disse lentamente —, o que aconteceu com os filhos dela?

NINA HAVIA VIAJADO PELO MUNDO TODO, mas raramente vira um cenário que rivalizasse com a magnificência da Passagem Interior. A água era profunda, de um azul misterioso, e havia ilhas por todos os lados — irregulares montinhos de terra com florestas que tinham exatamente a mesma aparência que tiveram 200 anos atrás. Por trás delas só se viam os contornos das montanhas cobertas de neve.

Ela havia saído mais cedo naquela manhã, sendo recompensada com fotos de tirar o fôlego do nascer do dia no oceano. Pegou uma orca emergindo atrás do navio, o corpo preto e branco gigantesco em contraste forte com o céu da manhã cor de bronze.

Ela finalmente parou de tirar fotos lá pelas 7h30. A essa altura, suas mãos estavam geladas e os dentes batiam tanto que era difícil manter a câmera parada.

— Gostaria de um chocolate quente, senhora?

Nina afastou-se do parapeito e da vista maravilhosa e descobriu uma jovem camareira segurando uma bandeja de canecas e uma garrafa térmica com chocolate quente. A ideia pareceu tão boa que ela nem se importou que a garota a chamara de senhora.

— Seria ótimo. Obrigada.

A camareira sorriu.

— Tem cobertores nas espreguiçadeiras, também.

— Aqui fica mais quente em alguma época do ano? — Nina perguntou, envolvendo os dedos ao redor da caneca quente.

— Talvez em agosto. — A menina sorriu. — O Alasca é belo, mas o clima não é muito amistoso.

Nina agradeceu e foi até uma das espreguiçadeiras de madeira. Pegou um cobertor quadriculado grosso e o lançou sobre os ombros, depois, voltou ao parapeito. Ali, olhou para a espumante água azul. Um trio de golfinhos nadava ao lado do navio, saltando e mergulhando em sincronia perfeita.

— Isso é um sinal de boa sorte — Meredith disse, parando a seu lado.

Nina abriu um braço, deixando Meredith entrar também sob o cobertor.

— Está frio aqui fora.

— Mas lindo.

Adiante, um farol solitário erguia-se no limite da cobertura verde de uma ilha.

— Você estava agitada esta noite — Meredith disse, pegando o chocolate quente da irmã.

— Como você sabe?

— Tenho tido insônia ultimamente. É um dos muitos prêmios que se encontra na caixa de sucrilhos de um casamento que se desfaz. Estou sempre exausta e não durmo nunca. Então, por que você estava virando de um lado para o outro?

— Estamos a três dias de Juneau.

— E?

— Eu o encontrei.

Meredith virou-se para ela. O cobertor escorregou dos dedos de Nina e deslizou para o chão.

— O que você quer dizer com isso?

— O professor de estudos russos. Dr. Adamovich. Ele está em um asilo para idosos na rua Franklin em Juneau. Pedi a minha editora que o procurasse.

— Então, é por isso que estamos neste cruzeiro. Eu deveria ter imaginado. Você falou com ele?

— Não.

Meredith mordeu o lábio e olhou para a água.

— O que devemos fazer? Podemos simplesmente aparecer na porta dele?

— Eu não pensei nisso. Eu sei, eu sei, grande surpresa. Simplesmente fiquei muito animada quando o encontrei. Sei que ele vai ter respostas para nós.

— Ele escreveu para *ela*. Não para nós. Creio que não devemos contar para ela. Ela é... frágil, Neens. Papai estava certo quanto a isso.

— Eu sei. É por isso que não consegui dormir direito. Não podemos dizer que andamos pesquisando a vida dela, não podemos simplesmente aparecer no asilo do professor e não podemos desaparecer por um dia depois de tudo que falei sobre ficarmos juntas. E, mesmo que escapássemos, ele pode não querer falar conosco. Ele queria falar com ela.

— Entendo como isso tudo manteve você acordada. Especialmente com o resto.

— Que resto?

— Sua natureza, Neens. Você não pode evitar ir vê-lo.

— Eu sei. Então, o que fazemos?

— Nós vamos ver o professor.

Nina ofegou ao ouvir o som da voz da mãe e virou-se. Com a surpresa, bateu a beirada da caneca no parapeito e espirrou chocolate por todos os lados.

— Mamãe — Meredith balbuciou.

— Você escutou tudo? — Nina disse, lambendo chocolate dos dedos. Ela sabia que parecia estar calma; era uma das muitas coisas que o fotojornalismo lhe ensinara: como parecer calma mesmo se por dentro estivesse tremendo, mas a voz soou instável. As coisas estavam indo tão bem com Mamãe ultimamente; odiava pensar que tinha arruinado tudo.

— Ouvi o bastante — Mamãe disse. — É aquele professor do Alasca, não é? O que escreveu para mim anos atrás?

Nina assentiu. Puxou o cobertor dos ombros de Meredith e o levou até a mãe, colocando-o nos ombros dela.

— Fui eu, Mamãe. Meredith não tem nada com isso.

Mamãe se envolveu no cobertor, os dedos pálidos contra o axadrezado vermelho. Ela olhou para a espreguiçadeira ali perto e foi se sentar, cobrindo-se cuidadosamente com o cobertor.

Nina e Meredith puxaram duas cadeiras e sentaram cada uma de um lado, envolvendo-se também em cobertores. Um camareiro se aproximou e lhes ofereceu chocolate quente.

— Me desculpe, Mamãe — Nina disse. — Eu deveria ter contado desde o começo.

— Você pensou que eu não concordaria com a viagem.

— Sim — Nina disse —, mas eu queria conhecer você. E não só porque prometi a Papai.

— Você quer respostas.

— Como eu... como *nós* podemos — ela disse, incluindo Meredith — não querer respostas? Você é parte do que nós somos e não conhecemos você. Talvez seja por isso que não conheçamos a nós mesmas. Meredith não consegue decidir se ama o marido nem quais são os sonhos dela. E eu tenho um homem esperando por mim em Atlanta e tudo em que consigo pensar é Vera.

Mamãe se inclinou para frente na cadeira de teca.

— Está na hora, eu acho — ela disse calmamente. — Seu pai falou com o professor Adamovich, acho, apesar de eu não ter falado nunca. Ele pensou que deveríamos falar, que *eu* deveria falar. Deve ter sido por isso que ele guardou a carta todos esses anos.

— Sobre o que o professor queria falar? — Foi Meredith quem perguntou isso, e, apesar de sua voz estar calma, a expressão em seus olhos era intensa.

— Leningrado — Mamãe disse. — Durante anos, o governo escondeu o que aconteceu. Nós, soviéticos, somos bons em esconder coisas, e eu tinha medo de falar a respeito. Mas não há motivo para ter medo agora. Vou fazer 81 anos amanhã. Por que ter medo?

— Amanhã é seu aniversário? — as duas disseram juntas.

Mamãe quase sorriu.

— Era mais fácil esconder tudo. Sim, amanhã é meu aniversário. — Ela tomou um gole do chocolate. — Eu vou ver esse professor com vocês, mas vocês duas devem saber de uma coisa agora: vão lamentar ter começado isso tudo.

— Por que está dizendo isso? — Meredith perguntou. — Como é possível que venhamos a lamentar saber quem você é?

Passou um longo momento antes de Mamãe responder. Lentamente, ela virou-se para Meredith e disse:

— Vocês vão lamentar.

KETCHIKAN ERA UMA CIDADE CONSTRUÍDA com salmão: pescar, salgar e processar salmão. O marcador de chuva — chamado de medidor-líquido-de-luz-do-sol — atestava como o clima era úmido.

— Olhe isso — Meredith disse, apontando para uma área gramada do outro lado da rua, onde um homem com longos cabelos negros esculpia um totem. Havia uma multidão ao redor dele, olhando.

Nina ousou tocar o braço da mãe.

— Vamos dar uma olhada. — Ela ficou surpresa quando a mãe concordou e deixou Nina levá-la pela rua e pelo pequeno parque.

Começou a chover enquanto estavam lá. A maioria da multidão se dispersou, correndo em busca de proteção, mas Mamãe apenas ficou ali, olhando o homem trabalhar. Nas mãos capazes dele, o instrumento de metal cortava e arrancava e transformava a madeira irregular em lisa. Elas viram uma pata tomar forma.

— É um urso — Mamãe disse, e o homem ergueu os olhos.

— Você tem um olho bom — ele disse.

Nina percebeu agora como ele era velho. A pele escura era enrugada e parecia couro, e o cabelo nas têmporas estava grisalho.

— Isto é para meu filho — o homem disse, apontando para o pássaro bicudo na base do totem. — Este é nosso clã. O corvo. E este petrel trouxe a tempestade que levou a estrada. E este urso é meu filho...

— Então, é uma história de família — Meredith disse.

— Um totem funerário. Para lembrar dele.

— É lindo — Mamãe disse e, naquele momento, no meio da chuva que caía, Nina escutou a voz de conto de fadas, e pela primeira vez aquilo tudo fez sentido. Ela compreendeu por que a mãe só contava a história no escuro e por que a voz ficava tão diferente: era sobre perda. A voz era como a mãe soava quando baixava a guarda.

Elas ficaram ali o suficiente para ver a garra do urso tomar forma. Então, finalmente caminharam pela rua Creek. Ali, o velho distrito da luz vermelha havia sido transformado em uma calçada de madeira com lojas e restaurantes localizados acima do rio. Encontraram uma lanchonete pequena e agradável, com uma boa vista, e sentaram-se a uma mesa de pinho com nós perto da janela.

A rua lá fora estava cheia de turistas com sacolas, movendo-se como bestas selvagens na estação da migração, indo de uma loja para a outra, mesmo sob a chuva. Os sinos sobre as portas das lojas tocavam uma melodia aleatória.

— Bem-vindas ao Capitão Gancho — disse uma jovem e bela garçonete vestida de macacão amarelo e camisa vermelha xadrez. Um chapéu amarelo de pescador estava firmemente instalado sobre seus cachos castanhos. Uma plaqueta de identificação dizia que era Brandi. Ela entregou a cada uma delas um grande cardápio laminado com forma de anzol.

Não demorou um minuto para ela voltar e pegar os pedidos, que foram três cestinhas de peixe com batata frita e chá gelado. Quando ela se afastou, Meredith disse:

— Fico imaginando como seria o totem da nossa família.

Houve um momento de pausa depois disso. Durante a pausa, as três ergueram os olhos e se fitaram.

— Papai estaria embaixo — Nina disse. — Ele foi o nosso começo.

— Um urso — Meredith disse. — Nina seria uma águia.

Uma águia. Solitária. Pronta para voar para longe. Ela juntou um pouco as sobrancelhas, desejando poder discordar. Sua vida deixara marcas por todo o mundo, mas poucas em casa. O totem de mais ninguém a incluiria, só o da família, e, apesar de ser o que sempre desejara — totalmente livre e independente —, agora ela se sentia solitária.

— Meredith seria uma leoa que se preocupa com todos e mantém o orgulho em alta.

— O que você seria, Mãe? — Meredith perguntou.

Mamãe deu de ombros.

— Eu não estaria no totem, eu acho.

— Você acha que não deixou marca em nós? — Nina perguntou.

— Não alguma que implore para ser lembrada.

— Papai a amou por mais de 50 anos — Meredith disse. — Isso não é pouco.

Mamãe tomou um gole do chá gelado e olhou pela janela para a chuva.

A garçonete voltou com a comida. Nina levantou depressa e sussurrou algo no ouvido dela, depois sentou outra vez. Enquanto comiam o delicioso linguado com fritas, falaram sobre o dia em Ketchikan — a pepita de ouro na vitrine das lojas, a arte tribal ornamentada das Primeiras Nações, as malhas cowichan[24] que

---

[24] Tipo de tricô desenvolvido pelo povo cowichan do sudoeste da ilha Vancouver, no estado canadense da Colúmbia Britânica. É uma técnica aculturada, misturando técnicas têxteis europeias e métodos de tecelagem salish (nome dado a moradores e às línguas extintas ou em risco de extinção da região da Nação Cabeça-Chata). O produto resultante é uma malha de lã pesada, com desenhos típicos populares entre os locais e turistas (N.T.).

as pessoas dali vestiam e a águia careca que viram empoleirada em um totem na cidade. Foi uma conversa que poderia ser dita por qualquer família de férias na cidade, mas para Nina pareceu quase mágico. Quando a mãe falou sobre coisas que lhe interessavam, ela pareceu suavizar. Era como se cada palavra comum relaxasse algo nela, até que no final da refeição ela estava sorrindo.

A garçonete voltou e levou os pratos. Em vez de colocar a conta na mesa, ela pôs um pedaço de bolo de aniversário diante de Mamãe. A vela acesa dançava sobre a cobertura de creme.

— Feliz aniversário, Mãe — Meredith e Nina disseram juntas.

Mamãe olhou para a vela.

— Sempre quisemos fazer uma festa de aniversário para você — Meredith disse. Ela estendeu a mão e a colocou sobre a da mãe.

— Eu cometi tantos erros — Mamãe disse suavemente.

— Todo mundo comete erros — Meredith disse.

— Não. Eu... eu não queria ser assim... eu queria contar a vocês... mas eu não conseguia nem olhar para vocês, eu sentia tanta vergonha.

— Você está olhando para nós agora — Nina disse, apesar de não ser exatamente verdade. Mamãe estava olhando para a vela. — Você quer nos contar sua história. Você sempre quis. É por isso que começou o conto de fadas.

Mamãe fez que não com a cabeça.

— Você é Vera — Nina disse suavemente.

— Não — Mamãe disse —, aquela garota não é quem eu sou.

— Mas ela é quem você era — Nina disse, odiando-se por dizer isso, mas incapaz de parar.

— Você é um cachorro com um osso, Nina. — Mamãe suspirou. — Sim. Muito tempo atrás eu fui Veronika Petronova Marchenko.

— Por que...

— Chega — Mamãe disse rispidamente. — Esta é minha primeira festa de aniversário com minhas filhas. Haverá tempo mais tarde para o resto.

21

No jantar, elas conversaram sobre amenidades. Beberam vinho e brinda-ram novamente ao aniversário de 81 anos de Mamãe. Depois de uma refeição deliciosa, elas andaram pelo brilho no estilo de Las Vegas do imenso navio e encontraram um teatro, onde um homem de macacão laranja com lantejoulas fazia mágicas. Ele fez a assistente com poucas roupas desaparecer, deu a ela rosas de papel que viraram pombas brancas e voaram para longe e a cortou em vários pedaços e depois os reuniu outra vez.

Mamãe bateu palmas com entusiasmo a cada novo truque, sorrindo como uma criança.

Meredith mal conseguia desviar os olhos da mãe. Ela parecia brilhante e quase feliz; pela primeira vez, Meredith compreendeu como a beleza da mãe sempre fora fria. A beleza dela estava diferente esta noite: mais suave, mais quente.

Quando o show terminou, elas voltaram para seus camarotes. Nos corredores cheios de gente, em meio a toda a conversa de seus colegas passageiros e o soar dos sinos do cassino, elas estavam estranhamente silenciosas. Algo mudara hoje, com aquela pequena vela queimando em um pedaço de bolo de chocolate, mas Meredith não sabia direito *o que* havia mudado ou como elas seriam transformadas por isso. Tudo que sabia era que havia perdido a habilidade de se manter afastada. Durante mais de 25 anos, havia mantido seu lado da parede erguido também. Recusara-se a ver ou precisar de verdade da mãe e, nessa distância, havia encontrado força. Pelo menos, algo parecido com força. Agora, não restava quase nada disso. Na verdade, estava feliz que já estivesse muito tarde para ouvir mais uma parte da história.

Diante da porta delas, Nina parou.

— Tive um ótimo dia, Mãe. Feliz aniversário. — Ela avançou sem jeito, dando na mãe um abraço que terminou antes de Mamãe poder erguer os braços.

Meredith quis fazer o mesmo, mas, quando olhou para os olhos azuis da mãe, sentiu-se vulnerável demais para agir.

— Eu... bem... eu sei que você deve estar cansada — Meredith disse, sorrindo nervosa. — É melhor irmos para a cama para acordarmos cedo. Amanhã, vamos fazer o cruzeiro pela Baía do Glacier. Dizem que é espetacular.

— Obrigada pelo meu aniversário — Mamãe disse tão suavemente que elas quase não ouviram, e então abriu a porta e entrou na cabine.

Meredith destrancou a porta e entrou.

— A banheira é minha — Nina disse, sorrindo.

Meredith mal notou. Pegou um cobertor da cama e foi para a pequena varanda. Dali, mesmo na escuridão, podia ver a costa. Aqui e ali, havia luzes brilhando, marcando as vidas das pessoas.

Ela se encostou na porta deslizante e imaginou as paisagens que não estava vendo. Estava tudo ali — o mistério, a beleza — nesse momento, além de sua habilidade de enxergar, mas ainda assim ali. Era apenas uma questão de afinação e perspectiva, aquilo que uma pessoa via. Como com Mamãe. Talvez tudo estivesse ali para ser visto o tempo todo e Meredith usasse a perspectiva errada, ou não houvesse luz suficiente.

— Acho que isso é você, Meredith.

Ela levou um susto com a voz da mãe, vindo da escuridão da varanda à sua direita. Era outro jorro de realidade: havia centenas de pequenas varandas na lateral daquele navio, mas, no escuro, cada uma delas parecia completamente separada.

— Oi, Mamãe — ela disse. Mal conseguia ver a silhueta da mãe, apenas enxergava o branco dos cabelos.

Elas eram parecidas nisso, ela e a mãe. Quando tinham problemas, as duas queriam estar lá fora sozinhas.

— Você está pensando sobre seu casamento — Mamãe disse.

Meredith suspirou.

— Não imagino que tenha algum conselho para mim.

— Perder o amor é algo terrível — Mamãe disse suavemente —, mas virar as costas para ele é insuportável. Você vai passar o resto da vida repassando isso na sua cabeça? Imaginando se se afastou cedo demais ou com facilidade demais? Ou se vai algum dia amar alguém novamente com tanta profundidade?

Meredith escutou a suavização na voz da mãe. Era como dor derretida, aquela voz.

— Você sabe como é a perda — ela disse calmamente.

— Nós todos sabemos.

— Quando me apaixonei por Jeff, foi como ver a luz do sol pela primeira vez. Eu não aguentava ficar longe dele. E depois... eu passei a aguentar. Nós casamos tão jovens.

— Ser jovem não tem nada a ver com amor. Uma mulher pode ser uma menina e ainda assim conhecer o próprio coração.

— Eu parei de ser feliz. Eu nem mesmo sei por que ou quando.

— Lembro quando você estava sempre sorrindo. Naquela época, quando abriu a loja de presentes. Talvez você não devesse ter assumido o negócio.

Meredith ficou surpresa demais para fazer algo além de assentir. Não pensava que a mãe a tivesse notado de qualquer forma que fosse.

— Isso significava tanto para Papai.

— É verdade.

— Eu cometi o erro de viver para outras pessoas. Para Papai e o pomar e minhas filhas. Especialmente para elas, e agora elas estão tão ocupadas com suas próprias vidas que mal telefonam. Eu tenho que decorar as agendas delas e segui--las como Hercule Poirot. Sou uma caçadora de recompensas com um telefone.

— Jillian e Maddy foram embora porque você lhes deu asas e as ensinou a voar.

— Eu queria ter asas — Meredith disse serenamente.

— Isso é culpa minha — Mamãe disse, endireitando-se. A varanda rangeu com o movimento.

— Por quê? — Meredith disse, aproximando-se do peitoril que separava as duas varandas. Ela sentiu a mãe se aproximar dela até que subitamente estavam paradas face a face, a 30 centímetros ou menos uma da outra. Finalmente, podia ver os olhos de Mamãe.

— Estou contando minha história para explicar isso.

— Quando acabar, eu vou saber o que fiz de tão errado?

Na mistura incerta de luz e sombra, o rosto da mãe parecia amassar como papel encerado velho.

— Você vai saber, quando tiver acabado, que não foi você quem fez algo de errado. Agora, vamos para dentro. Vou contar para vocês sobre Luga esta noite.

— Tem certeza? Está tarde.

— Tenho certeza. — Ela abriu a porta de correr e desapareceu dentro da cabine.

Meredith voltou para dentro e encontrou Nina sentada na cama, secando o curto cabelo preto com uma toalha.

— Não dá para ver nada lá fora, não é?

— Mamãe quer nos contar mais da história.

— Esta noite? — Nina levantou de um pulo, deixando a toalha cair no chão, e correu para o outro lado do quarto.

Meredith pegou a toalha molhada e a levou para o banheiro, onde a pendurou.

— Você está pronta? — Nina disse da porta.

Meredith virou-se para olhar a irmã.

— Você tem asas.

— O quê?

— Talvez eu seja como uma avestruz ou um pássaro dodô. Fiquei no chão tanto tempo que perdi a habilidade de voar.

Rindo, Nina passou o braço pela cintura da irmã e a levou para fora da cabine.

— Você *não* é como uma porcaria de avestruz, que, por sinal, são aves muito malvadas que querem sempre ficar sozinhas.

— Então, o que eu sou? — Meredith perguntou quando Nina bateu na porta da cabine da mãe.

— Talvez seja um cisne. Eles formam um casal para a vida toda, sabe? Não sei se um pode voar sem o outro.

— Isso é estranho, vindo de você. Você não é romântica.

— Sim — Nina disse, olhando para ela —, mas você é.

Isso deixou Meredith surpresa. Nunca teria se considerado romântica. Isso era para pessoas como seu pai, que amava todo mundo de forma incondicional e nunca falhava com um gesto grandioso. Ou como Jeff, que nunca esquecia de lhe dar um beijo de boa-noite, não importando se fosse muito tarde ou se seu dia tivesse sido duro.

Ou talvez fosse para garotas que encontravam suas almas gêmeas quando eram jovens e não compreendiam como isso era raro.

A porta abriu. Mamãe estava ali esperando, o cabelo branco solto e o corpo envolto em um robe azul do navio, grande demais para ela. A cor era tão incompatível com a mãe que Meredith teve que olhar de novo.

E então ela percebeu.

— Vera vê cores — ela disse.

Ao lado dela, Nina ofegou.

— É verdade! Então *você* vê cores.

— Não — Mamãe disse.

— Mas como...

— Sem perguntas — Mamãe disse com firmeza. — Essa é a regra. — Ela foi até a cama e subiu nela, encostando-se em uma pilha de travesseiros.

Meredith seguiu Nina até o quarto e sentou-se ao lado da irmã no sofá. No silêncio, ela ouviu ondas batendo na lateral do barco e o som ritmado das respirações delas três.

— Vera não pode acreditar que deve deixar os filhos novamente — Mamãe disse suavemente, usando todo o poder de sua voz. Ela não parecia mais delicada e velha. De fato, estava quase sorrindo e seus olhos se fecharam.—Especialmente quando trabalhou tão duro para trazê-los para casa, mas Leningrado é agora uma cidade de mulheres, e elas precisam se defender dos alemães. Por isso, em um dia brilhante de verão, Vera beija

seus bebês, dizendo adeus pela segunda vez em uma semana. Eles estão com 4 e 5 anos, jovens demais para ficarem sem a mãe, mas a guerra muda tudo, e, assim como a mãe havia predito, Vera está fazendo o que teria sido inimaginável mesmo poucos meses atrás. No pequeno apartamento delas, com todos os olhos sobre si, Vera ajoelha diante deles.

— Tia Olga e Mama têm que ir ajudar a manter Leningrado segura. Vocês têm que ser muito fortes e adultos enquanto estivermos fora, sim? Baba vai precisar da ajuda de vocês.

Os olhos de Leo ficam imediatamente cheios de lágrimas.

— Não quero que você vá.

Vera não consegue enfrentar os olhos tristes do filho, então, vira-se levemente para a filha, em quem já começou a pensar como a mais forte dos dois.

— E se você não voltar? — Anya pergunta calmamente, fazendo o possível para não chorar.

Vera pega no bolso o tesouro que pensara em levar consigo. Puxa-o para fora lentamente. Em sua palma está a bela joia em forma de borboleta.

— Aqui — ela diz para Anya. — Quero que você guarde isto para Mama. É minha coisa mais especial. Quando olhar para ela, você vai pensar em mim e saber que eu vou voltar para vocês e que, onde quer que esteja, vou estar pensando em você e Leo e amando vocês dois. Não brinque com isto, nem quebre. Isto é quem nós somos, Anya. Isto prova que vou voltar para vocês. Certo?

Muito solene, Anya pega a borboleta, segurando-a com todo o cuidado em sua mão pequenina.

Vera beija os dois mais uma vez e levanta.

Do outro lado da sala, ela encontra o olhar da mãe. Está tudo ali, nos olhos delas — o adeus, a promessa de tomar cuidado e voltar para casa e a preocupação de que isso seja adeus. Vera sabe que deve abraçar a mãe, mas se o fizer ela chorará, e não pode chorar na frente dos filhos. Então, ela pega o casaco pesado de inverno no cabide perto da porta e o coloca sobre os ombros. Em um instante, ela e Olga estão amontoadas na traseira de um caminhão de transporte, rodeadas por dúzias de outras mulheres jovens; muitas delas usando vestidos floridos de verão com sandálias nos pés. Em outros tempos, elas pareceriam meninas indo acampar, talvez nos Urais ou no Mar Negro, mas ninguém cometeria agora o engano de pensar isso. Nenhuma delas está sorrindo.

QUANDO CHEGAM À LINHA LUGA, HÁ PESSOAS — meninas e mulheres, na maioria — até onde a vista alcança; elas estão construindo as imensas trincheiras e fortificações que impedirão que o inimigo alcance Leningrado. Curvadas sobre o chão, batendo na terra com picaretas e pás, essas mulheres estão exaustas; seus rostos estão marcados pelo suor e pela terra e os vestidos arruinados. Mas elas são russas — soviéticas — e ninguém ousa parar ou reclamar. Ninguém sequer imagina fazer uma coisa dessas. Vera fica parada à luz do sol, com a floresta a apenas alguns quilômetros dali, enquanto um camarada lhe diz o que fazer.

Olga se aproxima dela, segura sua mão. Elas escutam como soldados e se parecem com crianças, apesar de não saberem disso. É seu último momento de paz por muitas noites. Depois disso, elas pegam picaretas e marcham para a linha, onde o chão já foi escavado. Saltando dentro da trincheira, elas se tornam mais duas na interminável linha de meninas e mulheres e velhos que cavam a terra até as mãos ficarem com bolhas e sangrarem, até tossirem sangue e chorarem lágrimas negras. Dia após dia, elas cavam.

De noite, elas se amontoam em um celeiro com as outras meninas, que parecem tão atordoadas e cansadas e sujas quanto Vera se sente. O lugar todo cheira a poeira e lama e suor e fumaça.

Na sétima noite, Vera encontra um canto quieto no celeiro onde podem ficar de noite e faz um pequeno fogo com galhos. Elas não durarão muito, essas chamas alimentadas por tão pouco, então ela trabalha depressa, fervendo uma caneca de água para a irmã, entregando-a a ela. A sopa de repolho aguada que comeram no jantar há muito cedeu lugar para a fome, mas não há o que fazer quanto a isso.

Ao lado delas, uma mulher idosa e grandalhona está encostada em fardos de feno, olhando para as unhas sujas como se nunca tivesse visto as próprias mãos. Seu rosto carnudo e sujo não é familiar, mas há algo de reconfortante nos olhos dela.

— Olhe para minhas mãos — Olga diz, baixando a caneca de água. — Estou sangrando.

Ela diz isso com uma espécie de surpresa confusa, como se a dor não fosse dela, nem também o sangue.

Vera pega a mão da irmã, vê o sangue pisado e as bolhas estouradas na palma.

— Você tem que manter as mãos enroladas. Eu lhe disse isso.

— Eles estavam me observando hoje — Olga diz baixinho. — Os camaradas Slotkov e Pritkin. Eu sei que eles sabem sobre Papa. Eu não podia parar para ajustar os panos.

Vera franze a testa. Tinha ouvido a irmã falar disso antes, na semana anterior, mas agora percebe que tem algo errado. Olga não faz contato visual com ela. Elas já viram garotas morrerem ao redor. Ontem mesmo, Olga passou metade do dia ensurdecida por uma bomba que caiu perto demais.

Lá fora, o alarme soa. O som de aviões está muito distante a princípio, parecido com o zumbido de uma abelha rodeando um piquenique de verão. Mas o som cresce e o medo no celeiro torna-se palpável. As meninas se movem e deitam no chão, mas na verdade não há para onde ir.

Bombas caem. Brilhos vermelhos, amarelos e negros de fogo aparecem entre as frestas das paredes do celeiro. Em algum lugar, alguém está gritando. O ar fica cinza e arenoso. Os olhos de Vera ardem.

Olga se encolhe, mas não se move. Em vez disso, olha para a palma machucada e começa a arrancar metodicamente a pele morta das bolhas. O sangue corre dos ferimentos.

— Não faça isso — Vera diz, puxando a mão da irmã.

— Mel.

Vera escuta a palavra ser dita em voz alta. A princípio, aquilo não faz sentido; tudo que pode realmente compreender é o bombardeio. Perto dela, alguém está chorando.

Então, ela escuta novamente.

— Mel.

A mulher mais velha agora está mais próxima. Rugas profundas marcam a boca de fumante e bolsas púrpuras sustentam os olhos cansados. Ela tira um pequeno frasco do bolso do avental.

— Coloque mel nos ferimentos da sua irmã.

Vera fica surpresa com a generosidade do ato. Mel é mais valioso que ouro ali, na linha Luga. Comida e remédio ao mesmo tempo.

— Por que você está fazendo isso? — Vera diz depois de espalhar uma pequena gota nos ferimentos de Olga.

A mulher olha para ela.

— Nós somos tudo que temos — ela diz, voltando para seu lugar nos fardos de feno.

— Como é seu nome? — Vera pergunta.

— Não importa — diz a mulher. — Observe bem sua irmã. Já vi olhos assim antes. Ela não está bem.

Vera assente bravamente, embora essas palavras sejam como um vento frio. Ela se dizia que essa mudança em Olga era apenas por causa da falta de sono e da fome, mas agora vê o mesmo que a mulher idosa vê: os indícios de loucura nos olhos grandes da irmã. Olga não consegue suportar esses dias e noites — os gritos, o trabalho sem fim, o horror de ver uma garota de sua idade desmoronar. A iminência do perigo; isso é o pior. Olga está desmontando. Ela fala sozinha e mal consegue dormir. Ela arranca os cabelos em tufos.

— Venha aqui, Olgushka — Vera diz, puxando a irmã para seus braços. Elas se abraçam na cama de feno, que não é macia nem cheira bem.

— Eu vejo Papa — Olga diz, a voz soando sonhadora. É como se ela tivesse esquecido quem são e onde estão e de quem não devem falar.

— Shhh.

— Conte uma história, Vera. Sobre princesas e garotos que lhes trazem rosas.

Vera está completamente exausta, mas acaricia o cabelo sujo da irmã e usa a única coisa que tem — sua voz — para apaziguar seus espíritos.

— O Reino das Neves é uma cidade mágica, onde a noite nunca cai e pombas brancas fazem ninhos nos fios do telefone...

Bem depois de Olga ter dormido, Vera ainda está tecendo suas belas palavras, mudando o mundo ao redor delas da única forma que consegue. Quando seus olhos ficam pesados demais para continuarem abertos, ela beija a mão machucada da irmã, sentindo o gosto metálico do sangue misturado com a doçura do mel. Ela deveria ter posto um pouco do mel em suas próprias mãos cheias de bolhas, mas não pensou nisso na hora.

— Durma agora.

— Vamos ver Mama amanhã? — Olga pergunta, sonolenta.

— Não, amanhã, não — Vera diz, abraçando-a mais forte. — Mas logo.

O DIA ESTÁ ENSOLARADO E BRILHANTE. Se não fossem os alemães bombardeando tudo em volta, e seus tanques avançando e avançando, os pássaros estariam cantando e os pinheiros seriam verdes em vez de negros. Do jeito que está, a beleza do lugar desapareceu. A trincheira é um imenso corte na terra, uma ferida mortal enlameada. Meninas rastejam por todos os lados; soldados correm para cá e para lá entre esse ponto e a linha de frente, não muito longe dali. Se essa linha romper, se os alemães passarem, Leningrado cairá. Nisso todos eles acreditam, então, continuam cavando, por mais que suas mãos sangrem e as bombas estejam tão presentes quanto a luz do sol.

Vera está tentando não pensar em nada exceto a colher em sua mão. A picareta quebrou na semana passada. Uma vez, ela teve a sorte de achar uma pequena pá, mas não a escondeu bem e em uma manhã, quando acordou, a pá havia sumido, então agora ela cava com uma colher de servir.

O dia inteiro. Bater, empurrar, girar, puxar. Até o ombro doer e o pescoço arder e as mãos queimarem. Nem muita água com sal pode ajudar (o mel e a velha mulher há tempos se foram). E agora ela está tendo também seu sangramento mensal. O corpo está se voltando contra ela, ao que parece, e mesmo assim ela continua a se preocupar com Olga. A irmã cava sem reclamar, mas não consegue dormir nem comer, e, quando as bombas começam a cair, Olga só fica ali com a mão protegendo os olhos da luz, olhando os aviões passarem.

Nas últimas semanas, Vera aprendeu que tudo pode tornar-se corriqueiro — dormir na terra, correr para se proteger, cavar buracos, ver pessoas morrerem, andar por cima de corpos, sentir cheiro de carne queimando. Mas ela não pode aceitar essa nova Olga, que se move como cega e dá risadinhas enquanto bombas explodem a seu redor.

O ALARME DE ATAQUE AÉREO SOA. Meninas e mulheres correm para dentro das trincheiras. Estão gritando entre si, empurrando umas às outras para abrir espaço.

Olga está parada do lado da trincheira, o vestido rasgado e sujo. Seu cabelo loiro-avermelhado está sujo, crespo, preso atrás do rosto enegrecido por um lenço que já foi azul. Acima, aviões alemães começam a encher o céu, os motores zunindo.

Vera grita, chamando a irmã enquanto corre pela terra escavada, abrindo caminho, empurrando o que houver pela frente.

— Vamos...

— Parece a máquina de costura de Mama.

Vera vira-se ao escutar isso, olhando para trás. Olga ainda está lá parada, longe demais, a mão protegendo os olhos.

— Corra! — Vera grita ao mesmo tempo que uma bomba cai.

Olga está lá e se vai, arremessada para o lado como uma boneca de pano. Ela desaba imóvel do outro lado da trincheira enquanto cai uma chuva de detritos...

Vera está gritando, chorando; rasteja para fora da trincheira e pela terra arrasada até onde está a irmã, embaixo de uma pilha de terra e detritos. Há um tijolo sobre o peito de Olga — de onde ele veio?

Sangue escorre pelo canto da boca de Olga e desliza pela sujeira e lama na face dela. Sua respiração está pesada, é uma tosse sanguinolenta.

— Vera — ela diz, tremendo —, eu esqueci de me abaixar...

— Você deveria me ouvir — Vera diz. Ela puxa a irmã para seu peito, tentando mantê-la viva com seu amor. — Eu sou sua irmã mais velha.

— Sempre... dando... ordens...

Vera beija o rosto da irmã, tenta limpar o sangue, mas suas mãos estão tão sujas que só estão piorando tudo.

— Eu amo você, Olga. Não me deixe. Por favor...

Olga sorri e tosse. Sangue escorre de seu nariz e se mistura com a sujeira.

— Lembra quando fomos...

E ela se vai.

Vera fica sentada ali um longo tempo, ajoelhada no chão. Até os soldados virem e levarem Olga embora.

Então, ela volta a cavar. Não é que não se importe ou que não doa.

Mas que mais ela poderia fazer?

22

EM AGOSTO, VERA É LIBERADA DO TRABALHO NA LINHA. Ela é uma das milhares de mulheres entorpecidas caminhando para casa em grupos silenciosos. Os trens ainda estão rodando, embora a maioria deles esteja sempre lotada, e apenas os mais sortudos conseguem encontrar lugar para sentar ou mesmo viajar em pé. Eles estão evacuando as crianças de Leningrado novamente — desta vez com as mães —, mas Vera não confia mais no governo e não seguirá a ordem de evacuação outra vez. Ainda na semana passada ela ouviu falar de um trem de crianças que foi bombardeado perto de Mga. Talvez seja verdade, talvez não. Ela não se importa. Pode ser verdade, e isso basta para ela.

Agora, Vera está mais forte, depois de dois meses cavando a terra negra e correndo para se proteger. Forte o bastante para caminhar até em casa por uma região que nunca viu. Quando tem sorte, um transporte ou caminhão a pega e a leva até onde seus caminhos se desviam, mas a sorte é algo com que ela nunca conta e caminha a maioria dos quilôme-

tros até Leningrado. Quando encontra soldados na estrada, ela pergunta sobre Sasha, mas não consegue nenhuma informação. O que não a surpreende.

Quando finalmente chega a Leningrado, encontra uma cidade tão transformada quanto ela mesma. Janelas cobertas e com faixas de fita adesiva. Trincheiras cavadas nos parques, cortando grama e flores. Por todos os lados, há montes de cimento quebrado — dentes de dragão, é como os chamam — que servem para impedir a passagem dos tanques. Imensas barras de ferro cruzam as fronteiras da cidade como feias e deslocadas barras de uma prisão. E soldados movem-se em colunas, marchando pelas ruas. Muitos deles parecem tão alquebrados quanto ela se sente; eles perderam em uma frente e estão indo para outra, mais perto da cidade. Em seus olhos cansados, ela vê o mesmo medo que está agora encravado nela: Leningrado não é a cidade impenetrável que eles imaginavam que fosse. Os alemães estão chegando mais perto...

Por fim, Vera entra em sua rua e olha para cima, para seu apartamento. Exceto pelas janelas cobertas, parece o mesmo lugar de sempre. As árvores do lado de fora estão completamente floridas com o verão e o céu é de um azul perfeito.

Parada ali, com medo de ir adiante, uma sensação percorre seu corpo, tão poderosa quanto a fome ou o desejo: ela treme com isso.

É uma vontade de virar e correr, de agarrar-se àquela terrível verdade mais um pouquinho, mas ela sabe que correr não ajudará, então, respira fundo e avança, um passo por vez, até que está diante da porta do apartamento.

A porta abre quando a toca e subitamente ela está novamente em casa, tão pequena e abarrotada como sempre. Nunca a mobília velha e a pintura descascando pareceram tão lindas.

E ali está sua mãe, diante do fogão em um vestido desbotado, com o cabelo grisalho quase todo escondido por um lenço velho, mexendo alguma coisa. Com a entrada de Vera, ela vira-se lentamente. Seu sorriso brilhante é de partir o coração; pior é o modo como desaparece e é substituído pela tristeza. Apenas uma delas voltou para casa.

— Mama! — Leo grita, vindo até ela como uma rajada de vento, os brinquedos caindo de suas mãos. Anya está ao lado dele em um instante e os dois se lançam nos braços de Vera.

Eles cheiram tão bem, tão puros... as faces de Leo são tão suaves e doces quanto ameixas maduras e Vera poderia comê-lo inteiro. Ela os abraça por tempo demais, apertando demais, sem perceber que começou a tremer e chorar.

— Não chore, Mama — Anya diz, enxugando o rosto dela. — Eu ainda tenho a borboleta. Eu não a quebrei.

Vera solta os filhos lentamente e se levanta. Está tremendo sem parar e tentando não chorar ao olhar através da cozinha para sua mãe. Naquele olhar, Vera sente que a infância a deixa por fim.

— Onde está tia Olga? — Leo pergunta, olhando para a porta.

Vera não consegue responder. Ela só fica ali parada.

— Olga se foi — Mama diz com apenas um pequeno tremor na voz. — Ela é uma heroína do Estado, nossa Olga, e assim é que devemos pensar nela.

— Mas...

Mama toma Vera nos braços, abraçando-a com tanta força que nenhuma das duas consegue respirar. Há apenas silêncio entre elas; naquele silêncio, lembranças passam de um lado para o outro como tinta na água, movendo-se, fluida, e, quando finalmente se separam e olham uma para a outra, Vera compreende.

Elas não falarão mais sobre Olga, não durante um longo tempo, não até a dor aguda suavizar em algo que possa ser manipulado.

— Você precisa de um banho — Mama diz depois de um tempo. — E essas bandagens nas suas mãos precisam ser trocadas, então, venha.

Aqueles primeiros dias de volta em Leningrado parecem um sonho para Vera. Durante o dia, ela trabalha com outros empregados da biblioteca, embalando os livros mais importantes para serem transportados. Ela, que está embaixo na hierarquia, descobre-se um dia segurando uma primeira edição de Anna Karenina. As páginas têm um peso inesperado e ela fecha os olhos por apenas um momento. Na escuridão, ela vê Anna, vestida em joias e peles, correndo pela neve para o Conde Vronsky.

Alguém diz seu nome de forma tão dura que ela quase derruba o valioso volume. Assustada, ela ruboriza e baixa os olhos para o chão, murmurando:

— Desculpe. — E volta ao trabalho. Ao final da semana, eles embalaram mais de 350 mil obras-primas para serem enviadas para um local seguro. Eles encheram um sótão com sacos de areia e levaram outros trabalhos importantes para o porão. Sala após sala é limpa, lacrada e fechada, até que apenas a menor sala é deixada aberta para os leitores.

No final do turno, os ombros de Vera doem de tanto erguer e empurrar caixas, mas ela está longe de ter terminado o dia. Em vez de ir para casa, ela marcha pelas ruas cheias e camufladas e entra na primeira fila que encontra.

Ela não sabe o que estão vendendo naquele mercado e não se importa. Desde o começo do racionamento do pão e das limitações impostas para retiradas das contas no banco, todos pegam o que podem. Como muitos de seus amigos e vizinhos, Vera tem pouco dinheiro. Sua cota permite receber 400 gramas de pão por dia e 600 gramas de manteiga por mês. Com isso, eles podem viver. Mas ela pensa sempre em uma decisão que tomou anos atrás: se estivesse trabalhando na fábrica de pão, sua família estaria melhor alimentada agora. Ela seria uma trabalhadora essencial, com cotas maiores.

Ela fica na fila por horas. Pouco depois das 10 da noite, chega sua vez. A única coisa que resta para vender são jarros de picles, e ela compra três — tudo que consegue comprar e carregar.

No apartamento, encontra a mãe e a avó sentadas à mesa da cozinha, passando um cigarro de uma para a outra.

Sem dizer nada — eles todos falam muito pouco ultimamente —, ela passa por elas e vai até a cama das crianças. Curvando-se, beija as duas no rosto. Exausta e faminta, ela volta para a cozinha. Mama serviu um prato de kasha *frio para ela.*

— O último transporte partiu hoje — Baba diz quando Vera se senta.

Vera olha para a avó.

— Pensei que ainda estavam evacuando a cidade.

Mama faz que não com a cabeça.

— Nós não tomamos uma decisão e agora eles decidiram por nós.

— Os alemães tomaram Mga.

Vera sabe o que isso quer dizer, e, se não soubesse, a expressão de desespero nos olhos da mãe seria o bastante para informá-la.

— Então...

— Leningrado agora é uma ilha — Mama diz, dando uma tragada no cigarro e passando-o para Baba. — Separada do continente por todos os lados.

Separada dos suprimentos.

— O que vamos fazer? — Vera pergunta.

— Fazer? — Baba diz.

— O inverno está chegando — Mama diz no silêncio. — Precisamos de comida e de um burzhuika[25]. *Eu vou levar as crianças e ir ao mercado amanhã.*

— O que você vai trocar?

— Minha aliança de casamento — Mama diz.

— Então, começou — Baba diz, apagando o cigarro.

Vera vê o modo como elas se olham, a tristeza do conhecimento que passa entre mãe e filha, e, apesar de isso a assustar, também a conforta. Elas já passaram por isso, sua mama e sua babushka. A guerra não é novidade para a cidade de Pedro. Elas sobreviverão como sobreviveram antes, sendo cuidadosas e espertas.

A CIDADE TORNA-SE UMA LONGA FILA. Tudo está desaparecendo, especialmente a edu-cação. Cotas são diminuídas o tempo todo e é comum não haver comida nenhuma, mesmo para quem tem um cartão de racionamento. Vera, como todos os outros, está cansada, com fome e medo. Ela acorda às 4 da manhã para ir para a fila do pão e, depois do trabalho, caminha quilômetros até os limites da cidade, trocando comida com camponeses — um litro de vodca por um saco de batatas murchas; um par de valenki *grandes demais por meio quilo de banha — e para colher qualquer vegetal ou legume que tenha sido esquecido.*

---

[25] Antigo fogão portátil a lenha ou a carvão, feito de um cilindro de metal, com uma porta gradeada na frente e chaminé também de metal (N.T.).

Não é seguro e ela sabe disso, mas não há nada a fazer. Essa procura por comida é tudo que existe. Ninguém mais vai à biblioteca, mas Vera deve continuar trabalhando lá para ganhar as rações de trabalhador. Agora ela está indo para casa, saindo do campo. Ela anda depressa, mantendo-se nas sombras, com sua preciosa sacola de batatas escondida dentro do vestido como uma barriga de grávida.

Ela está a menos de um quilômetro do apartamento quando soa o alarme de ataque aéreo, tocando pelas ruas da cidade quase vazia. Quando o som para, ela pode ouvir o zumbido dos aviões se aproximando.

Escuta um assobio alto e começa a correr para uma das trincheiras no parque à sua esquerda. Antes que atravesse a rua, algo explode. Terra e detritos chovem do céu. Um prédio depois do outro é destruído.

E então... silêncio.

Vera se levanta, as pernas bambas.

As batatas estão bem.

Ela rasteja para fora da trincheira. Batendo a poeira e a terra, ela corre para casa. A cidade está queimando e há fumaça por todos os lados. As pessoas gritam e choram.

Ela vira a esquina e vê seu prédio. Está intacto.

Mas o prédio vizinho foi destruído. Apenas metade dele permanece em pé; o outro lado é uma pilha de restos fumegantes e pulverizados. À medida que ela se aproxima, vê uma sala perfeita — papel de parede verde ainda no lugar, uma mesa ainda preparada para o jantar, um quadro na parede. Mas sem pessoas. Enquanto está ali parada olhando, o candelabro acima da mesa vibra e cai, estilhaçando-se sobre os pratos na mesa.

Ela encontra sua família no porão, amontoada com os vizinhos. Quando o aviso de que está tudo em ordem soa, eles voltam para cima e colocam as crianças na cama.

É APENAS O COMEÇO. NO DIA SEGUINTE, Vera vai com a mãe e as crianças ao mercado, onde procuram um burzhuika. *Sem esse forno, a mãe diz, eles terão problemas no inverno.*

Encontram um bem no fundo do mercado, em uma barraca cujos vendedores são gente que Vera normalmente jamais veria. Gente perigosa, bêbados, homens e mulheres usando joias que certamente não possuíam uma semana atrás.

Vera mantém os filhos bem próximos, tentando não torcer o nariz quando sente o cheiro de vodca no hálito do homem.

— Este é o último — ele diz, olhando de forma lúbrica para ela, oscilando.

Mama tira a aliança de casamento. O ouro brilha opaco à luz da manhã.

— Tenho este anel de ouro — ela diz.

— De que serve o ouro? — ele zomba.

— A guerra não vai durar para sempre — Mama diz. — E tem mais isto. — Ela abre o casaco e tira um jarro grande cheio de açúcar branco.

O homem olha fixo para o jarro; açúcar agora é como pó de ouro. Baba ou Mama devem ter roubado o jarro do armazém onde trabalham.

O punho do tamanho de um presunto do homem se aproxima; os dedos envolvem o jarro e o puxam.

Mama não parece se importar que sua aliança se foi, que um homem como aquele agora a possui.

Juntos, os quatro arrastam o forno e chaminé para o apartamento, subindo a escada aos trancos, fazendo muito barulho. Quando está no lugar, com a chaminé saindo pela janela, Mama junta as mãos.

— É isso — ela diz, tossindo.

O forno é pequeno, feio, de ferro forjado com um par de gavetas que se movem sem nenhuma suavidade. Um grande tubo de metal sai do forno, subindo pela parede, e vai para fora por um buraco recém-aberto. Ela mal consegue acreditar que isso valha a aliança de casamento de uma mulher.

— Aquilo era muito açúcar — Vera diz calmamente quando Mama passa por ela.

— Sim — Mama diz, parando. — Baba trouxe para nós.

— Ela pode ter problemas — Vera sussurra, aproximando-se. — Os armazéns Badayev são vigiados. Quase todas as lojas de comida da cidade ficam lá. E vocês duas trabalham lá. Se uma tiver problemas...

— *Sim* — *Mama diz, olhando duro para ela.* — *Ela ainda está lá, trabalhando até mais tarde. Ela vai ser a última a sair.*

— *Mas...*

— *Você ainda não sabe* — *Mama diz, tossindo outra vez. É um som estranho, borbulhante, que sempre faz Vera pensar em rios enlameados e tempo quente.*

— *Você está bem, Mama?*

— *Estou bem. É só a poeira no ar por causa dos bombardeios.*

Antes que Vera possa responder ou mesmo pensar no que dizer, o alarme de ataque aéreo soa.

— *Crianças!* — *ela grita.* — *Venham depressa.* — *Vera pega os casacos na parede e veste os filhos.*

— *Não quero ir para o porão* — *Leo choraminga.* — *Lá embaixo cheira mal.*

— *É a senhora Newsky quem cheira mal* — *Anya diz, e seu nariz torcido vira um sorriso.*

Leo dá uma risadinha.

— *Ela tem cheiro de repolho.*

— *Quietos* — *Vera diz, imaginando quanto essa infância durará para seus bebês. Ela abotoa o casaco de Leo e segura a mão dele.*

Lá fora, no corredor, os vizinhos já estão indo para as escadas. No rosto de todos eles vê-se a mesma expressão: uma combinação de medo e resignação. Ninguém acredita de verdade que ficar no porão vá salvá-los se uma bomba cair no prédio, mas em tempos como estes não há outra opção, então eles vão.

Vera beija os dois filhos, abraça-os com força, um depois do outro, e os entrega para Mama.

Enquanto sua família e os vizinhos descem para se salvar, Vera sobe. Ofegando, ela corre pela escada escura e suja e emerge no terraço plano e coberto de lixo. Uma grande pinça de ferro e vários baldes cheios de areia estão colocados ao longo da parede baixa. Dali, ela pode ver toda Leningrado na direção sul. A distância estão os aviões. Não um ou dois como antes, mas dúzias. A princípio, são minúsculos pontos negros, desviando de gigantescos balões de barragem que flutuam sobre a cidade, mas logo ela pode ver as hélices brilhantes e os detalhes das caudas.

Bombas caem como chuva; atrás delas, erguem-se nuvens de poeira e o brilho do fogo. Um avião está bem acima...

Vera olha para cima, vê a barriga prateada brilhante do avião se abrir. Bombas incendiárias começam a cair. Ela vê horrorizada quando uma cai a não mais que cinco metros de onde está. Ela corre até lá, ouvindo-a silvar. Seu pé colide com uma tábua e ela cai com tanta força que sente o gosto do sangue. Levantando-se depressa, tira as luvas do bolso e as veste, tremendo, tentando se apressar; então, pega a pinça de ferro e tenta usá-la para pegar a bomba. É um trabalho complicado. Ela demora demais e o fogo se espalha para a viga de madeira sob a bomba. Fumaça começa a subir. Vera posiciona a pinça na bomba — o calor em seu rosto é aterrorizante; ela está suando e mal consegue enxergar. Ainda assim, junta os cabos da pinça, ergue a longa bomba e a joga pelo lado do prédio. Ela cai com um ruído surdo no gramado abaixo, onde não pode causar nenhum dano real. Largando a pinça, ela corre para o pequeno incêndio iniciado pela bomba e pisa nas chamas com as solas dos sapatos, depois, joga areia sobre o local.

Quando o fogo está apagado, ela cai de joelhos. Seu coração está batendo violentamente e a face parece chamuscada pelo calor. Se não estivesse ali, aquela bomba teria queimado andar após andar, incendiando tudo no caminho.

No porão é onde tudo teria terminado. Naquela sala lotada de gente. Com sua família...

Ela fica ali, ajoelhada na superfície dura do telhado enquanto a noite cai. A cidade inteira parece estar em chamas. Espirais de fumaça sobem para o céu. Mesmo depois de os aviões irem embora, a fumaça permanece, ficando mais densa e avermelhada. Chamas amarelo-brilhante e laranja tremulam entre os prédios, lambendo a barriga inchada da fumaça.

Quando o aviso de que está tudo em ordem finalmente soa, Vera está tremendo demais para se mover. É só o pensamento em seus filhos, que provavelmente estão chorando e com medo, que a faz levantar. Com um passo hesitante depois do outro, ela atravessa o teto e desce a escada até seu apartamento, onde a família já está esperando por ela.

— Você viu os fogos? — Anya pergunta, mordendo o lábio.

— Estão longe daqui — Vera diz, sorrindo da forma mais brilhante que consegue. — Estamos seguros.

— *Conta uma história, Mama?* — *Leo diz, enfiando o polegar na boca. Os olhos estão sonolentos, mas ele os mantém abertos.*

Vera pega as duas crianças nos braços, aconchegando cada uma em uma anca. Ela não as faz escovar os dentes, apenas as coloca na cama e deita com elas.

Na mesa na sala, Mama senta-se e acende seu cigarro do dia. O cheiro se perde no forte odor da cidade em chamas. Tem algo de quase doce no ar, um cheiro como caramelo deixado tempo demais sobre um fogão quente.

Vera abraça os filhos com mais força.

— *Era uma vez uma menina camponesa* — *ela diz, tentando parecer calma. É difícil; seus pensamentos estão entranhados no que poderia ter acontecido, no que poderia ter perdido. E ela poderia jurar que ainda está escutando aquela bomba silvando para ela, farfalhando de forma impossível ao voar e caindo ruidosamente a seu lado.*

— *O nome dela é Vera* — *Anya diz sonolenta, aconchegando-se mais perto da mãe.* — *Certo?*

— *O nome dela é Vera* — *ela diz, agradecida pela ajuda.* — *E ela é uma camponesa pobre. Uma ninguém. Mas ela ainda não sabe disso...*

※

— *É BOM QUE VOCÊ CONTE SUA HISTÓRIA PARA ELES* — *Mama diz para Vera quando ela volta para a cozinha.*

— *Eu não consegui pensar em mais nada.* — *Ela senta à mesa velha de frente para a mãe, colocando um pé na cadeira vazia a seu lado. Apesar de as janelas estarem fechadas e cobertas, ela ainda pode sentir o gosto de cinzas na língua, ainda sente o estranho cheiro doce queimado na fumaça. O mundo lá fora pode ser visto apenas em retalhos, em locais onde o jornal se soltou da janela; a vista não é mais vermelha, mas de um dourado-alaranjado opaco, misturado com cinza.* — *Papai costumava me contar histórias maravilhosas, lembra?*

— *Prefiro não lembrar.*

— *Mas...*

— *Sua baba já deveria estar em casa a esta hora* — *Mama diz, sem olhar para ela.*

Vera sente uma forte pontada no estômago com isso. Com tudo que aconteceu naquela noite, ela havia esquecido da avó.

— *Tenho certeza que ela está bem* — *Vera diz.*

— *Sim* — *Mama concorda sem muito entusiasmo.*

Mas, pela manhã, Baba ainda não voltou; ela é uma dos milhares que nunca serão vistos novamente. E notícias correm pela cidade causando tanto estrago quanto as chamas da noite passada.

Os armazéns Badayev foram queimados; todas as lojas de comida da cidade foram destruídas.

AGORA LENINGRADO ESTÁ ISOLADA, SEM possibilidade de ajuda. Setembro se torna outubro e desaparece. A belye nochi se foi, substituída por um inverno frio e escuro. Vera ainda trabalha na biblioteca, mas é só para manter as aparências — e pelos cartões de racionamento. Poucas pessoas visitam a biblioteca ou os museus ou os teatros, e aqueles que vão estão em busca de calor. Nessas semanas escuras, quando o ar frio do inverno está sempre soprando na nuca das pessoas, não há nada a fazer exceto procurar comida.

Todo dia, Vera levanta às 4 da manhã, calça seus valenki e casaco de lã e enrola um cachecol tão alto no pescoço que apenas seus olhos ficam à mostra. Ela entra em qualquer fila de comida que encontre; não é fácil sequer entrar nas filas, quanto mais conseguir alguma comida. Os mais fortes empurram os mais fracos para fora do caminho. É preciso sempre ter cuidado, estar atenta. Aquela simpática jovem na esquina pode roubar você em um instante; assim como o velho junto ao poste.

Depois do trabalho, ela vai para o apartamento frio e senta-se para uma refeição às 6 horas. Só que não é mais exatamente uma refeição. Uma batata, se eles tiverem sorte, com um pouco de kasha que é mais água que trigo. As crianças reclamam o tempo todo, enquanto Mama tosse baixinho no canto...

Em outubro, cai a primeira neve. Geralmente, é um período de risadas, quando as crianças brincam nos parques com seus pais e fazem anjos de neve e fortes. Mas não durante o período de guerra. Agora, a neve é como pequenos flocos de morte branca caindo sobre a cidade arruinada. A bela camada branca cobre todas as defesas — os dentes de dragão, as barras de ferro, as trincheiras. Subitamente, a cidade está linda novamente, uma terra de maravilhas com pontes em arco, passagens congeladas e parques brancos. Se não se olhar para os prédios em ruínas ou pilhas de tijolos queimados onde antes havia uma loja, é possível quase esquecer... até as 7 horas. É quando os alemães jogam as bombas. Toda noite, feito um relógio.

E, quando a neve começa a cair, não para mais. Canos congelam. Bondes param e ficam presos na neve acumulada. Não há mais tanques ou caminhões nas ruas, nem tropas marchando. Há apenas as mulheres pobres em farrapos, como Vera, movendo-se pela paisagem branca como refugiados em busca de qualquer coisa que pareça comida. Não há um cachorro ou gato para se ver em Leningrado nesses dias. As rações são diminuídas praticamente toda semana.

Vera segue adiante. Está com tanta fome que é difícil continuar se movendo, às vezes é difícil até querer continuar se movendo. Ela tenta não pensar nas sete horas que passou na fila hoje e se concentra no óleo de girassol e nos bolos de óleo[26] que conseguiu. Atrás dela, o trenó vermelho que desliza sobre a neve, de vez em quando prendendo em coisas escondidas por baixo — um galho, uma pedra, um corpo congelado.

Os cadáveres começaram a aparecer na semana passada: pessoas ainda vestidas para o frio, congeladas no lugar em bancos de jardim ou embaixo das marquises dos prédios.

As pessoas aprenderam a não olhar para os corpos. Vera não pode acreditar que isso é verdade, mas é. Quanto mais faminto e com frio se fica, mais a visão afunila, a ponto de não se conseguir enxergar além de sua própria família.

Ela está a quatro quarteirões do apartamento e o peito arde tanto que deseja parar. Até sonha com isso — ela sentará naquele banco, deitará e fechará os olhos. Talvez venha alguém com um chá quente e doce e lhe ofereça uma xícara...

---

[26] Porções dos restos prensados para a retirada do óleo (N.T.).

Ela inspira com força, ignorando o roncar vazio em sua barriga. Este é o tipo de sonho que pode matar. Você se senta para descansar e simplesmente morre. É o que acontece agora em Leningrado. Você está com um pouco de tosse... ou um corte infeccionado... ou está sem energia e quer ficar na cama apenas por cerca de uma hora. E então, subitamente, você morre. Todo dia na biblioteca, ao que parece, alguém não aparece para trabalhar. E com essa falta todos sabem: nunca verão aquela pessoa novamente.

Ela coloca um pé na frente do outro e lentamente abre caminho pela neve, arrastando o trenó atrás. Caminhou cerca de um quilômetro e meio desde o rio Neva, onde pegou um galão de água em um buraco no gelo. No prédio, ela para apenas o suficiente para recuperar o fôlego e inicia a longa subida até o segundo andar. O galão de água que estava no trenó parece frio como gelo contra seu peito e o frio faz seus pulmões arderem ainda mais.

O apartamento está quente. Ela nota no mesmo instante que outra cadeira está quebrada. Está de lado, com duas pernas faltando e com o encosto quebrado. Não dá mais para todos se sentarem à mesa agora, mas de que isso importa? Há tão pouco para comer.

Leo está vestindo o casaco e as botas. Está esparramado no chão da cozinha, brincando de guerra com um par de caminhões de metal. Com sua entrada, ele vira a cabeça e olha para ela. Por um segundo, é como se tivesse ficado fora um mês inteiro em vez de apenas um dia. Ela vê como as faces dele estão encovadas, como os olhos parecem grandes demais para o rosto ossudo. Ele não parece mais um menino pequeno, de jeito nenhum.

— Você conseguiu comida? — ele diz.

— Conseguiu? — Anya repete, levantando da cama, carregando o cobertor com ela.

— Bolos de óleo — Vera diz.

Anya fica abatida.

— Ah, não, Mama.

O coração de Vera chega a doer ao ouvir isso. O que não daria para conseguir batatas ou manteiga ou mesmo trigo. Mas bolos de óleo é o que terão que comer agora. Não importa que fosse usado para alimentar o gado ou que tenha gosto de serragem ou que seja tão duro que só um machado consiga cortar. Eles usam raspas para fazer panquecas que mal são comestíveis. Mas nada disso importa. O que importa é que eles têm alguma coisa para comer.

Vera sabe que saber disso não ajudará muito seus filhos. Essa é uma lição que aprendeu desde que a neve começou a cair em Leningrado. As crianças precisam de força e coragem agora, assim como todos eles. Não adianta chorar ou reclamar pelo que não pode ser remediado. Ela vai até a cadeira caída e arranca outra perna. Quebrando-a em dois pedaços, joga-os no burzhuika *e coloca a água que trouxe em uma panela para ferver. Vai colocar fermento nela para encher suas barrigas. Não adiantará, é claro, mas eles se sentirão melhor por algum tempo.*

Ela se abaixa, sentindo suas juntas estalarem com o movimento, e coloca a mão nos cachos de Leo. O cabelo dele, como os de todos, está duro com a sujeira. Banhos são um luxo nesses dias.

— Vou contar mais da história esta noite — ela diz, esperando pelo entusiasmo dele, mas o filho apenas assente um pouco e dá de ombros.

— Está bem.

O frio e a fome estão esgotando todos eles. Com um suspiro, ela levanta outra vez, erguendo-se como uma idosa. Olha através da sala para sua mãe, que ainda está na cama. Ela diz para Anya:

— Como ela está hoje?

Anya fica ali, o rosto pálido e magro tão encovado que os olhos parecem protuberantes.

— Quieta. — É tudo que ela diz. — Eu a fiz beber água.

Vera vai até sua filha pequena e séria e a pega no colo, abraçando-a apertado. Mesmo através do casaco grosso, ela pode sentir os ossos de Anya, e isso parte seu coração.

— Esta é minha garota — ela sussurra. — Você está cuidando tão bem de todo mundo.

— Estou tentando — Anya diz, e a seriedade em sua voz quase deixa Vera doente. Vera a abraça outra vez e a põe no chão.

Ao cruzar a sala, Vera pode sentir os olhos da mãe sobre si, seguindo seus movimentos como um falcão. Tudo em Mama é palidez, encovamento e falta de cor, exceto pelos olhos escuros que se agarram a Vera como um punho.

Ela senta-se na beirada da cama.

— Consegui alguns bolos de óleo hoje. E um pouco de óleo de girassol.

— Eu não estou com fome. Dê minha parte para os nossos bebês.

É o que Mama diz todas as noites. A princípio, Vera discutiu, mas depois começou a ver os ossos da face de Anya e ouvir o modo como o filho chorava durante o sono, pedindo comida.

— Vou fazer chá para você.

— Isso seria bom — Mama diz, deixando os olhos se fecharem.

Vera sabe como a mãe lutou para permanecer acordada nas horas em que Vera esteve fora. Mama precisou de toda a sua vontade e coragem apenas para ficar ali deitada, olhando os netos durante o dia, apesar de ela não ter saído da cama por mais que alguns minutos por vez durante semanas.

— Vai haver mais comida na semana que vem — Vera diz —, ouvi dizer que vão enviar um transporte pelo Lago Ladoga assim que a água congelar. Aí, ficaremos bem.

A mãe não diz nada em resposta, mas sua respiração também não fica regular.

— Você lembra como seu Papa costumava marcar o ritmo enquanto trabalhava, como ele murmurava palavras para si mesmo e ria quando encontrava o que estava procurando?

Vera estendeu a mão e tocou a testa seca da mãe, acariciando-a com gentileza.

— Às vezes, ele lia a poesia dele para mim, quando estava trabalhando. Ele dizia: "Verushka, quando você tiver idade para escrever suas próprias histórias, você estará pronta. Agora, escute isso...".

— Às vezes eu o sinto aqui. E Olga. Posso ouvi-los falando, movendo-se, acho que estão dançando. Há um fogo no forno quando estão aqui, e fica quente.

Vera assente, mas não diz nada. É mais e mais comum a cada dia que Mama veja fantasmas; às vezes, chega a falar com eles. É só quando Leo começa a chorar que ela para.

— Vou colocar uma gota de mel no seu chá. E você precisa comer hoje, está bem? Só hoje.

Mama dá um tapinha na mão de Vera e suspira baixinho.

A CADA DIA DAQUELE INVERNO, VERA ACORDA pensando uma de duas coisas: ela vai ficar melhor hoje ou vai acabar logo. Ela não sabe como é possível acreditar simultaneamente que a situação dela irá melhorar e que ela morrerá, mas é o que acontece. A cada manhã fria, ela acorda de supetão e toca os dois filhos, que estão na cama com ela. Quando sente o bater lento e constante dos corações deles, respira aliviada outra vez.

É preciso coragem para sair da cama. Mesmo vestindo todas as peças de roupa que possui e debaixo de todos os cobertores ela não está aquecida, e assim que sair da cama estará congelando. Enquanto dormem, a água congela nas panelas na cozinha e os cílios grudam na pele, às vezes com tanta força que sai sangue quando abrem os olhos.

Ainda assim, ela afasta as cobertas e levanta, passando por cima dos filhos, que gemem ainda dormindo. Mama, do outro lado da cama, não emite nenhum som, mas move-se de forma quase imperceptível. Agora, todos dormem juntos para ficar mais aquecidos, na cama que antes era da avó.

Só com meias nos pés, Vera vai até o forno. Não é longe; eles empurraram a cama para tão perto do burzhuika *quanto possível. O resto da mobília está amontoado, sem qualquer importância além da madeira de que é feita. Ela pega um machado no armário e bate na última peça da cama que um dia foi sua. Então, inicia um fogo no pequeno* burzhuika *e coloca água para ferver.*

Enquanto espera, ela se ajoelha no canto da cozinha e ergue uma das tábuas do chão. Ali, escondidas no escuro, ela conta seus bens. É algo que faz todo dia, às vezes quatro vezes em um dia. Tornou-se um hábito nervoso.

Um saco de cebolas, meia garrafa de óleo de girassol, alguns bolos de óleo, um jarro de mel quase vazio, dois jarros de picles, três batatas e um resto de açúcar. Ela pega com cuidado uma grande cebola amarela e o mel e recoloca a tábua no lugar. Ela ferverá metade da cebola para o café da manhã e acrescentará uma gota de mel ao chá deles. Quando acaba de medir uma pequena quantidade de chá, alguém bate na porta.

A princípio, ela não reconhece o som, de tão incomum. Ninguém mais conversa em Leningrado, nem os vizinhos se visitam. Não ali, pelo menos, onde toda a família mora junto.

Mas há perigo. Há pessoas capazes de matar por um grama de manteiga ou uma colher de açúcar.

Ela pega o machado outra vez, segurando-o contra o peito ao caminhar até a porta. O coração está tão acelerado que fica tonta. Pela primeira vez em meses, ela esquece que está faminta. Com a mão trêmula, segura a maçaneta e a gira.

Ele está ali parado, como um estranho.

Vera olha para ele e balança a cabeça. Está como sua Mama, faminta o bastante e doente o suficiente para estar vendo fantasmas. O machado cai de sua mão, fazendo barulho ao colidir com o chão perto de seus pés.

— Verushka? — ele diz, franzindo a testa.

Com o som da voz dele, ela sente que está caindo. As pernas estão moles sob seu corpo. Se a morte é assim, ela quer ceder e, quando os braços dele a envolvem e a seguram, ela tem certeza de que morreu. Ela pode sentir o calor do hálito dele em sua garganta; ele a abraça. Ninguém a abraçava havia tanto tempo.

— Verushka — ele diz de novo, e ela ouve a pergunta na voz dele, a preocupação. Ele não sabe por que ela não falou.

Ela ri. É um som estranho, fraco, enferrujado por falta de uso.

— Sasha — ela diz —, estou sonhando que você está aqui?

— Eu estou aqui — ele diz.

Ela se agarra a ele, mas, quando ele vai beijá-la, ela se afasta, envergonhada. Seu hálito está horrível; a fome a fez cheirar mal.

Mas ele não deixa que ela escape. Beija-a como costumava fazer e, por um momento doce e perfeito, ela é Vera novamente, uma menina de 21 anos apaixonada por seu príncipe...

Quando finalmente consegue soltá-lo, ela o fita maravilhada. O cabelo sumiu, raspado junto da cabeça, e os ossos da face estão salientes, e tem algo novo nos olhos dele — uma tristeza, ela pensa —, que agora será a marca da geração deles.

— Você não escreveu — ela diz.

— Eu escrevi. Toda semana. Mas não havia ninguém para entregar as cartas.

— Você está livre? Você está de volta?

— *Ah, Vera. Não.* — *Ele fecha a porta atrás deles.* — *Cristo, está frio aqui.*

— *E nós temos sorte. Temos um* burzhuika.

Ele abre o casaco esfarrapado. Escondido sob ele há meio presunto, seis fios de salsichas e um jarro de mel.

Vera fica delirante ao ver a carne. Não consegue se lembrar da última vez que comeu carne.

Ele coloca a comida na mesa. Segurando a mão dela, vai até a cama, contornando a mobília quebrada no chão. Junto da cama, ele olha para os filhos adormecidos.

Vera vê as lágrimas surgirem nos olhos do marido e compreende: eles não parecem mais com seus bebês. Eles parecem crianças esfomeadas.

Anya se vira na cama, trazendo o irmãozinho com ela. Ela estala os lábios e mastiga enquanto dorme — *sonhando* — *e então lentamente abre os olhos.*

— *Papa?* — *ela diz. Anya parece uma pequena raposa, com o nariz agudo, o queixo pontudo e as faces encovadas.* — *Papa?* — *ela diz novamente, batendo no irmão com o cotovelo.*

Leo vira e abre os olhos. Ele não parece compreender, ou não reconhece Sasha.

— *Para de bater em mim* — *ele reclama.*

— *Esses são meus pequenos cogumelos?* — *Sasha diz.*

Leo senta-se na cama.

— *Papa?*

Sasha se abaixa e ergue os filhos em seus braços como se não pesassem nada. Pela primeira vez em meses, o som da risada deles enche o apartamento. Eles disputam sua atenção, contorcendo-se como cachorrinhos nos braços dele. Quando ele os leva para perto do forno, Vera pode ouvir partes da conversa.

— *Eu aprendi a acender o fogo, Papa...*

— *Eu sei cortar madeira...*

— *Presunto! Você trouxe presunto para nós!*

Vera senta ao lado da mãe, que sorri.

— *Ele está de volta* — *Mama diz.*

— *Ele trouxe comida* — *Vera diz.*

Mama luta para se sentar. Vera a ajuda, reposicionando os travesseiros atrás dela.

Assim que está sentada, o hálito ruim de Mama empesteia o ar entre elas.

— Vá passar o dia com sua família, Vera. Não fique em filas. Não pegue água no Neva. Esqueça a guerra. Apenas vá. — Ela tosse em um lenço cinza. As duas fingem não notar as manchas de sangue.

Vera acaricia a testa da mãe.

— Vou fazer chá doce para você. E você vai comer um pouco de presunto.

Mama assente e fecha os olhos outra vez.

Vera fica ali sentada mais um instante, escutando a estranha mistura da respiração difícil da mãe com a risada dos filhos com a voz do marido. Aquilo tudo a faz sentir-se vagamente deslocada. Ela cobre o corpo frágil da mãe e se levanta.

— Ele está tão orgulhoso de você — Mama diz com um suspiro.

— Sasha?

— Seu Papa.

Vera sente subitamente a garganta apertar. Sem dizer nada, ela avança e a risada de Leo a aquece mais do que queimar as pernas de qualquer mesa velha. Ela pega a frigideira de ferro e frita parte do presunto em uma gotinha de óleo de girassol e acrescenta fatias de cebola no último instante.

Um banquete.

A cozinha toda fica com o cheiro rico do presunto chiando e das doces cebolas caramelizadas. Ela até acrescenta mais mel ao chá e, quando todos se sentam no colchão velho para comer (não há mais cadeiras), ninguém diz nada. Até Mama está perdida na incomum sensação de comer.

— Posso comer mais, Mama? — Leo diz, passando o dedo pela caneca vazia, procurando algum resto de mel.

— Chega — Vera diz baixinho, sabendo que, por mais maravilhoso que seja esse café da manhã, não é o bastante para nenhum deles.

— Eu acho que devemos ir ao parque — Sasha diz.

— Está todo fechado — Anya conta para ele. — Como uma prisão. Ninguém mais brinca lá.

— Nós brincamos — Sasha diz, sorrindo como se aquele fosse um dia comum.

LÁ FORA, A NEVE ESTÁ CAINDO. Um véu branco obscurece a cidade, suavizando-a. Os dentes de dragão e trincheiras são apenas montes de neve e vales brancos, respectivamente. De vez em quando se vê um monte branco em um banco do parque ou junto da rua, mas é fácil não reparar. Vera espera que os filhos não descubram o que há por baixo dos montes de neve.

No parque, tudo está brilhante e branco. Apenas algumas partes do Cavaleiro de Bronze coberto por sacos de areia podem ser vistas. As árvores estão congeladas, brancas, com pingentes de gelo. Vera fica impressionada que nenhuma das árvores ali tenha sido cortada. Não há mais cercas nem bancos de madeira em lugar algum da cidade, mas nenhuma árvore foi cortada para virar lenha.

As crianças correm imediatamente e caem de costas, fazendo anjos de neve e dando risadinhas.

Vera senta ao lado de Sasha em um banco de ferro negro. Uma árvore treme ao lado deles, derrubando gelo e neve. Ela segura a mão dele e, apesar de não poder sentir sua pele por dentro da luva, a sensação sólida dele é mais do que suficiente.

— Eles estão fazendo uma estrada de gelo atravessando o Ladoga — ele diz por fim, e ela sabe que é isso que ele veio lhe contar.

— Ouvi dizer que os caminhões estão caindo no gelo.

— Por enquanto. Mas vai dar certo. Eles vão trazer comida para a cidade. E levar as pessoas daqui.

— Vão mesmo?

— É a única rota de evacuação.

— É mesmo? — Ela olha para o lado, decidindo não contar para ele sobre a outra evacuação, como ela quase perdeu os filhos.

— Vou conseguir passes para vocês todos assim que for seguro.

Ela não quer falar sobre isso. Não importa. Só a comida importa agora, e o calor. Ela deseja que ele apenas a abrace e a beije.

Talvez eles façam amor de noite, ela pensa, fechando os olhos. Mas como ela poderia? Às vezes, nem tem força para se sentar...

— Vera — ele diz, fazendo com que ela volte a olhar para ele.

Vera pisca. Às vezes, é difícil se concentrar, mesmo agora.

— O quê? — Ela fita os olhos verdes brilhantes dele, cheios de medo e preocupação, e subitamente lembra-se da primeira vez que se viram. Da poesia. Ele disse algo para ela, um verso sobre rosas. E mais tarde, na biblioteca, ele disse que tinha esperado até ela crescer.

— Você trate de ficar viva — ele diz.

Ela franze a testa, tentando escutar com atenção; então, ele começa a chorar e ela compreende.

— Eu vou — ela diz, começando a chorar também.

— E mantenha-os bem. Eu vou achar uma saída. Eu juro. Vocês só têm que aguentar mais um pouco. Prometa. — Ele a sacode. — Prometa para mim. Vocês três vão chegar até o fim.

Ela lambe os lábios rachados e secos.

— Eu prometo — ela diz, acreditando no que diz.

Ele a abraça e beija. Ele tem o gosto de doces pêssegos do verão. Quando se afasta, os dois pararam de chorar.

— É seu aniversário amanhã — ela diz.

— Vinte e seis — ele diz.

Ela se encosta nele; o braço dele a envolve. Por algumas horas, eles são apenas uma jovem família brincando no parque. As pessoas ouvem as crianças rindo e vão até lá ver; ficam nas beiradas do parque como deficientes mentais, confusos ao subitamente se verem livres. Faz muito tempo que nenhum deles ouve crianças rindo.

É o melhor dia da vida de Vera — por mais estranho que possa parecer. A lembrança desse dia é dourada e, enquanto caminha para casa, de mãos dadas, ela se pega protegendo essa lembrança. É uma luz de que ela precisará nos meses que virão.

Mas, quando chega em casa, ela sabe no mesmo instante que há algo errado.

O apartamento está escuro e frio. Ela consegue ver sua respiração. Na mesa, uma jarra de água está congelada. Geada se forma no metal do forno. O fogo apagou.

Ela ouve a mãe tossir na cama e corre até ela, gritando para Sasha acender o fogo.

A respiração da mãe é ruidosa e difícil. Parece uma fruta velha sendo empurrada *através de uma peneira. A pele está pálida como neve suja. A carne ao redor da boca está escurecendo, ficando azul.*

— *Verushka* — *ela sussurra.*

Ou teria mesmo falado? Vera não sabe.

— *Mama* — *ela diz.*

— *Eu esperei por Sasha* — *Mama diz.*

Vera quer implorar, pedir, dizer que ele não voltou, está apenas visitando, e que ela precisa da mãe, mas ela...

Eu *não posso dizer nada.*

Tudo que posso fazer é sentar ali, ficar olhando para minha mãe, amando-a tanto que nem mesmo lembro como estou faminta.

— *Eu amo você* — *Mama diz suavemente.* — *Nunca se esqueça disso.*

— *Como eu poderia?*

— *Não tente. É isso que estou tentando dizer.* — *Mama luta para se inclinar para frente e é terrível ver o esforço que o movimento requer, então eu me inclino e a seguro em meus braços. Ela é como uma boneca de varetas agora. A cabeça cai para trás.*

— *Eu amo você, Mama* — *eu digo. Não são o bastante, essas três pequenas palavras que subitamente significam adeus, e não estou pronta para o adeus. Então, continuo falando. Eu a mantenho perto e digo:* — *Lembra quando você me ensinou a fazer* borscht[27], *Mama? E nós discutimos de que tamanho era preciso cortar as cebolas e por que deviam ser cozidas antes? Você fez uma panela e colocou os legumes crus para eu perceber a diferença? E você então sorriu para mim, tocou meu rosto e disse: "Não esqueça quanto eu sei, Verushka". Eu ainda não terminei de aprender com você...*

Com isso, senti minha garganta apertar e não consegui dizer mais nada.

Ela se foi.

— *Mama, o que está errado com Baba?* — *Ouvi meu filho dizer e precisei de todas as forças para não chorar. E de que adiantaria chorar?*

As lágrimas agora são inúteis em Leningrado.

---

[27] Sopa de origem ucraniana, servida quente ou fria, muito popular em todo o Leste Europeu. Contém carne de frango, creme de leite azedo e diversos tipos de legumes (N. R.).

23

O SILÊNCIO QUE SE SEGUIU FOI TÃO pesado e cinzento que Meredith ficou esperando sentir o gosto de cinzas.

Não posso dizer nada.

Ela olhou para a mãe, ainda na cama, com os joelhos erguidos e as cobertas puxadas até o queixo, como se um pedaço de lã pudesse de alguma forma protegê-la.

— Você está bem, Mamãe? — Nina disse, levantando.

— Como poderia estar?

Meredith também levantou. Apesar de não dizerem nada, nem mesmo olharem uma para a outra, Meredith sentiu no mesmo instante como se estivessem em um alinhamento perfeito. Ela pegou a mão da irmã e foram juntas até a cama.

— Sua mãe e irmã sabiam como você tentou com todas as forças e como você as amava — disse Meredith.

— Não faça isso — disse Mamãe.

Meredith juntou as sobrancelhas.

— Não fazer o quê?

— Arrumar desculpas para mim.

— Não é uma desculpa, Mamãe. É apenas uma observação. Elas deveriam saber o quanto você as amava — Meredith disse com toda a gentileza possível.

Nina assentiu.

— Mas *vocês* não sabiam — disse Mamãe, olhando de uma para a outra.

Meredith poderia ter mentido, poderia ter dito para sua mãe de 81 anos que sim, que se sentia amada, e há apenas uma semana teria feito isso para manter a paz. Mas agora ela disse:

— Não. Eu nunca pensei que você me amasse.

Ela esperou a resposta da mãe, imaginando que ela fosse dizer algo que mudasse tudo, que as transformasse, apesar de não ter ideia de que palavras poderiam ser essas.

No fim, foi Nina quem falou.

— Todos esses anos, ficamos imaginando o que havia de errado conosco. Meredith e eu não podíamos entender como uma mulher que amava o marido poderia odiar as próprias filhas.

Mamãe se encolheu com a palavra *odiar* e fez um gesto de rejeição.

— Vão embora agora.

— Não fomos nós, não é, Mamãe? — Nina disse. — Você não odiava suas filhas. Odiava a si mesma.

Com isso, Mamãe desmontou. Não havia outra palavra para descrever aquilo.

— Eu tentei não amar vocês duas... — ela disse baixinho. — Agora, vão. Deixem-me antes que vocês digam alguma coisa que vão desejar não ter dito.

— E o que isso seria? — Nina perguntou, mas as três sabiam.

— Apenas vão. Por favor. Não me digam mais nada até terem ouvido a história toda.

Meredith percebeu como a voz da mãe tremeu ao dizer *por favor* e entendeu como ela estava perto de desmontar completamente.

— Está bem — ela disse. — Nós vamos. — Inclinando-se, ela beijou a face macia da mãe, que cheirava ao xampu de rosas que ela passava no cabelo. Era uma coisa que não sabia: que a mãe usava xampu com odor. Pela primeira vez na vida, ela abraçou a mãe e sussurrou: — Boa noite, Mamãe.

A caminho da porta, Meredith esperou ser chamada, que a mãe dissesse: *Espere.* Mas não houve nenhuma revelação de último minuto. Meredith e Nina foram para a cabine delas. Em um silêncio contemplativo, elas se revezaram no banheiro enquanto escovaram os dentes, vestiram os pijamas e deitaram em suas camas separadas.

Estava tudo conectado; Meredith sabia disso agora. Sua vida e a da mãe. Elas estavam unidas e não apenas pelo sangue. Por predisposição, talvez até mesmo por temperamento. Ela estava mais e mais certa de que, qualquer que tivesse sido a perda que por fim quebrara sua mãe — e transformara Vera em Anya —, teria arruinado Meredith também. E estava com medo de ouvir isso.

— O que você acha que aconteceu com Leo e Anya? — Nina perguntou.

Meredith desejava que não fosse uma pergunta. Preferia uma declaração que pudesse ignorar. Antes dessa viagem e de tudo que aprendera sobre elas três, teria ficado brava ou mudado de assunto. Qualquer coisa para obscurecer a dor que sentia. Agora, sabia que não deveria agir assim. Cada um carrega as próprias dores durante a vida toda. Não há como escapar.

— Estou com medo de imaginar.

— O que vai acontecer com ela quando chegar ao final? — Nina perguntou baixinho.

Isso também começava a preocupar Meredith.

— Eu não sei.

DE ACORDO COM O GUIA, SITKA ERA UMA das mais charmosas — e certamente uma das mais históricas — cidades do Alasca. Duzentos anos atrás, quando

São Francisco não era mais que um ponto no mapa da Califórnia e Seattle uma encosta de pinheiros antiquíssimos, essa sonolenta comunidade à beira-mar tinha teatros e salões de dança e homens bem-vestidos com chapéus de castor bebendo vodca russa nas noites quentes do verão. Construída, perdida para o fogo e reconstruída, a nova Sitka era russa, *tlingit*[28] e americana em partes iguais.

A água rasa impedia a aproximação de grandes navios de cruzeiro, por isso Sitka esperava, como uma mulher especialmente bela, que os visitantes se aproximassem em lanchas pequenas. Enquanto entravam no porto de Sitka, Nina tirava uma foto atrás da outra. Aquele era um dos locais mais intocados que jamais vira. A beleza natural era surpreendente naquele dia de céu azul e luz do sol dourada, a água plana e de um azul-safira. Tudo ao redor eram ilhas com florestas, erguendo-se do mar calmo como um colar de pedras irregulares de jade. Atrás de tudo estavam as montanhas, ainda cobertas de neve.

Em terra, Nina colocou a tampa na lente e deixou a câmera pendurada no pescoço.

Mamãe usou uma das mãos para proteger os olhos do sol, observando a cidade diante delas. Dali, podiam ver uma torre erguendo-se alta no céu e, no topo dela, uma cruz russa com três hastes verticais.

Nina pegou a câmera instintivamente. Olhando através da lente, viu o perfil forte da mãe se suavizar enquanto olhava para a torre da igreja.

— Qual a sensação, Mamãe? — ela perguntou, aproximando-se. — De ver aquilo?

— Faz tanto tempo — Mamãe disse, sem desviar os olhos. — Isso me faz pensar... em tudo, eu acho.

Do outro lado, Meredith também se aproximou. As três seguiram o grupo que havia vindo do navio. Eles subiram pela Avenida do Porto e havia detalhes e mais detalhes do passado russo de Sitka por todos os lados — nomes de ruas

---

[28] Povo nativo da costa noroeste da América do Norte que chama a si mesmo de lingit, que significa Povo das Marés. Seguem uma linhagem matrilinear e desenvolveram uma cultura de caça e colheita complexa na floresta temperada do sudoeste da costa do Alasca. Um subgrupo habita a área mais a noroeste da província da Colúmbia Britânica no Canadá e o sul do Território do Yukon no Alasca (N.T.).

e de lojas e cardápios de restaurantes. Havia até um totem no centro da cidade que tinha um emblema da Rússia Czarista. A águia de duas cabeças.

Mamãe não disse quase nada enquanto passavam pelos detalhes que a faziam lembrar de sua terra natal, mas, quando entraram pelas portas da Igreja de São Miguel, ela tropeçou e teria caído se as duas filhas não corressem para ajudá-la.

Havia ícones russos brilhantes e dourados por todos os lados. Alguns eram pinturas antigas em tábuas; outros eram obras-primas de prata ou ouro cravejadas de pedras preciosas. Arcos brancos separavam as salas, as superfícies decoradas por elaborados arabescos dourados. Havia em exposição vestidos de noiva e vestimentas religiosas belamente ornamentados.

Mamãe olhou tudo, tocando o que podia ser tocado. Por fim, ela terminou no que Nina calculou ser o altar — uma pequena área drapeada em seda branca grossa, adornada com cruzes russas feitas de fios dourados. Havia velas ao redor e um par de Bíblias antigas abertas.

— Quer que oremos com você? — Meredith perguntou.

— Não. — Mamãe balançou a cabeça um pouco e enxugou os olhos, apesar de Nina não ter visto lágrimas. Então, ela saiu da igreja e seguiu subindo a encosta. Nina percebeu que ela havia estudado o mapa da cidade. Sabia exatamente para onde ia. Ela passou por uma placa que informava a respeito de *tours* sobre a história russo-americana e entrou em um cemitério. Ficava em uma pequena elevação, uma área gramada com árvores de aspecto frágil e moitas de arbustos marrons. Um domo acobreado, com uma cruz russa no alto, marcava o terreno sagrado. As marcas dos túmulos eram antigas; muitas feitas à mão. Mesmo a lápide da Princesa Matsoutoff era uma simples placa preta. Uma cerca branca delineava o local do descanso final da princesa. As poucas lápides de cimento estavam cobertas por musgo. Parecia que ninguém era enterrado ali havia anos, e ainda assim Mamãe andou pelo terreno irregular, olhando cada túmulo.

Nina tirou uma foto da mãe, parada diante de uma lápide cheia de musgo que havia sido inclinada por alguma tempestade mais forte no passado. A brisa do final de primavera atingia o cabelo bem preso em um coque. Ela parecia...

quase etérea, pálida e esguia demais para ser real, mas a tristeza em seus olhos azuis era tão honesta quanto qualquer emoção que Nina jamais vira. Ela baixou a câmera, deixando-a pendurada, e foi até a mãe.

— Quem você está procurando?

— Ninguém — Mamãe disse, depois acrescentou —, fantasmas.

Elas ficaram ali por mais um momento, as duas olhando para o túmulo de Dmitri Petrovich Stolichnaya, que morrera em 1827. Então, Mamãe endireitou os ombros e disse:

— Estou com fome. Vamos achar um lugar para comer. — Ela colocou seus grandes óculos escuros no estilo Jackie O[29] e cobriu melhor o pescoço com o cachecol.

As três desceram para o centro da cidade, onde encontraram um restaurante pequeno junto do mar que prometia ser *o melhor restaurante de comida russa em Sitka*.

Nina abriu a porta e um sino tocou alegremente no alto. Dentro da sala longa e estreita havia cerca de uma dúzia de mesas; a maioria cheia de gente. Não pareciam ser turistas. Havia homens grandalhões de ombros largos e barbudos que pareciam ser feitos de pedaços de ferro, mulheres com lenços coloridos e antigos vestidos floridos e poucos homens com casacos amarelos de plástico de pescadores.

Uma mulher as recebeu com um sorriso brilhante. Era mais velha do que a voz dava a entender — talvez 60 — e agradavelmente roliça. Cachos grisalhos emolduravam um rosto de faces avermelhadas. Ela era o retrato perfeito de uma avó.

— Olá. Bem-vindas ao restaurante! Eu sou Stacey e ficarei feliz em servi-las hoje. — Pegando três cardápios laminados, ela as conduziu até uma pequena mesa junto da janela. Lá fora, a água era uma imensidão de azul faiscante. Um barco pesqueiro a motor se aproximava da costa, sua passagem marcada por ondulações prateadas.

— O que você recomenda? — Meredith perguntou.

— Acho que almôndegas. E fazemos o macarrão aqui mesmo. Se bem que o *borscht* também está maravilhoso.

---

[29] Jacqueline Onassis, esposa do milionário grego Aristóteles Onassis, anteriormente casada com o presidente americano John Kennedy (N.T.).

— Que tal a vodca? — Mamãe disse.

— Esse seu sotaque é russo? — Stacey perguntou.

— Faz muito tempo que saí de lá — Mamãe disse.

— Bem, você é nossa convidada especial. Nem mesmo olhe para o cardápio. Vou lhe trazer uma coisa. — Ela saiu apressada, assobiando ao caminhar. Parou brevemente em outras mesas e desapareceu atrás de uma cortina de contas.

Momentos depois, ela voltou com três copos pequenos, uma garrafa gelada de vodca e uma bandeja de caviar negro com torradas.

— Não ouse dizer que é caro demais — disse Stacey. — Recebemos turistas demais e russos de menos. Isso é por minha conta. *Vashe zdorovie.*

Mamãe ergueu o rosto, surpresa. Nina imaginou quanto tempo fazia que ela não escutava sua língua natal.

— *Vashe zdorovie* — Mamãe disse, pegando seu copo.

As três tocaram seus copos, beberam de uma vez e passaram imediatamente para o caviar.

— Minhas filhas estão se tornando boas russas — Mamãe disse. Havia uma suavidade na voz dela ao dizer isso; Nina desejou poder ver os olhos da mãe, mas os óculos escuros criavam a camuflagem perfeita.

— Com apenas uma dose? — Stacey zombou. — Como é possível?

Durante os próximos 20 minutos, elas falaram sobre amenidades, mas, quando a garçonete voltou com a comida, ninguém conseguiu falar de outra coisa além das pequenas almôndegas nadando em caldo de açafrão, da sopa de cogumelos com uma borbulhante cobertura de queijo *gruyère* e da carne de vitela assada com recheio de salmão e molho de caviar. Quando o *strudel* de maçã e nozes foi servido, as três declararam que estavam empanturradas. Stacey sorriu e se afastou.

Nina foi a primeira a pegar uma fatia.

— Ah, meu Deus — ela disse, experimentando a sobremesa recheada com creme de nozes.

Mamãe também experimentou.

— É igual à que minha mama costumava fazer.

— Mesmo? — Meredith disse.

— Ela sempre disse que o segredo é bater a massa na placa de pastelaria. Quando eu era menina, nós sempre discutíamos por causa disso. Eu dizia que não precisava. Eu estava errada, claro. — Mamãe balançou a cabeça. — Depois, nunca consegui fazer essa massa sem pensar em minha mãe. Uma vez, quando a servi para seu pai, ele disse que a massa estava salgada demais. Foi por causa das minhas lágrimas, então guardei a receita e tentei esquecê-la.

— E você conseguiu?

Mamãe olhou pela janela.

— Eu não esqueci nada.

— Você não quer esquecer — Meredith disse.

— Por que você diz isso? — Mamãe perguntou.

— O conto de fadas. Era a única forma como você conseguia nos dizer quem você era.

— Até a peça — Mamãe disse. — Eu lamento por aquilo, Meredith.

Meredith endireitou-se na cadeira.

— Eu esperei por esse pedido de desculpas minha vida toda e agora que o recebi, isso não importa. Eu me importo com você, Mamãe. Eu só quero que continuemos a conversar.

— Por quê? — Mamãe perguntou com a voz baixa. — Como é possível que você se importe? Vocês duas?

— Nós também tentamos não amar você — Nina disse.

— Eu diria que tornei isso fácil — Mamãe disse.

— Não — Meredith declarou —, nunca foi fácil.

Mamãe serviu mais três doses de vodca. Erguendo seu copo, ela olhou para as filhas.

— A que vamos brindar?

— Que tal à família? — Stacey disse, aparecendo bem na hora para servir uma quarta dose. — Àqueles que estão aqui, aos que se foram e àqueles que se perderam. — Ela bateu seu copo contra o de Mamãe.

— Isso é um velho brinde russo? — Nina perguntou depois de tomar a vodca.

— Eu nunca ouvi antes — Mamãe disse.

— É o que costumamos dizer em minha casa — Stacey contou. — É bom, não acha?

— *Da* — Mamãe disse, chegando a sorrir. — É muito bom.

No caminho de volta pela cidade, Mamãe parecia estar mais alta. Ela sorria facilmente e apontava objetos interessantes nas vitrines das lojas.

Meredith não conseguiu evitar ficar olhando. Era como ver uma borboleta emergir de uma crisálida. E, de alguma forma, ver sua nova mãe, ou ver sua mãe sob essa nova luz, fez Meredith se sentir diferente em relação a si mesma. Como a mãe, ela estava sorrindo com mais facilidade, ria com mais frequência. Não havia se preocupado com o escritório nem uma vez, nem com as meninas, nem com perder o navio. Estava feliz apenas em *ser*, em seguir o fluxo dessa jornada com a mãe e a irmã. Pela primeira vez, elas pareciam ser como fios que compunham uma corda; aonde um ia também era o lugar dos outros.

— Veja — Mamãe disse quando chegaram ao final da rua.

A princípio, tudo que Meredith viu foram as pequenas lojas azuis e o distante pico nevado do Monte Edgecumbe.

— O quê?

— Ali.

Meredith seguiu a linha invisível a partir do dedo da mãe.

Em um parque do outro lado da rua, parada sob um poste de luz envolto por flores cor-de-rosa brilhante, havia uma família, quatro pessoas rindo juntas, fazendo poses bobas para fotos. Havia uma mulher com cabelo castanho comprido, vestida em *jeans* bem passados e camisa de gola olímpica; um homem loiro cujo rosto atraente parecia incapaz de conter a largura de seu sorriso; e duas meninas pequenas de cabelos cacheados, rindo enquanto empurravam uma à outra para fora da fotografia.

— É assim que você e Jeff costumavam ser — Mamãe disse calmamente.

Meredith sentiu uma espécie de tristeza. Não era o que sentira antes: não era desapontamento porque as filhas não ligavam para ela, nem medo de que Jeff não a amasse, nem mesmo preocupação de que houvesse perdido demais de si mesma. Essa nova sensação era a percepção de que não era mais jovem. Os dias de bagunça com as filhas já haviam passado. Suas filhas agora estavam por conta própria e Meredith precisava aceitar isso. Elas seriam sempre uma família, mas se havia aprendido alguma coisa nas últimas semanas, era que uma família não é algo estático. As mudanças ocorriam o tempo todo. Como com os continentes, as mudanças, às vezes, eram invisíveis e subterrâneas, outras vezes, explosivas e mortais. O truque era manter o equilíbrio. Não era possível controlar a direção em que a família seguia, assim como não era possível impedir que a plataforma continental se rompesse. Tudo que se podia fazer era seguir com a maré.

Parada ali, olhando para aqueles estranhos, ela viu seu casamento em momentos. Ela e Jeff na formatura do colegial, dançando *Stairway to Heaven* sob um globo espelhado e dando um beijo de língua... seu trabalho de parto, gritando para ele afastar dela aqueles malditos pedaços de gelo... ele entregando-lhe as páginas de seu primeiro romance e pedindo sua opinião... e ele parado ao lado dela quando Papai estava morrendo, dizendo: *Quem toma conta de você, Mere?*, e tentando abraçá-la.

— Eu fui uma idiota — ela disse para ninguém além de si mesma, esquecendo por um momento que estava no meio de uma calçada cheia de gente, todos com ouvidos.

— Já estava na hora de assumir — Nina disse, sorrindo. — Estou cansada de ser a única estraga-tudo da família.

— Eu amo Jeff — Meredith disse, sentindo-se tanto horrível quanto exultante.

— Claro que ama — Mamãe disse.

Meredith olhou para elas.

— E se for tarde demais?

Mamãe sorriu e Meredith ficou surpresa tanto pela beleza quanto pela nova expressão naquele rosto que passara décadas estudando.

— Eu tenho 81 anos e estou contando a história da minha vida para minhas filhas. Todo ano, eu pensava que era tarde demais para começar, que havia esperado demais. Mas Nina aqui não aceita um não como resposta.

— *Finalmente.* Ser uma vaca egoísta tem seu lado bom. — Nina abriu a sacola da câmera, tirou dela um telefone celular um tanto grande e o abriu. — Ligue para ele.

— Ah! Nós estamos nos divertindo. Isso pode esperar.

— Não — Mamãe disse com determinação. — Não espere nunca.

— E se...

Mamãe colocou a mão no braço dela.

— Olhe para mim, Meredith. Eu sou o que o medo faz com uma mulher. Você quer terminar como eu?

Meredith ergueu a mão lentamente e tirou os óculos escuros da mãe. Fitando aqueles olhos azul-água que sempre a mesmerizaram, Meredith sorriu.

— Sabe de uma coisa, Mãe? Eu teria orgulho de ter a sua força. O que você passou — e nós não sabemos a pior parte, eu acho — teria matado uma mulher comum. Apenas alguém extraordinário poderia ter sobrevivido. Então, sim, eu quero, sim, terminar como você.

Mamãe engoliu em seco.

— Mas não quero ter medo. Você tem razão quanto a isso. Então, me dê esse maldito telefone, Neener Beaner. Tenho uma ligação muito atrasada para fazer.

— Encontramos você no navio — Nina disse.

— Onde?

Mamãe riu de verdade.

— No bar, é claro. Aquele com a vista.

Meredith ficou olhando a irmã e a mãe caminharem pela calçada, afastando--se dela. Apesar de haver uma brisa leve movendo o sino feito de conchas acima dela e de um barco em algum lugar tocar seu apito, ela não conseguia ouvir nada além do eco que permanecia da risada de sua mãe. Era um som que guardaria para sempre e que recuperaria sempre que parasse de acreditar em milagres.

Ela atravessou a rua, parando o tráfego com um sorriso e a mão estendida. Passou pela família, ainda tirando fotos uns dos outros, e foi até um pequeno banco de madeira onde se lia: *Em memória de Myrna, que amava esta vista.*

Sentou-se no banco de Myrna e olhou para o grupo de barcos de pesca e passeio reunidos na marina abaixo. Mastros balançavam e ondulavam com cada movimento invisível da água. Pássaros marinhos grasnavam para os turistas e mergulhavam à procura de batatas fritas douradas.

Ela olhou o relógio, calculou a agenda de Jeff e ligou para ele.

Tocou tantas vezes que ela quase desistiu.

Então, por fim, ele atendeu, ofegante.

— Alô?

— Jeff? — ela disse, sentindo as lágrimas aflorarem. Mal conseguia contê-las.

— Sou eu.

— Meredith...

Ela não conseguiu determinar a emoção na voz dele e isso a incomodou. Antes, ela conhecia cada nuance.

— Estou em Sitka — ela disse, adiando.

— É um lugar tão bonito quanto dizem?

— Não — ela decidiu. Não teria medo e não perderia tempo com esse tipo de conversa fácil que a metera nessa bagunça. — Quero dizer, sim, é um lugar lindo, mas não quero falar sobre isso. Também não quero falar sobre nossas filhas, ou nossos trabalhos, ou minha mãe. Quero dizer que sinto muito, Jeff. Você me perguntou se eu amava você e eu pisei no freio. Eu ainda não sei dizer por que fiz isso. Mas eu estava errada e fui estúpida. Eu *amo* você. Eu amo você e sinto sua falta e espero não ser tarde demais, porque eu quero ficar velha junto com o homem com quem fui jovem. Com você. — Ela inspirou o ar com força. Parecia que estava falando por muito tempo, na verdade vomitando as palavras, e agora era com ele. Ela o teria machucado demais? Esperado demais? Quando o silêncio continuou — ela ouviu uma mola ranger quando ele sentou em um sofá ruim, e então seu suspiro —, ela disse: — Diga alguma coisa.

— Dezembro de 1974.

— O quê?

— Eu estava na fila da lanchonete. Karie Dovre chamou minha atenção com o cotovelo e apontou e, quando olhei para cima, você estava ali na porta. Você vinha me evitando, lembra? Depois da peça de Natal? Você nem olhou para mim durante dois anos. Tentei várias vezes ir até você, mas sempre perdia a coragem no último segundo. Até aquele dia em dezembro. Estava nevando e você estava parada ali, sozinha, tremendo. E, antes que pudesse me convencer a não ir, eu andei até você. Karie ficou gritando que eu perderia o lugar na fila da comida, mas não liguei. Quando você olhou para mim, lembro como foi difícil respirar. Pensei que você sairia correndo, mas você não correu e eu disse: "Você gosta de banana split?". — Ele riu. — Que idiota! Devia estar uns 5 graus abaixo de zero lá fora e eu perguntando sobre sorvete. Mas você disse sim.

— Eu lembro — ela disse baixinho.

— Nós temos mil lembranças como essa.

— Sim.

— Eu tentei deixar de amar você, Mere. Não consegui, mas pensei que você tinha conseguido.

— Eu também não deixei de amar você. Eu só... caí. Podemos começar de novo?

— Não, de jeito nenhum. Eu não quero começar de novo. Eu *gosto* do meio do caminho.

Meredith riu disso. Ela também não queria voltar a ser jovem, não com todas as incertezas e angústias. Ela só queria se *sentir* jovem outra vez. E queria mudar.

— Eu vou ficar nua mais vezes. Eu juro.

— E eu vou fazer você rir mais. Puxa, como senti sua falta, Mere! Você pode vir para casa agora mesmo? Eu vou esquentando a cama.

— Quase. — Ela se encostou no banco de madeira banhado pelo sol.

Na meia hora seguinte, eles conversaram como costumavam fazer, sobre tudo e qualquer coisa. Jeff contou que tinha quase terminado o livro e Meredith contou parte da história da mãe. Ele escutou, claramente impressionado, comentando sobre lembranças que subitamente faziam sentido, vezes em que o comportamento de Mamãe parecera inexplicável. *Toda aquela comida,* ele disse, *e as coisas que dizia...*

Eles falaram sobre as meninas e como estavam indo na escola e como seria o verão com a casa cheia novamente.

— Você descobriu o que quer? — Jeff disse por fim. — Além de mim, é claro.

— Estou trabalhando nisso. Acho que quero expandir a loja de presentes. Talvez deixar Daisy cuidar da Belye Nochi. Ou mesmo vendê-la. — Ela ficou surpresa com o que disse. Não lembrava de ter pensado sobre isso antes, mas subitamente fazia sentido. — E eu quero ir para a Rússia. Leningrado.

— Você quer dizer São Petersburgo, mas...

— Vai sempre ser Leningrado para mim. Quero ver o Jardim de Verão e o rio Neva e a Ponte Fontanka. Nós nunca tivemos realmente uma lua de mel...

Ele riu.

— Você tem certeza que é Meredith Cooper?

— Meredith Ivanovna Cooper. É como meu nome seria em russo. E, sim, sou eu. Podemos ir?

Ela conseguiu ouvir a risada contida na voz de Jeff, e o amor, quando ele disse:

— Querida, nossas filhas saíram de casa. Nós podemos ir para qualquer lugar.

24

Juneau era a epítome do espírito do Alasca — uma capital de estado à qual não chegava nem saía qualquer estrada. O único jeito de chegar lá era por barco ou avião. Rodeada por imensas montanhas nevadas e aninhada entre geleiras maiores do que alguns estados americanos, era uma cidade rude que se agarrava tenazmente a suas raízes de pioneiros e nativos.

Se elas não estivessem em uma missão particular — ou se não tivesse chovido tanto —, Nina tinha certeza de que teriam feito uma excursão para ver a Geleira Mendenhall. Mas, diante da situação, as três encontravam-se paradas na entrada da Casa do Idoso Vista da Geleira.

— Você está com medo, Mamãe? — Meredith perguntou.

— Eu não achei que ele tivesse concordado em me ver — Mamãe disse.

— Não exatamente — Nina disse —, mas, cedo ou tarde, todo mundo fala comigo.

Mamãe sorriu.

— Deus sabe que isso é verdade.

— Então, você está com medo? — Nina perguntou.

— Não. Eu deveria ter feito isso anos atrás. Talvez se tivesse... Não. Eu não tenho medo de contar a história para esse homem que está recolhendo essas memórias.

— Talvez se tivesse o quê? — Meredith perguntou.

Mamãe virou-se para olhar para elas. O rosto estava nas sombras criadas pelo capuz de lã que vestia.

— Eu queria que vocês duas soubessem o que esta viagem significa para mim.

— Por que você está falando como se fosse um adeus? — Nina perguntou.

— Hoje vocês vão escutar as coisas terríveis que eu fiz — Mamãe disse.

— Todos fazemos coisas terríveis, Mamãe — disse Meredith. — Você não tem que se preocupar.

— Fazemos? Todos fazemos coisas terríveis? — Mamãe produziu um som de desgosto. — Esse é o tipo de baboseira de *talk-show* da geração de vocês. Aqui vai o que quero dizer agora, antes de entrarmos. Eu amo vocês duas. — A voz dela fraquejou, ficou rouca, mas o olhar tornou-se mais suave. — Minha Nino-tchka... minha Merushka.

Antes que qualquer uma das duas conseguisse responder à doçura de seus apelidos russos, Mamãe virou-se e entrou no asilo.

Nina correu para alcançar a mãe de 81 anos.

No balcão, ela sorriu para a recepcionista, uma mulher de rosto redondo com cabelos negros e malha vermelha.

— Somos a família Whitson — Nina disse. — Eu escrevi para o dr. Adamo-vich dizendo que viríamos visitá-lo hoje.

A recepcionista franziu a testa, folheando uma agenda.

— Ah. Sim. O filho dele, Max, estará aqui ao meio-dia para encontrá-las. Vocês gostariam de tomar um cafezinho enquanto esperam?

— Claro — Nina disse.

Elas seguiram as indicações da recepcionista para chegar à sala de espera cheia com imagens em preto e branco do animado passado de Juneau.

Nina ocupou um lugar junto da janela em uma cadeira surpreendentemente confortável. Atrás dela, uma imensa janela panorâmica mostrava uma floresta verde e a chuva que caía.

Os minutos passaram. Pessoas vieram e foram, algumas andando, outras em cadeiras de rodas, as vozes delas flutuando ao se aproximar e se afastar junto com suas presenças.

— Fico imaginando como a *belye nochi* é aqui — Mamãe disse calmamente, olhando pela janela.

— É melhor quanto mais se vai para o norte — Nina disse. — Pelo menos, é o que diz a pesquisa que fiz. Mas, se tiver sorte, às vezes dá para ver a aurora boreal daqui.

— A aurora boreal — Mamãe disse, encostando-se na cadeira cor de laranja. — Meu Papa às vezes me levava para fora no meio da noite, quando todo mundo estava dormindo. Ele sussurrava: "Verushka, minha pequena escritora", pegava minha mão, me enrolava em um cobertor e nós saíamos para as ruas de Leningrado para olhar para o céu. Era tão lindo. O show de luzes de Deus, meu Papa dizia, embora dissesse isso bem suavemente. Tudo que ele dizia naquela época era perigoso. Nós apenas não sabíamos. — Ela suspirou. — Acho que essa é a primeira vez que falei sobre ele. Apenas lembrei de algo comum.

— Isso dói? — Meredith perguntou.

Mamãe pensou naquilo por um momento e então disse:

— De uma forma boa. Estávamos sempre com tanto medo de falar sobre ele. Foi isso que Stalin fez conosco. Quando vim para os Estados Unidos, eu não podia acreditar como todo mundo era tão livre, como falavam abertamente o que pensavam. E nos anos 1960 e 1970... — Ela balançou a cabeça, sorrindo. — Meu pai teria adorado ver um protesto não violento ou uma daquelas demonstrações dos jovens em uma universidade. Ele era como eles, como... Sasha e o pai de vocês. Sonhadores.

— Vera era uma sonhadora — Nina disse gentilmente.

Mamãe assentiu.

— Durante algum tempo.

Um homem de camisa de flanela e jeans desbotado entrou na sala. Com uma barba negra e farta que cobria metade de seu rosto angular, era difícil determinar a idade dele.

— Senhora Whitson? — ele disse.

Mamãe levantou-se lentamente.

O homem avançou, estendendo a mão.

— Eu sou Maksim. Meu pai, Vasily Adamovich, é o homem que a senhora veio de tão longe para ver.

Nina e Meredith levantaram ao mesmo tempo.

— Faz muitos anos desde que seu pai escreveu para mim — Mamãe disse.

Maksim assentiu.

— E lamento dizer que ele sofreu um derrame. Ele mal consegue falar e não move o lado esquerdo do corpo.

— Então, estamos desperdiçando seu tempo — Mamãe disse.

— Não. De forma alguma. Eu assumi alguns dos projetos do meu pai e o cerco de Leningrado é um deles. É um trabalho tão importante, juntar as histórias dos sobreviventes. Foi só nos últimos 20 anos que a verdade começou a emergir. Os soviéticos eram bons em manter segredos.

— De fato — Mamãe disse.

— Então, se quiserem vir até o quarto do meu pai, eu vou gravar sua declaração para o estudo dele. Pode parecer que ele não está reagindo, mas posso garantir que ele está feliz por finalmente poder incluir sua história no trabalho dele. Será o 53º relato em primeira pessoa que ele coleta. Mais tarde, neste ano, eu irei até São Petersburgo para tentar recolher mais relatos. Sua história fará a diferença, senhora Whitson. Eu garanto.

Mamãe apenas assentiu, e Nina não pôde evitar imaginar o que ela estaria pensando, agora que estavam chegando ao ponto em que a história acabaria.

— Sigam-me, por favor — Maksim disse. Virando, ele as conduziu pelo corredor muito iluminado, passando por mulheres curvadas com andadores e homens pequeninos em cadeiras de rodas, até um quarto bem no fim do saguão.

Ali, havia uma cama hospitalar estreita no centro do quarto e duas cadeiras que obviamente foram trazidas para a reunião. Na cama, estava um homem encolhido com um rosto ossudo e braços imensamente magros. Tufos de cabelo branco erguiam-se da cabeça careca e cheia de pintas, assim como das orelhas rosadas e enrugadas. O nariz era como o bico de um raptor e os lábios, totalmente invisíveis. Com a entrada delas, a mão direita do homem começou a tremer e o canto direito da boca tentou sorrir.

Maksim inclinou-se sobre o pai, sussurrando algo no ouvido dele.

O homem na cama disse alguma coisa, mas Nina não conseguiu entender nada.

— Ele diz que está feliz em vê-la, Anya Whitson. Ele esperou muito tempo. Meu pai é Vasily Adamovich e dá as boas-vindas a vocês todas.

Mamãe assentiu.

— Por favor, sentem-se — Maksim disse, indicando as cadeiras. Em uma mesa perto da janela havia um samovar de cobre e vários pratos com *pierogies*, *strudel* e fatias de queijo com bolacha.

Vasily disse algo, a voz rascante como uma folha seca. Maksim escutou, então fez que não com a cabeça.

— Lamento, Papa. Não consigo entender. Ele está dizendo algo sobre a chuva, eu acho. Não tenho certeza. Vou gravar sua história, senhora Whitson. Anya. Posso chamá-la de Anya? Tudo bem se eu gravar?

Mamãe estava olhando para o brilhante samovar de cobre e a fila de xícaras de chá de vidro com os suportes metálicos.

— *Da* — ela disse suavemente, fazendo um gesto de desinteresse.

Nina não havia percebido que era a única ainda em pé. Ela foi até a cadeira ao lado de Meredith e se sentou.

Por um momento, o quarto ficou em um silêncio completo. O único ruído era o bater da chuva na janela.

Então, Mamãe inspirou profunda e lentamente e soltou o ar.

— Eu contei essa história de uma mesma forma por tanto tempo que mal sei como começar agora. Eu mal sei como começar.

Maksim apertou o botão de gravar. Ele produziu um clique alto e a fita começou a girar.

— Eu não sou Anya Petrovna Whitson. Esse é o nome que assumi, a mulher que me tornei. — Ela respirou fundo outra vez. — Eu sou Veronika Petrovna Marchenko Whitson, e Leningrado é minha cidade. É parte de mim. Há muito tempo, eu conhecia aquelas ruas como agora conheço a sola dos meus pés ou a palma das minhas mãos. Mas não é na minha juventude que você está interessado. Não que eu tenha tido muita juventude, olhando agora para trás. Comecei a virar adulta aos 15 anos, quando eles levaram meu pai, e, no final da guerra, eu era velha... Mas isso é o meio, no entanto. O começo, realmente, é em junho de 1941. Eu estou voltando para casa do campo, onde estive colhendo legumes e vegetais para guardar para o inverno que virá...

Nina fechou os olhos e encostou na cadeira, deixando as palavras formarem imagens em sua imaginação. Ela escutou coisas que tinha ouvido antes na forma de conto de fadas; só que, dessa vez elas, eram reais. Não havia Cavaleiros Negros ou príncipes ou duendes. Havia apenas Vera, primeiro uma jovem mulher, apaixonando-se e tendo seus filhos... e depois uma mulher com medo, cavando na linha Luga e vagando por paisagens bombardeadas. Nina teve que enxugar as lágrimas quando Olga morreu e novamente quando a mãe de Vera morreu.

— Ela se foi — Mamãe disse com uma simplicidade terrível. — Ouvi meu filho dizer: "O que está errado com Baba?" e precisei de todas as minhas forças para

não chorar.

Puxo o cobertor sobre o peito de Mama, tentando não notar como o rosto dela ficou encovado nesse último mês. Eu deveria tê-la forçado a comer? Essa é uma pergunta que vai me assombrar pelo resto da vida. Se eu tivesse feito isso, estaria puxando o cobertor sobre o rosto de um dos meus filhos, e como eu poderia ter feito isso?

— Mama — Leo diz novamente.

— Baba foi ficar com Olga — eu digo, e, por mais que tente ser forte, minha voz treme, e em seguida meus filhos estão chorando.

É Sasha quem os conforta. Eu não tenho conforto restando em mim. Estou completamente fria, com medo de que, se um deles tocar em mim, eu vá me quebrar feito um ovo.

Fico sentada perto da minha mãe morta por um longo tempo, em nossa sala escura e fria, com a cabeça baixa em uma oração que vem tarde demais. Então, lembro de uma coisa que ela me disse faz muito tempo, quando eu era a criança que precisava de conforto. Não vamos falar nele novamente.

Naquela época, eu pensei que era por causa do perigo que ele representava para nós, dos crimes dele, mas, agora, sentada ao lado da minha mãe, eu a sinto se mover perto de mim — eu juro que sinto —, ela se curva, toca minha mão e me sinto aquecida pela primeira vez em meses, e compreendo o que ela está me dizendo.

Vá. Esqueça se puder. Viva.

Não foi por causa de quem meu pai era, esse conselho; é assim que é a vida. É o que a morte faz com as pessoas. Quando olho para baixo, claro que ela não está se movendo; a pele está fria e sei que ela não falou realmente comigo. Mas ela falou. E então eu faço o que devo fazer. Eu levanto, experimentando meu novo papel. Agora, sou uma filha sem mãe, uma mulher sem irmã. Não há mais ninguém da família na qual nasci; há apenas a família que constituí.

Minha mãe está em todos nós, mas especialmente em mim. Anya tem a força solene da minha mãe. Leo tem a risada fácil de Olga. E eu — eu tenho o melhor das duas em mim, e os sonhos do meu pai também; assim, é meu dever ser todos nós agora.

Subitamente, Sasha está ao meu lado.

Ele me abraça e encosta meu rosto contra a curva fria do seu pescoço.

— *Vamos estar longe daqui um dia* — ele promete. — *Vamos para o Alasca, do jeito que planejamos. Não vai ser sempre assim.*

— *Alasca* — eu digo, lembrando desse sonho dele, nosso. — *A terra do Sol da Meia-Noite. Sim...*

Mas um sonho como esse — qualquer sonho — está distante agora e apenas deixa a dor pior.

Eu olho para ele e penso que ele diz alguma coisa, eu vejo os pensamentos nos olhos verdes dele, ou talvez sejam os meus pensamentos refletidos. Em seguida, nós nos separamos e Sasha diz para nossos filhos abatidos e com olhos vermelhos:

— *Mama e eu temos que ir cuidar de Baba.*

Leo, sentado no chão da cozinha, começa a chorar, mas é uma pálida imitação da tristeza do meu filho, das lágrimas dele. Eu sei. Eu o vi cair no choro quando estava saudável. Agora ele apenas... deixa as lágrimas vazarem dos seus olhos e fica ali sentado, faminto e exausto demais para fazer algo mais.

— Vamos ficar aqui, Papa — Anya diz solenemente. — Eu tomo conta de Leo.

— Minhas boas crianças — Sasha diz. Ele as mantém ocupadas enquanto lavo Mama e coloco nela seu melhor vestido. Tento não notar como ela está encolhida e magra... não é realmente minha mãe, mas...

É verdade o que dizem. As crianças se tornam adultos que se tornam crianças novamente. Não posso evitar pensar nesse ciclo quando lavo gentilmente o corpo da minha mãe, aboto seu vestido e prendo seu cabelo. Quando termino, ela parece estar dormindo. Eu me curvo e beijo seu rosto frio, frio e sussurro meu adeus.

Então, está na hora.

Sasha e eu nos vestimos para o frio. Coloco todas as roupas que possuo — quatro pares de meias, os valenki *grandes demais da minha mãe, calças, vestidos, suéteres. Mal consigo entrar no casaco, e, depois de enrolar um cachecol na cabeça, meu rosto parece o de uma criança.*

Vamos para fora, para o dia frio e negro. Os postes das ruas estão acesos em alguns lugares, a luz turvada pela neve que cai. Amarramos Mama ao pequeno trenó vermelho que uma vez foi um brinquedo da família e agora talvez seja nosso bem mais precioso. Sasha é forte o bastante para puxá-lo pela neve pesada, graças a Deus.

Eu estou fraca. Tento esconder isso do meu marido, mas como poderia? Cada passo pela neve até os joelhos é uma tortura para mim. Minha respiração sai em grandes exalações que queimam. Eu quero sentar, mas sei que não posso.

Diante de nós, um homem bêbado oscila para a frente, abraça um poste de luz e se curva, ofegando.

Passamos por ele. É assim que fazemos agora, o que nos tornamos. Quando olho para trás, também ofegando, ele caiu na neve. Sei que quando voltarmos para casa veremos seu corpo azul e congelado...

— Não olhe — Sasha diz.

— *Eu vejo assim mesmo* — *eu digo, e sigo adiante. Como posso não ver? Os rumores são de que 3 mil pessoas estão morrendo por dia, a maioria velhos e crianças pequenas. Nós, mulheres, somos de alguma forma mais fortes.*

Felizmente, Sasha está no exército, por isso, só temos que ficar na fila algumas horas para conseguir uma certidão de óbito. Vamos perder a ração de comida da Mama, mas mentir sobre a morte dela é mais perigoso do que passar fome.

Quando deixamos o calor da fila, estou mais do que exausta. A fome está retorcendo minha barriga e sinto-me tão zonza que às vezes choro sem motivo. As lágrimas congelam no meu rosto imediatamente.

Há postes de luz acesos no cemitério, apesar de eu preferir que estivesse escuro. Com a neve caindo, os corpos estão escondidos, cobertos de branco, mas não há como não vê-los: corpos empilhados como lenha nos portões do cemitério.

O solo está congelado demais para realizar enterros. Eu deveria saber disso, eu saberia se minha mente estivesse funcionando, mas a fome me tornou estúpida e lenta.

Sasha olha para mim. A tristeza nos olhos dele é insuportável. Eu quero ceder, apenas cair na neve e parar de me importar.

— *Não posso deixá-la aqui* — *eu digo, incapaz de sequer contar os corpos. Também não posso levá-la de volta para casa. É o que muitos vizinhos fizeram, deixando um lugar para os mortos em seus apartamentos, mas eu não posso fazer isso.*

Sasha assente e vai adiante, puxando o trenó em volta dos montes de neve e entrando no cemitério escuro e silencioso.

Nós nos damos as mãos. É o único jeito de sabermos onde o outro está. Descobrimos um lugar aberto sob uma árvore onde há neve e gelo. Espero que essa árvore seja para ela a protetora que eu não fui.

Nossas vozes ecoam pela neve que cai quando dizemos um para o outro que esse é o lugar. Eu vou sempre lembrar dessa árvore, reconhecê-la, e ali eu vou encontrá-la novamente algum dia, ou pelo menos vou ficar ali e lembrar dela. De agora em diante, vou sempre lembrar dela no dia 14 de dezembro, onde quer que esteja. Não é muito, mas é alguma coisa.

Ajoelho na neve; mesmo com as luvas, meus dedos tremem de frio quando desamarro as cordas e solto o corpo congelado.

— Eu lamento, Mama — eu sussurro, meus dentes batendo. Toco o rosto dela na escuridão como uma mulher cega, tentando lembrar sua aparência. — Vou voltar na primavera.

— Vamos — Sasha diz, fazendo com que eu me levante. Eu sei que não devo ajoelhar na neve, mesmo em uma situação dessas. Meus joelhos já estão mais frios. Logo, não vou conseguir sentir as pernas.

Nós a deixamos lá. Sozinha.

— É tudo que podemos fazer — Sasha diz mais tarde enquanto caminhamos para casa, nossas respirações aceleradas.

Tudo que quero fazer é me deitar. Estou com tanta fome e tão cansada e tão triste. Eu nem ligo se morrer.

— Sim — eu digo. Eu não ligo. Só quero parar.

Mas Sasha está ali, fazendo-me ir adiante, e quando chegamos em casa e nossas crianças sobem na cama conosco, eu agradeço a Deus por meu marido estar ali.

— Não desista — ele sussurra para mim naquela noite, na cama. — Eu vou dar um jeito de tirar você daqui.

Eu prometo.

Eu concordo em não desistir, mas a essa altura nem sei mais o que isso quer dizer.

E, pela manhã, ele beija meu rosto, sussurra que me ama e vai embora.

No FINAL DE DEZEMBRO, A CIDADE LENTAMENTE congela até a morte. Está escuro quase o tempo todo. Pássaros caem do céu como pedras. Os corvos morrem antes; lembro disso. Está incrivelmente frio. Vinte e cinco abaixo de zero torna-se normal. Os bondes param nos trilhos como brinquedos de criança que deixaram de ser interessantes. Os canos de água estouram.

Os trenós agora são tudo. Mulheres os puxam pelas ruas para levar coisas para casa — madeira das construções incendiadas, baldes de água do rio Neva, qualquer coisa que possa ser queimada ou comida.

Você não imagina o que consegue comer. Há rumores de que as salsichas sendo vendidas nos mercados são feitas com carne humana. Eu não vou mais aos mercados. De que adianta? Vejo belos casacos de pele e joias sendo vendidos por nada e bolos de óleo feitos do que é varrido nos armazéns e serragem alcançando preços exorbitantes.

Fazemos o mínimo possível, minhas crianças e eu. Nosso apartamento está escuro o tempo todo agora — há apenas um breve espasmo de luz do dia e restam poucas velas para iluminar a escuridão. Nosso pequeno burzhuika *agora é tudo. Calor e luz. Vida. Queimamos a maior parte da mobília no nosso apartamento, mas ainda restam algumas peças.*

Nós três ficamos abraçados a noite toda e, pela manhã, andamos lentamente. Ficamos sob os cobertores que temos, com nossa cama bem perto do forno, e ainda assim acordamos com o cabelo congelado e geada sobre a face. Leo está com uma tosse que me deixa preocupada. Eu tento fazê-lo beber água quente, mas ele não quer. Não posso culpá-lo. Mesmo depois de fervida, a água tem o gosto dos corpos que estão sobre a superfície congelada do rio.

Levanto no frio e levo o tempo que for preciso para quebrar o pé de uma cadeira ou partir uma gaveta e coloco a madeira no forno. Há um apito nos meus ouvidos e uma espécie de vertigem que me faz cair com o menor tropeço. Sei que meu corpo é só ossos agora. Ainda assim, eu sorrio quando beijo meus filhos para acordá-los.

Anya geme quando a toco e isso é melhor do que a reação do Leo, que só fica ali, deitado.

Eu o sacudo com força, grito seu nome; quando ele abre os olhos, não posso evitar cair de joelhos.

— Garoto bobo — eu digo, enxugando os olhos. Não posso ouvir nada além do rugido nos meus ouvidos e o bater do meu coração.

Eu daria qualquer coisa para ouvi-lo dizer que está com fome.

Faço para cada um de nós um copo de água quente com fermento. Não é nutritivo, mas vai nos encher. Com cuidado, corto uma fatia de pão preto — o que resta da ração da semana — e a divido em três. Quero dar tudo para eles, mas sei que não devo. Sem mim, eles estão perdidos, por isso devo comer.

Cada um de nós corta seu terço de fatia de pão em pedacinhos, que comemos o mais lentamente possível. Coloco metade da minha parte no bolso para mais tarde. Levanto e visto todas as minhas roupas.

Minhas crianças estão na cama, abraçadas. Mesmo do outro lado do quarto, posso ver como estão esqueléticas. Da última vez que dei banho em Leo, ele era uma união de ossos pontudos e pele encovada.

Vou até eles, sento na cama. Toco o rosto de Leo, puxo o gorro de lã mais para baixo para cobrir suas orelhas.

— Não vá, Mama — ele diz.

— Eu tenho que ir.

É a mesma conversa que temos toda manhã e, honestamente, resta muito pouco de vontade nele.

— Vou arrumar algum doce para nós, você quer?

— Doce — ele diz sonhador, caindo de volta no travesseiro amassado.

Anya olha para mim. Ao contrário do irmão, ela não está doente; ela só está definhando, como eu.

— Você não deveria dizer para ele que vai trazer doce — ela diz.

— Ah, Anya — eu digo, tomando-a nos braços e abraçando-a o mais forte que consigo. Eu beijo os lábios rachados dela. Nossos hálitos estão horríveis, mas nenhuma de nós nota isso.

— Eu não quero morrer, Mama — ela diz.

— Você não vai morrer, moya dusha. *Vamos cuidar disso.*

Minha alma.

Ela é isso. Eles dois são. E, por causa disso, eu levanto, me visto e vou para o trabalho.

Lá fora, na escuridão congelante do começo da manhã, arrasto meu trenó pelas ruas. Na biblioteca, desço para a única sala de leitura que está aberta. Lampiões de óleo criam bolsões de luz. Muitas das bibliotecárias estão doentes demais para se mover, por isso aqueles de nós que conseguem pegam os livros e respondem perguntas de pesquisa para o governo e o exército. Vamos à procura de livros, também, recolhendo o que podemos de prédios bombardeados. Quando não há nada mais a fazer, vou para a fila para conseguir o que puder de rações. Hoje, tenho sorte: há um jarro de chucrute e uma ração de pão.

A caminhada até em casa é terrível. Minhas pernas estão muito fracas, não posso respirar e estou tonta. Há corpos por todos os lados. Eu nem mesmo dou a volta neles. Não tenho energia para isso.

A meio caminho de casa, enfio a mão no bolso e tiro meu pequeno pedaço de pão da refeição matinal. Coloco-o na boca, deixando derreter na língua.

Posso sentir que estou balançando. Aquele rugido branco e barulhento está de volta nos meus ouvidos; nas últimas semanas, me acostumei a esse som.

Vejo um banco adiante.

Sente. Feche seus olhos só por um instante...

Estou tão cansada. Não sinto mais nada na barriga, há apenas a exaustão. Só respirar já é uma luta.

E então, surpreendentemente, vejo Sasha parado na rua, na minha frente. Ele está exatamente como no dia em que o conheci, anos atrás, uma vida inteira atrás; não está nem mesmo usando um casaco e seu cabelo é longo e dourado.

— Sasha — eu digo, ouvindo minha voz rouca. Quero correr até ele, mas minhas pernas não funcionam. Em vez disso, caio de joelhos na neve grossa.

Posso senti-lo ao meu lado, passando o braço ao meu redor. A respiração dele é tão quente e ele cheira a cerejas.

Cerejas. Como as que Papa levava para nós...

E mel.

Fecho os olhos, faminta pelo sabor dele e sua respiração doce.

Posso sentir o cheiro do borscht da minha mãe.

— Levante, Vera.

A princípio, é a voz de Sasha, profunda e familiar, e então é a minha própria voz. Gritando.

— Levante, Vera!

Estou sozinha. Não há ninguém ali além de mim, não há o hálito do amante que cheira a cerejas com mel. Há apenas eu, ajoelhada na neve grossa, congelando lentamente até a morte.

Eu penso na risada de Leo e no olhar sério de Anya e no beijo de Sasha.

E levanto lentamente, de forma agonizante, até estar em pé.

Leva horas para chegar em casa, apesar de não ser longe. Quando finalmente chego e me deparo com o relativo calor do apartamento, caio novamente de joelhos.

Anya está ali. Ela me envolve com seus braços e me ampara.

Eu não tenho ideia de quanto tempo ficamos ali sentadas, abraçando uma à outra. Provavelmente, até o frio do apartamento nos fazer ir para a cama.

Naquela noite, depois do jantar de chucrute quente e batata assada — o paraíso —, nós nos sentamos ao redor do pequeno burzhuika.

— Conte uma história, Mama — Anya diz. — Você não quer uma história, Leo?

Eu seguro Leo nos meus braços e olho para seu rosto pálido, tornado belo pela luz do fogo. Quero contar uma história para ele, um conto de fadas que faça com que tenha bons sonhos, mas minha garganta está apertada e meus lábios tão rachados que dói falar; então, apenas abraço meus bebês e o silêncio gelado embala nosso sono.

ERA DE SE PENSAR QUE AS COISAS NÃO *pudessem ficar piores, mas podiam. E ficaram.*

É o inverno mais frio nos registros de Leningrado. As rações são diminuídas e diminuídas novamente. Página por página, queimo os livros amados do meu pai para gerar calor. Sento na escuridão gelada, embalando minhas crianças esqueléticas enquanto lhes conto histórias. Anna Karenina. Guerra e Paz. Onegin. *Conto tantas vezes como Sasha e eu nos conhecemos que já sei as palavras de cor.*

Mas tudo parece mais e mais distante. Em alguns dias, não posso lembrar do meu próprio rosto, quanto mais o do meu marido. Não posso recordar o passado, mas posso ver o futuro: ele está nos rostos pequenos e esticados das minhas crianças, nos furúnculos azuis que começaram a aparecer na pele pálida de Leo.

Escorbuto.

Para minha sorte, eu trabalho na biblioteca. Os livros me dizem que agulhas de pinheiro têm vitamina C, então pego galhos e os arrasto para casa no meu trenó. O chá que faço deles é amargo, mas Leo não reclama mais.

Eu gostaria que reclamasse.

Escuro. Frio.

Posso ouvir meus bebês respirando na cama ao meu lado. Cada respiração de Leo é ruidosa. Sinto a testa dele. Não está quente, graças a Deus.

Sei o que me despertou. O fogo apagou.

Eu quero não fazer nada a respeito.

O pensamento me atinge antes que possa me proteger dele. Posso não fazer nada, só ficar ali deitada, abraçando minhas crianças, e dormir para sempre.

Há modos piores de morrer.

Então, sinto as pernas magras de Anya se esfregarem nas minhas. Durante o sono, ela murmura — Papa — e eu lembro da promessa.

Leva uma eternidade para eu me levantar. Tudo dói. Meus ouvidos zunem e não tenho equilíbrio. A meio caminho para o forno, sinto que estou caindo.

Quando acordo do desmaio, estou desorientada. Por um segundo, escuto meu pai na mesa dele, escrevendo. A ponta da pena arranha palavras pelo papel irregular de linho.

Não.

Vou até a estante. Resta apenas a última parte do tesouro: a poesia do meu pai.

Não posso queimá-la.

Amanhã, talvez, mas não hoje. Em vez disso, pego o machado — é tão pesado — e arranco um pedaço da lateral da estante. É madeira grossa, antiga, dura como ferro, e produz muito calor.

Fico junto da cama, diante do fogo, e posso sentir como estou balançando.

Sei subitamente que, se deitar, eu vou morrer. Minha mãe me disse isso? Minha irmã? Eu não sei. Apenas lembro que sei que isso é verdade.

— *Não vou morrer na minha cama* — digo para ninguém. *Então, vou até a outra peça de mobília que resta na sala. A escrivaninha do meu pai. Embrulhando--me em um cobertor, sento-me ali.*

Posso sentir o cheiro dele, ou estou alucinando outra vez? Não sei. Pego a pena dele e descubro que a tinta no tinteiro está congelada. O pequeno tinteiro de metal está frio como gelo, mas eu o levo até o forno, onde nós dois nos aquecemos rapidamente. Fazendo uma xícara de água quente para beber, volto para a mesa.

Acendo a lamparina ao meu lado. É idiotice, eu sei, deveria conservar o óleo, mas não posso apenas ficar sentada ali, no negrume gelado. Tenho que fazer alguma coisa para permanecer viva.

Então eu escrevo.

Não é tarde demais. Ainda não morri.

Eu sou Vera Petrovna e sou uma ninguém...

Escrevo e escrevo, em um papel que sei que logo terei que queimar, com a mão que treme tão violentamente que minhas letras parecem antílopes saltando pela folha. Ainda assim, escrevo e a noite passa.

Algumas horas depois, uma pálida luz cinza passa entre as folhas de jornal e eu sei que consegui.

Estou para baixar a pena quando batem à porta. Forço minhas pernas a funcionarem e os pés a se moverem.

Abro a porta para um estranho. Um homem em um grande casaco negro de lã e quepe militar.

— *Vera Petrovna Marchenko?*

Escuto a voz dele e ela é familiar, mas não consigo focalizar o rosto dele. Minha visão está com problemas.

— *Sou eu. Dima Newsky, aqui da frente.* — *Ele me dá uma garrafa de vinho tinto, um saco de doces e um saco de batatas.* — *Minha mama está doente demais para comer. Ela não vai chegar ao fim do dia. Ela me pediu para dar isso para você. Para os bebês, foi o que ela disse.*

— *Dima* — *eu digo, e ainda não sei quem ele é. Não consigo lembrar da mãe dele também, minha vizinha.*

Mas pego a comida. Nem mesmo finjo que não quero. Eu poderia até matá-lo pela comida. Quem sabe?

— Obrigada — eu digo, ou penso que digo, ou quero dizer.

— Como está Aleksandr?

— Como está qualquer um de nós? Você quer entrar? Está um pouco mais quente...

— Não. Preciso voltar para minha mãe. Não vou ficar muito por aqui. Retorno para a frente amanhã.

Quando ele vai, fico olhando maravilhada para a comida. Estou sorrindo quando acordo Leo naquela manhã e digo:

— Nós temos doces...

EM JANEIRO, AMARRO O POBRE LEO NO TRENÓ. Ele está tão fraco que nem reage; seu corpo magro está negro-azulado e coberto de furúnculos. Anya está com frio demais para sair da cama. Eu digo a ela para ficar na cama e esperar por nós.

Leva três horas para andar até o hospital e, quando chego lá...

Pessoas morreram na fila, esperando para ver um médico. Há corpos por todos os lados. O cheiro.

Curvo-me para Leo, que de alguma forma está ao mesmo tempo esquelético e inchado. Seu pequeno rosto parece o de um gato faminto.

— Estou aqui, meu leão — digo por não conseguir pensar em mais nada para dizer.

Uma enfermeira nos vê.

Apesar de sermos dois entre centenas, ela vem até nós e olha para Leo. Quando ergue os olhos para mim, vejo pena em sua expressão.

— Aqui — ela diz, dando-me um papel —, isto vai conseguir para ele um pouco de sopa de capim e manteiga. Temos aspirina no dispensário.

— Obrigada — eu digo.

Olhamos uma para a outra novamente, ambas sabendo que isso não basta.

— *Ele é o Leo.*

— *Meu filho se chamava Yuri.*

Eu assinto, compreendendo. Às vezes, um nome é tudo que resta.

❧

QUANDO VOLTO PARA CASA DO HOSPITAL, *cozinho tudo que posso encontrar. Arranco o papel de parede e o cozinho. A cola é feita de farinha e água, e ela engrossa em uma espécie de sopa. Cola de carpinteiro dá o mesmo resultado. Estas são as receitas que ensino para minha filha. Que Deus nos ajude.*

Cozinho um cinto de couro de Sasha e faço dele uma geleia. O gosto é horrível, mas faço Leo comer um pouco dela...

❧

NO MEIO DE JANEIRO, UM AMIGO DE SASHA *vem ao nosso apartamento. Posso notar que ele fica chocado com o que vê. Ele me dá uma caixa enviada por Sasha.*

Assim que ele vai embora, nós nos amontoamos para olhar a caixa. Até Leo está sorrindo.

Dentro dela, há papéis para a evacuação. Vamos partir no dia 20.

Embaixo dos papéis há uma corda de salsichas frescas e um saco de nozes.

❧

NA COMPLETA ESCURIDÃO, EMPACOTO TODA *a minha vida, não que haja muito para levar. Honestamente, não sei dizer o que levei e o que deixei para trás. Muitos dos nossos bens ou congelaram ou foram queimados, mas lembro de pegar o que escrevi, as poesias do meu pai e meu último livro de poesia de Anna Akhmatova. Peguei toda* a comida que tínhamos — as salsichas, meio saco de cebolas, quatro pedaços de pão, alguns bolos de óleo, 1/4 de jarro de óleo de girassol e o resto do chucrute.

Tenho que carregar Leo. Com os pés inchados e os braços cobertos de furúnculos, ele mal consegue se mover, e não tenho coragem de acordá-lo quando ele dorme.

Nós três partimos na escuridão do meio da manhã. A pequena Anya carrega nossa única mala, cheia de comida. Estamos vestindo todas as nossas roupas.

Está muito frio lá fora e a neve é pesada. Eu seguro a mão dela na longa caminhada até a estação de trem e, lá chegando, estamos as duas exaustas.

No trem, ficamos apertados. Somos três entre muitos, mas ninguém fala. O ar cheira a mofo, pessoas e mau hálito e morte. É um cheiro que todos nós reconhecemos.

Coloco meus bebês bem perto de mim. Dou a Leo e Anya um pouco de vinho para beber, mas Leo não gosta. Não posso pegar a comida, não nesse vagão de trem lotado. Eu poderia ser morta pelos bolos de óleo, imagine então se vissem as salsichas.

Procuro nos bolsos, que havia enchido com o pó da área queimada dos armazéns de comida Badayev.

Leo come as partículas adocicadas do pó com ansiedade e chora pedindo mais. Eu faço a única coisa em que consigo pensar: corto meu dedo e o coloco na boca dele. Como um recém-nascido, ele suga meu dedo, bebendo meu sangue morno. Isso dói, mas não tanto quando escutar a congestão nos pulmões dele ou sentir o calor na sua testa.

Com a voz baixa, eu conto histórias para eles sobre o pai deles e eu, um conto de fadas cheio de amor que parece muito distante. Em algum ponto ao longo da viagem, quando estou com medo por causa da tosse horrível de Leo e Anya fica perguntando quando vamos ver Papa, começo a chamar meu marido de príncipe e o Camarada Stalin de Cavaleiro Negro e o rio Neva passa a ter poderes mágicos.

A viagem de trem parece durar um longo tempo. O interior do meu corpo dói de ser sacudido por tantas horas. Meu conto de fadas é a única coisa que nos mantém sãos. Sem ele, acho que estaríamos chorando e gritando e não pararíamos nunca mais.

Por fim, chegamos à margem do Lago Ladoga. Há gelo até onde a vista alcança; não há praticamente nenhuma diferença entre minha visão através de um vidro ou através da fumaça da minha respiração.

Estamos no começo da estrada de gelo.

25

O EXÉRCITO TRABALHOU DURANTE MESES *para fazer uma estrada através do lago Ladoga congelado. A estrada está ali agora, e todos a chamam de estrada da vida. Logo, eles dizem, transportes com comida cruzarão a estrada de gelo na direção de Leningrado. Até agora, esses mesmos caminhões ficavam caindo na congelante água negra por baixo. E, claro, os alemães bombardeavam constantemente.*

Verifico as roupas dos meus filhos. Está tudo no lugar, assim como estava quando deixamos Leningrado. Leo e Anya estão envoltos em folhas de jornal e por cima estão todas as roupas que possuem. Enrolamos cachecóis em torno da nossa cabeça e pescoço; eu tentei cobrir tudo, até mesmo o pequeno nariz vermelho de Leo.

Lá fora, dói quando inspiro. Meus pulmões ardem. Ao meu lado, Leo começa a tossir.

A lua cheia ergue-se no céu negro, fazendo a neve ficar azul. Ficamos por ali, todos nós, reunidos como gado. Muita gente está tossindo; em algum lugar, uma criança chora. Ocorre-me desejar que fosse Leo. A quietude dele está me assustando.

— *O que fazemos agora, Mama?* — *Anya diz.*

— *Encontramos um caminhão. Aqui, pegue minha mão.*

Meus olhos lacrimejam e ardem quando avanço. Tenho Leo nos meus braços e, mesmo magro como está, ele é um peso tão grande que mal consigo andar. Cada passo requer concentração, força de vontade. Tenho que me inclinar contra o vento uivante. A única coisa real neste mundo azul e negro gelado é a mão da minha filha na minha. Em algum ponto na distância, escuto um motor funcionando e então rugindo. É um comboio, eu espero.

— *Vamos* — *grito ao vento, ou tento gritar. Estou com tanto frio que meus joelhos doem. Dói até mesmo curvar os dedos e segurar a mão de Anya.*

Eu ando

e ando

e ando

e não há nada. Apenas gelo e céu escuro e o barulho distante de disparos das armas antiaéreas.

Eu penso: Devo me apressar *e:* Meus bebês, *e então Sasha está ao meu lado. Posso sentir o calor do hálito dele. Ele está sussurrando sobre amor e o lugar que vamos construir para nós no Alasca e me diz que está tudo bem se eu descansar.*

— *Só por um momento* — *eu digo, caindo de joelhos antes mesmo que as palavras saiam da minha boca.*

O mundo fica então completamente quieto. Em algum lugar, alguém ri e o som é idêntico ao riso de Olga. Eu vou encontrá-la assim que tirar uma soneca. É isso que penso.

E fecho meus olhos.

— *Mama.*

— *Mama.*

— Mama.

Ela está gritando diante do meu rosto.

Abro os olhos lentamente e vejo Anya. Minha filha tirou o cachecol e o enrolou no meu pescoço.

— *Você tem que levantar, Mama* — *ela diz, puxando-me.*

Eu olho para baixo. Leo está inerte nos meus braços, a cabeça caída para trás. Mas posso sentir sua respiração.

Desenrolo o cachecol do meu pescoço e volto a cobrir o rosto de Anya.

— Não tire o cachecol novamente. Não o dê para ninguém. Nem para mim.

— Mas eu amo você, Mama.

E ali está minha força. Cerrando os dentes contra a dor que virá, eu levanto e começo a andar novamente.

Um passo por vez, até que um caminhão de carga se materializa na minha frente.

Um homem usando uma roupa larga e branca de camuflagem está parado ao lado da porta, fumando um cigarro. O cheiro faz com que pense na minha mãe.

— Uma carona pelo gelo? — eu digo, escutando como minha voz soa fraca e instável.

O rosto do homem não está encovado nem doentio. Isso quer dizer que ele é Alguém, ou pelo menos do Partido, e sinto minhas esperanças crescerem.

Ele se inclina para frente, olha para Leo.

— Morto?

Eu faço que não com a cabeça.

— Não. Apenas dormindo. Por favor — eu digo, agora desesperada. Ao redor, caminhões estão partindo e sei que vamos morrer essa noite, ali, se não encontrarmos logo uma carona. Eu pego a borboleta cloisonné feita pelo meu avô. — Aqui.

— Não, Mama — Anya diz, estendendo a mão para ela.

O homem apenas franze a testa.

— De que adianta um enfeite?

Eu tiro a luva e dou para ele minha aliança de ouro.

— É de ouro. Por favor...

Ele olha para mim enquanto dá uma última tragada no cigarro e o joga na neve.

— Está bem, Baba — ele diz, embolsando minha aliança. — Entre. Eu levo você e seus netos.

Fico tão grata que nem mesmo percebo o que ele disse, até mais tarde, quando estamos todos na cabine do caminhão dele.

Baba.

Ele acha que sou uma velha. Tiro o cachecol e dou uma olhada no espelho acima do para-brisa.

Meu cabelo está tão branco quanto minha pele.

Já é dia quando cruzamos o gelo. Não há muita luz, é claro, mas o bastante. Posso realmente ver onde estamos agora.

Neve sem fim. Caminhões alinhados, cheios de comida para minha pobre Leningrado. Soldados vestidos de branco. Não longe dali — a 300 metros, talvez — está a estação de trem que é nosso próximo destino.

O bombardeio começa quase que imediatamente. Nosso motorista para e desce.

Honestamente, eu não quero sair do caminhão, apesar de saber como é perigoso ficar ali. Há gasolina no tanque e nenhuma camuflagem no caminhão. Do ar, ele é um alvo fácil. Mas estamos aquecidos e faz tanto tempo... Então, olho para meu Leo e esqueço o perigo.

Ele não está respirando.

Eu o sacudo com força, puxo o casaco e ergo o jornal. O peito dele é apenas um amontoado de ossos, pele azul e furúnculos.

— Acorde, Leo. Respire. Vamos, meu leão. — Coloco minha boca sobre a dele, respirando por ele.

Por fim, ele treme nos meus braços e sinto uma respiração azeda entrar na minha boca.

Ele começa a chorar.

Eu o abraço, chorando também, e digo:

— Não me deixe, Leo. Eu não conseguiria aguentar.

— As mãos dele estão tão quentes, Mama — Anya diz, e vejo como ela está assustada pelos meus gritos.

Eu toco a testa de Leo.

Ele está muito quente. Minhas mãos tremem quando reposiciono o jornal e abotoo a malha e o casaco.

Vamos sair para o frio outra vez.

Anya vai na frente ao deixarmos o caminhão. Estou tão concentrada em Leo que mal noto as bombas e disparos ao redor. Em algum ponto próximo, um caminhão explode.

É como estar no olho de um furacão. Ao redor de nós, caminhões passam, cavalos avançam puxando carretas, soldados correm e nós, pobres e famintos habitantes de Leningrado, procuramos carona.

Por fim, encontro a enfermaria. Ela consiste de tendas brancas e sujas espalhadas por uma área coberta de neve.

Lá dentro, não é um hospital. É um lugar para os que estão morrendo e para os mortos. Só isso. O cheiro é horrível. As pessoas estão deitadas nas suas próprias sujeiras congeladas, gemendo.

Não ouso colocar Leo ali, com medo de que ele piore. Parece que passam horas enquanto andamos ao redor, procurando alguém para nos ajudar.

Por fim, encontro um velho, curvado sobre uma bengala, olhando para o nada. Chego perto dele apenas porque está usando um avental branco.

— Por favor — eu digo, chegando mais perto. — Meu filho está fervendo.

O homem vira-se para mim. Ele parece tão cansado quanto eu me sinto. As mãos tremem levemente quando as estende para Leo. Posso ver os furúnculos nos seus dedos.

Ele toca a testa de Leo e olha para mim.

É um olhar que jamais vou esquecer. Graças a Deus ele não diz nada junto com aquele olhar.

— Leve-o para o hospital em Cherepovets. — Ele dá de ombros. — Talvez.

Eu não peço que diga mais nada. De fato, não quero que diga.

Ele me dá quatro pílulas brancas.

— Duas por dia — ele diz. — Com água limpa. Quando ele comeu pela última vez?

Eu balanço a cabeça. Como posso dizer as palavras, falar a verdade? É impossível fazer com que ele coma.

— *Cherepovets* — *é tudo que ele diz, e então vira-se e vai embora. A cada passo, pessoas se aproximam dele, implorando ajuda.*

— *Vamos.*

Pego a mão de Anya e abrimos caminho lenta e dolorosamente pela enfermaria e pelo campo nevado até a estação de trem. Nossos papéis estão em ordem e subimos no vagão, onde novamente ficamos apertados em meio a muita gente. Não há assento para mim ou para meus filhos, então nós nos sentamos no chão frio. Fico com Leo no colo e Anya ao meu lado. Quando escurece, pego o pequeno saco de nozes. Dou para Anya tantas quanto ouso e como algumas. Consigo fazer Leo engolir uma das pílulas com um gole da água que eu trouxe.

É uma noite longa e terrível.

Fico me inclinando o tempo todo para ver se Leo ainda está respirando.

LEMBRO QUE PARAMOS UMA VEZ. As portas do trem se abrem e alguém grita:

— *Algum morto? Mortos? Entreguem os mortos para nós.*

Mãos tentam pegar Leo, tentam arrancá-lo dos meus braços.

Eu o agarro, gritando:

— *Ele está respirando, ele está respirando!*

Quando a porta se fecha e está escuro novamente, Anya se aproxima de mim. Eu posso ouvi-la chorar.

NÃO É MELHOR EM CHEREPOVETS. Só temos um dia para passar ali. A princípio, penso que isso é uma bênção, que teremos tempo de salvar Leo antes de embarcar no próximo trem, mas ele está ficando mais fraco. Tento não ver essa verdade, mas ela está ali, nos meus braços. Ele tosse o tempo todo. Agora, há san-

gue na tosse. Ele está fervendo de febre e não para de tremer. Ele não quer comer nem beber.

O hospital ali é uma abominação. Todos têm disenteria e escorbuto. Não é possível ficar ali por mais de um momento ou dois sem ver mais alguém de Leningrado entrar, procurando ajuda. A cada hora, caminhões cheios de corpos deixam o hospital, apenas para retornarem vazios. As pessoas morrem onde estão.

É bom que eu esteja fraca e faminta; não tenho forças para correr de um lugar para outro procurando ajuda. Em vez disso, fico parada no corredor frio e desolado, segurando meu filho. Quando as pessoas passam, eu sussurro:

— Ajude-o. Por favor.

Anya está dormindo no chão frio, chupando o polegar, quando uma enfermeira para.

— Ajude-o — eu digo, entregando Leo para ela.

Ela o segura com gentileza. Tento não notar como a cabeça dele cai para trás.

— Ele está distrófico. Terceiro estágio. Não existe quarto estágio. — Diante do meu olhar de incompreensão, ela diz: — Ele está morrendo. Mas se conseguíssemos colocar fluidos nele... talvez. Eu posso levá-lo para o médico. Seriam alguns dias difíceis, mas pode ser.

Ela é tão jovem, essa enfermeira. Tão jovem quanto eu era antes de a guerra começar. Não sei como confiar nela ou como deixar de confiar.

— Eu tenho papéis de evacuação. Devemos estar no trem para Vologda amanhã.

— Eles não vão deixar seu filho embarcar — a jovem enfermeira diz. — Não assim tão doente.

— Se ficarmos, vai ser impossível conseguir passagem depois — eu digo. — Vamos morrer aqui.

A enfermeira não diz nada. Mentiras são uma perda de tempo.

— Podemos começar a ajudar Leo agora, não podemos? — eu digo. — Talvez ele esteja melhor amanhã.

A enfermeira não consegue esconder a pena que sente de mim.

— Claro. Talvez ele esteja melhor.

E ELE FICA.

Melhor.

Depois de uma noite na qual Anya e eu ficamos emboladas no chão junto da maca de Leo, acordo sentindo dores e frio. Mas, quando ajoelho e olho para Leo, ele está acordado. Pela primeira vez em um longo tempo, os olhos azuis dele estão claros.

— Oi, Mama — ele diz com uma voz rascante, parecendo um sapo, que parte meu coração. — Onde estamos? Cadê Papa?

Eu acordo Anya, puxo-a para perto.

— Estamos bem aqui, meu bem. Estamos indo ver seu papa. Ele estará nos esperando em Vologda.

Estou sorrindo e chorando ao olhar para meu filho, meu bebê. Talvez sejam as lágrimas que nublam minha visão, ou pode ser a esperança. Estou velha o bastante para não me deixar levar, mas o bom senso se foi com o som da voz dele. Não vejo como a pele dele está azul, como os furúnculos estouraram no peito e estão produzindo um líquido amarelo; não ouço a tosse pesada. Vejo apenas Leo. Meu leão. Meu bebê com os olhos mais azuis e a risada mais pura.

Então, a enfermeira chega para dizer que devo embarcar no trem e fico confusa.

— Ele está ficando melhor — eu digo, olhando para ele.

O silêncio se estende entre nós, quebrado apenas pela tosse de Leo e o som distante de tiros. Ela olha direto para Anya.

Pela primeira vez, vejo como Anya está pálida, como seus lábios rachados estão cinzentos, os furúnculos inflamados no seu pescoço. O cabelo dela cai em tufos.

Como não reparei nisso?

— Mas... — Eu olho ao redor. — Você disse que não vão deixar meu filho embarcar no trem.

— Tem gente demais sendo evacuada. Eles não vão transportar os que estão morrendo. Você tem papéis para você e sua filha, não tem?

Como foi que não entendi o que ela estava dizendo até agora? E como posso explicar a sensação de finalmente compreender? Uma faca no coração doeria menos.

— Você está dizendo que devo deixar meu filho aqui para morrer? Sozinho?

— Estou dizendo que ele vai morrer. — A enfermeira olhou para Anya. — Você pode salvá-la. — Ela tocou meu braço. — Eu lamento.

Eu fico ali, congelada, vendo-a se afastar. Não sei quanto tempo fico ali, mas quando ouço o trem apitar, olho para a filha que amo mais que minha vida e meu filho que está morrendo.

— Mama? — Anya diz, olhando para mim com a testa franzida.

Eu pego a mão de Anya e a levo para fora do hospital. No trem, me ajoelho diante dela.

Ela é tão pequena, envolta como está no seu casaco vermelho brilhante e calçando os valenki que são grandes demais para seus pés.

— Mama?

— Não posso deixar Leo aqui — eu digo, escutando minha voz falhar. Ele não pode morrer sozinho, é o que quero dizer, mas como dizer algo assim para minha filha de 5 anos? Ela sabe que estou fazendo uma escolha que mãe alguma deve jamais fazer? Ela vai algum dia me odiar por isso?

O rosto dela se contrai em uma expressão de dúvida tão familiar que parte meu coração. Por um segundo, eu a vejo como era antes.

— Mas...

— Você é a mais forte. Você vai ficar bem sozinha.

Ela sacode a cabeça, começa a chorar.

— Não, Mama. Eu quero ficar com você.

Eu pego um papel no bolso. Ele ainda cheira à salsicha e meu estômago se retorce com o odor. Escrevo o nome dela no papel e o prendo na lapela dela com um alfinete.

— P-Papa estará esperando por você em Vologda. Você vai encontrá-lo. Diga para ele que estaremos lá na quarta-feira. Vocês dois podem esperar a mim e Leo.

Isso parece uma mentira. Tem o sabor de uma mentira. Mas ela acredita em mim.

Eu não deixo que ela me abrace. Posso vê-la tentar e tentar, mas eu a empurro para a multidão que se reúne à nossa volta.

Uma mulher está parada ali perto. Anya colide com ela e a mulher cai de lado, praguejando baixinho.

— Mama...

Eu empurro minha filha para a mulher, que me fita com olhos vidrados.

— Pegue minha filha — eu digo. — Ela tem papéis. O pai vai estar em Vologda. Aleksandr Ivanovich Marchenko.

— Não, Mama. — Anya está aos prantos, tentando me alcançar.

Eu quero empurrá-la para trás com tanta força, mas não consigo fazer isso. No último momento, eu a tomo nos braços e a abraço com força.

O trem apita. Alguém grita:

— Ela vai?

Eu solto os braços de Anya do meu pescoço.

— Seja forte, Anya. Eu amo você, moya dusha.

Como posso dizer que ela é minha alma e então empurrá-la para longe? Mas é o que faço. É o que faço.

No último minuto, entrego a borboleta para ela.

— Aqui. Guarde isso para mim. Eu vou voltar para pegá-la. Para você.

— Não, Mama...

— Eu juro — eu digo, erguendo-a e entregando-a nos braços de um estranho.

Ela ainda está chorando, gritando meu nome e lutando para se soltar quando as portas do trem se fecham.

***

Fico ali por um longo tempo, vendo o trem ficar menor e menor, até que ele desapareça completamente. Os alemães estão bombardeando outra vez. Posso ouvir as explosões ao redor, pessoas gritando e detritos caindo sobre telhados de metal.

Eu não me importo.

Quando volto para o hospital, sinto como se algo caísse de mim, mas não olho para baixo, não quero saber o que perdi. Em vez disso, caminho para meu filho pela chuva de terra e neve.

A perda é uma dor surda no peito, algo que segura a respiração. Mas digo para mim mesma que fiz a coisa certa.

Vou manter Leo vivo apenas com minha força de vontade, e Sasha vai encontrar Anya em Vologda, e nós quatro vamos nos reunir na quarta-feira.

É UM SONHO TÃO LINDO. EU O MANTENHO vivo a cada suspiro, como uma tímida chama em uma vela protegida pela minha mão.

De volta ao hospital, está escuro novamente. O cheiro do lugar é insuportável. E está frio. Posso sentir o vento soprando lá fora, testando cada rachadura e abertura, procurando um jeito de entrar.

Na sua maca estreita e afundada, Leo está chupando enquanto dorme, mastigando comida que não está ali. Ele tosse quase o tempo todo agora, espasmos que produzem rendados de sangue nas cobertas de lã.

Quando não posso mais suportar, deito na maca e o tomo nos meus braços. Ele se aninha em mim como o bebê que um dia foi, murmurando meu nome enquanto dorme. A respiração dele é algo terrível de escutar.

Acaricio a testa quente e úmida dele. Minha mão está congelando, mas vale a pena sacrificá-la para tocá-lo, para que saiba que estou ali, ao lado dele, em volta dele. Canto suas músicas favoritas e conto as histórias de que mais gosta. De vez em quando ele acorda, sorri vagamente para mim e pede doces.

— Nada de doces — eu digo, beijando suas faces encovadas e azuis. Corto meu dedo outra vez deixo que ele sugue até que a dor me faça parar.

Estou cantando para ele, quase incapaz de lembrar das palavras, quando percebo que ele não está mais respirando.

Beijo o rosto dele, tão frio, e seus lábios, e penso que o ouço dizer: "Eu amo você, Mama", mas claro que é apenas minha imaginação. Como posso esquecer como foi isso — como ele morreu um pouquinho a cada dia? Como o deixei morrer. Talvez devêssemos ter ficado em Leningrado.

Acho que não vou conseguir suportar essa dor, mas consigo. Durante o dia todo e parte do dia seguinte, eu fico deitada com ele, segurando-o enquanto ele esfria. Em tempos comuns, talvez isso não fosse permitido, mas esses estavam longe de ser tempos comuns. Por fim, eu me afasto do seu pequeno corpo e levanto.

Por mais que deseje ficar ali deitada com ele para sempre e simplesmente morrer de fome com ele, não posso fazer isso. Fiz uma promessa para Sasha.

Viva, ele disse, e eu concordei.

Então, com os braços vazios e o coração transformado em pedra, deixo meu filho ali, sozinho, deitado e morto em uma maca junto da porta, e novamente começo a andar. Sei que tudo que vou ter agora do meu filho é uma data no calendário e o coelho de pelúcia que está agora na minha mala.

Não vou dizer o que fiz para conseguir um assento no trem que ia para o leste. Não importa de fato. Eu não sou realmente eu. Sou este corpo devastado de cabelos brancos que não pode descansar, por mais que anseie deitar, fechar os olhos e desistir. A dor da perda está sempre comigo, tentando-me a fechar os olhos.

Anya.

Sasha.

Essas são as palavras a que me apego, apesar de às vezes esquecer quem sou, mesmo nos sonhos. Do meu lugar no trem, vejo o campo arruinado. Corpos em pilhas. Cicatrizes na terra das bombas que caíram. Sempre presente está o som dos aviões e tiros.

O trem avança lentamente, parando em várias cidades pequenas. Em cada parada, pessoas famintas lutam para embarcar, para serem parte da multidão encardida de olhos vidrados indo para o leste. Há uma conversa, sussurrada ao meu redor, sobre combates pesados na nossa frente, mas eu não escuto. Na verdade, não ligo. Estou vazia demais para ligar para qualquer coisa.

E então, milagrosamente, chegamos a Vologda. Quando as portas do trem se abrem, percebo que não esperava chegar até aqui.

Lembro de sorrir.

Sorrir.

Até ajeitei o cabelo sob o lenço para que Sasha não percebesse como fiquei velha. Seguro a pequena mala que contém todos os meus pertences — nossos pertences — e luto com a multidão para chegar à frente.

Lá fora, no frio, nós nos dispersamos rapidamente; as pessoas vão para um lado ou outro, provavelmente à procura de comida ou amigos.

Eu fico ali, sentindo os outros se afastarem de mim. A distância, ouço o barulho dos aviões e sei o que isso quer dizer. Todo mundo sabe o que quer dizer. O alarme de ataque aéreo soa e meus colegas passageiros começam a correr à procura de abrigo. Posso ver pessoas atirando-se em valas.

Mas Sasha está ali, a menos de cem metros de mim. Posso ver que está segurando a mão de Anya. O casaco vermelho brilhante dela parece um cardeal gordo e sadio em contraste com a neve.

Estou chorando antes de dar o primeiro passo. Meus pés estão inchados e cheios de furúnculos, mas nem noto. Eu apenas penso: Minha família, *e corro. Quero tanto os braços de Sasha em volta de mim que não penso.*

Estúpida.

Escuto a bomba caindo tarde demais. Será que pensei que era meu coração, aquele assobio, ou minha respiração?

Tudo explode ao mesmo tempo: o trem, a árvore ao meu lado, um caminhão junto da calçada.

Vejo Sasha e Anya por uma fração de segundo e então eles estão no ar, voando de lado, com fogo por trás deles...

Quando acordo, estou em uma tenda de hospital. Fico ali até a memória voltar e então levanto.

Ao redor de mim, há um mar de corpos partidos e queimados. Pessoas gritam e gemem.

Passa um momento até eu perceber que não consigo ver cores. Minha audição está abafada, como se houvesse algodão nos meus ouvidos. A lateral do meu rosto está raspada, cortada e sangrando, mas eu mal sinto.

O fogo vermelho-alaranjado foi a última cor que vi.

— Você não deveria estar de pé — um homem diz para mim. Ele tem a expressão cansada de alguém que já viu guerra demais. A túnica está rasgada em alguns pontos.

— Meu marido — eu digo, gritando para ouvir minha própria voz acima do zumbido. Há um apito nos meus ouvidos também. — Minha filha... uma menina de casaco vermelho e um homem. Eles estavam parados... o trem foi bombardeado... tenho que achar os dois.

— Desculpe — ele diz, e meu coração bate tão apressado que não consigo escutar mais nada depois de sem sobreviventes... apenas você... aqui...

Eu me afasto dele, indo de cama em cama, mas tudo que encontro são estranhos.

Lá fora, está nevando pesado e faz um frio congelante. Não reconheço esse lugar. É um campo nevado sem fim. Os danos causados pela explosão estão agora cobertos de branco, apesar de eu poder ver montinhos que devem ser corpos.

Então eu vejo: uma pequena e escura mancha na neve, dobrada junto da tenda mais próxima.

Eu gostaria de dizer que corri até lá, mas eu apenas andei; nem reparei que estava descalça até a neve começar a queimar meus pés.

É o casaco dela. O casaco da minha Anya. Ou o que restou dele. Não posso mais ver o vermelho brilhante, mas ali está o nome dela, escrito pela minha própria mão em um pedaço de papel, preso com um alfinete na lapela. O papel está molhado e a tinta, borrada, mas está ali. Metade do casaco está faltando — eu não quero imaginar o que aconteceu —, um lado simplesmente foi arrancado.

Também posso ver manchas de sangue no forro claro.

Eu o levo ao meu nariz, inspirando com força. Posso sentir o cheiro dela no tecido.

Dentro do bolso, encontro a fotografia dela e de Leo que costurei dentro do forro. Viu? *Eu havia dito para ela naquele dia em que escondemos a foto — quando estavam evacuando as crianças; parece ter sido décadas atrás:* Agora, seu irmão vai estar sempre com você.

Eu pego o pequeno pedaço de papel com o nome dela e o seguro na mão. Quanto tempo fiquei ali sentada na neve, acariciando o casaco do meu bebê, lembrando do sorriso dela?

Para sempre.

NINGUÉM QUER ME DAR UMA ARMA. Todos os homens a quem peço dizem para eu me acalmar, que vou me sentir melhor no dia seguinte.

Eu devia ter pedido para uma mulher, outra mãe que matou o filho por levá-lo para longe e a filha por deixar que ela fosse.

Ou talvez eu seja a única que...

De qualquer forma, a dor é insuportável. E eu não quero ficar melhor. Eu mereço ser tão infeliz quanto estou. Então, volto para a cama, coloco as botas e o casaco e começo a andar.

Ando como um fantasma pelo campo coberto de neve. Há tantos outros mortos andando pela estrada que ninguém tenta me deter. Quando ouço disparos ou bombas, ando nessa direção. Se meus pés estivessem doendo menos, eu correria.

Encontro o que estou procurando no oitavo dia.

É a frente de batalha.

Eu caminho passando pelos russos, meus conterrâneos, que me chamam e tentam me deter.

Eu me solto, chutando se for preciso, socando e batendo, e sigo adiante.

Ando até os alemães e fico diante das armas deles.

— Atirem em mim — eu digo, e fecho os olhos. Sei o que eles veem, o que pareço: uma velha maluca e meio morta segurando uma mala gasta e um coelho de pelúcia cinza e sujo.

26

— Mas não sou uma mulher de sorte — Mamãe disse com um suspiro.

O silêncio se seguiu a essa última frase dita calmamente.

Nina enxugou as lágrimas do rosto e olhou surpresa para a mãe.

Como essa dor poderia estar ali nela todo esse tempo? Como uma pessoa poderia *sobreviver* a isso tudo?

Mamãe se levantou depressa. Deu um passo para a esquerda e parou; então, virou-se para a direita e parou. Era como se tivesse subitamente despertado de um sonho apenas para se ver em uma sala estranha, da qual não havia como escapar. Por fim, com os ombros um pouco caídos, ela foi até a janela e olhou para fora.

Nina olhou para Meredith, que parecia tão abatida quanto a irmã.

— Meu Deus — Maksim disse finalmente, desligando o gravador. O clique soou alto na sala silenciosa, lembrando Nina de que a história que tinham ouvido era importante não apenas para a família delas.

Mamãe ficou onde estava, a mão aberta sobre o peito, como se talvez pensasse que seu coração fosse parar de bater ou estivesse para cair do corpo.

O que ela estaria vendo nesse momento? Sua antes maravilhosa Leningrado transformada em um campo devastado congelado, bombardeado, onde as pessoas morriam nas ruas e pássaros caíam do céu?

Ou talvez fosse o rosto de Sasha? Ou a risada de Anya? Ou o último sorriso de partir o coração de Leo?

Nina olhou para a mulher que a havia criado e viu a verdade por fim.

Sua mãe era uma leoa. Uma guerreira. Uma mulher que havia escolhido uma vida infernal para si mesma porque queria desistir e não sabia como.

E com essa pequena compreensão veio outra, maior. Nina subitamente colocou sua própria vida em foco. Todos esses anos, ela estava viajando pelo mundo, procurando por sua própria verdade na vida de outras mulheres.

Mas ela estava ali o tempo todo, em casa, com a única mulher que ela nunca tentara entender. Não era de admirar que Nina jamais sentisse que o trabalho estava completo, que nunca desejasse publicar suas fotos das mulheres. Sua procura estivera sempre apontando para esse momento, essa compreensão. Ela estava escondida por trás da câmera, olhando através da lente, tentando encontrar a si mesma. Mas como poderia? Como qualquer mulher poderia conhecer sua própria história sem conhecer a história de sua mãe?

— Eles me levaram como prisioneira — Mamãe disse, ainda olhando pela janela.

Nina quase franziu a testa. Para ela, parecia que meia hora havia passado entre a última frase de Mamãe e essa agora, mas na verdade foram apenas alguns minutos. Minutos nos quais Nina percebeu a verdade sobre sua própria vida.

— Prisioneira — Mamãe murmurou, balançando a cabeça. — Eu tento morrer. Tento... Sempre sou fraca demais para me matar... — Ela afastou-se da janela e olhou para eles. — Seu pai foi um dos soldados americanos que libertou o campo de prisioneiros. Estávamos na Alemanha nessa época. Foi o fim da guerra. Anos depois. Na primeira vez que ele falou comigo, eu nem prestei atenção; estava pensando que, se tivesse sido mais forte, minhas crianças estariam comigo nesse dia, quando os portões do campo foram abertos. Então, quando Evan perguntou meu nome, eu sussurrei:

Anya. Eu poderia ter consertado isso mais tarde, mas gostei de ouvir o nome dela toda vez que alguém falava comigo. Isso me machucava, e eu gostava da dor. Era o mínimo que eu merecia. Eu fui com seu pai e casei com ele porque queria sair dali, e ele era a única forma que eu tinha de partir. Nunca esperei realmente começar de novo. Eu estava tão doente. Eu esperava, torcia para morrer. Mas não morri. E, bem... como é possível não amar Evan? Pronto. É isso. Agora vocês sabem. — Ela abaixou-se e pegou a bolsa, balançando um pouco, como se o equilíbrio fosse alguma coisa que tivesse perdido ao contar sua história, e caminhou na direção da porta.

Nina levantou-se imediatamente. Ela e Meredith moveram-se ao mesmo tempo, sem dizer nada nem se olharem. Elas alcançaram a mãe, cada uma segurando um braço dela.

Com o contato, Mamãe pareceu tropeçar e quase caiu.

— Vocês não deveriam...

— Chega de nos dizer como devemos nos sentir, Mãe — Nina disse suavemente.

— E chega de nos empurrar para longe — Meredith disse, tocando o rosto da mãe, acariciando a face dela. — Você já perdeu demais.

Mamãe emitiu um som, um pequeno ruído de engolir.

— Mas não nós duas — Nina disse, sentindo lágrimas nos olhos. — Você nunca vai nos perder.

As pernas de Mamãe cederam. Ela começou a se dobrar como uma tenda quebrada, mas Nina e Meredith estavam ali e a mantiveram em pé. Elas a levaram de volta para a cadeira.

Então, ajoelharam-se no chão diante dela, olhando para cima, assim como tinham feito tantas vezes na vida. Mas agora a história tinha acabado, ou fora contada em sua maior parte, e, dali em diante, seria de qualquer forma uma história diferente. Dali em diante, seria a história *delas*.

Por toda a sua vida, quando Nina olhara para o belo rosto da mãe, tinha visto ossos pontudos e olhos duros e a boca que nunca sorria.

Agora, Nina enxergava além disso. As linhas duras eram algo imposto; uma máscara sobre a suavidade que havia por baixo.

— Vocês deveriam me odiar — Mamãe disse, balançando a cabeça.

Meredith ergueu-se apenas o suficiente para colocar suas mãos sobre as de Mamãe.

— Nós te amamos.

Mamãe tremeu, como se um vento frio tivesse passado por ali. Lágrimas encheram seus olhos, e, ao vê-las — as primeiras lágrimas que Nina vira nos olhos da mãe —, Nina sentiu suas próprias lágrimas escorrendo.

— Eu sinto tanta falta deles — Mamãe disse, e então começou a chorar. Por quanto tempo havia retido essa frase simples com a força de vontade, e qual seria a sensação de finalmente dizê-la?

Sinto falta deles.

Poucas palavras.

Tudo.

Nina e Meredith levantaram outra vez, abraçando Mamãe, deixando que ela chorasse.

Nina aprendeu então a sentir a mãe e percebeu o quanto havia perdido por nunca ter sido abraçada por essa mulher incrível.

Quando Mamãe finalmente ergueu o rosto, com a face marcada pelas lágrimas, o cabelo estava desarranjado e cachos caíam sobre os olhos vermelhos, mas ela nunca parecera tão bela. Ela estava sorrindo. Ela colocou uma das mãos na face de cada filha.

— *Moya dusha* — ela disse suavemente para cada uma delas.

Na cabeceira de Vasily, Maksim levantou-se e pigarreou, lembrando-as de que não estavam sozinhas.

— Esse foi um dos mais incríveis relatos sobre o cerco de Leningrado que ouvi — ele disse, tirando a fita do gravador. — Stalin escondeu isso por tanto tempo que histórias como a sua só começaram a aparecer ultimamente. Isso vai fazer uma verdadeira diferença para as pessoas, senhora Whitson.

— Foi para minhas filhas — Mamãe disse, endireitando-se outra vez.

Nina observou a mãe recuperar as forças e imaginou subitamente se todos os sobreviventes de Leningrado sabiam como se tornar duros assim. Ela supôs que sim.

— Números são difíceis, claro, vindos do governo, mas, em uma conta conservadora, mais de 1 milhão de pessoas morreram no cerco. Mais de 700 mil morreram de fome. Você está contando a história delas também. Obrigado. — Maksim começou a dizer mais alguma coisa, mas Vasily emitiu da cama um som que parecia um grasnado.

Maksim aproximou-se do pai, franzindo a testa.

— O quê? — Ele se aproximou ainda mais. — Não entendi...

— Obrigada — Nina disse suavemente para a mãe.

Mamãe inclinou-se para a frente, beijando o rosto dela.

— Minha Ninotchka — ela sussurrou. — Eu que agradeço a *você*. Foi você quem não desistiu nunca.

Nina deveria sentir orgulho disso, especialmente quando viu Meredith assentir, mas, em vez disso, aquilo a feriu.

— Eu estava pensando apenas em mim mesma. Como sempre. Queria a sua história, então fiz você falar. Não me preocupei com o quanto isso poderia machucar você.

O sorriso de Mamãe iluminou seus olhos ainda vermelhos.

— É por isso que você importa para o mundo, Ninotchka. Eu devia ter lhe dito isso faz muito tempo, mas deixei seu pai ser nossas vozes. Foi mais uma das minhas escolhas erradas. Você brilha como a luz em momentos difíceis. É isso que suas fotos fazem. Você não deixa as pessoas desviarem os olhos daquilo que faz doer. Eu tenho tanto, mas tanto orgulho do que você faz. Você nos salvou!

— Salvou *mesmo* — Meredith concordou. — Eu teria impedido que ela contasse a história. Você nos trouxe até aqui.

Nina não sabia até então como uma palavra como *orgulho* poderia mexer com alguém, mas foi o que aconteceu com ela, e compreendeu o amor de uma forma que não entendia antes, na forma do amor que tudo consome.

Ela sabia que isso mudaria sua vida, essa compreensão do amor; ela não podia imaginar viver sem isso — sem elas — novamente. E ela sabia, também, que havia mais amor lá fora para ela, esperando em Atlanta, se ela apenas soubesse como buscá-lo. Talvez amanhã pudesse mandar um telegrama, dizendo: *E se eu tivesse dito que não quero ir para Atlanta? E se eu dissesse que quero uma vida diferente disso, uma vida diferente da de todo mundo, mas que a quero com você?*

Você iria comigo? Você ficaria? E se eu dissesse que amo você?

Mas isso seria amanhã.

— Como posso partir novamente? — ela disse, olhando para Meredith e para a mãe. — Como posso deixar vocês duas?

— Não precisamos estar perto para estar juntas — Meredith disse.

— Seu trabalho é quem você é — Mamãe disse. — O amor cria espaço para isso. Você apenas virá para casa com mais frequência, eu espero.

Enquanto Nina tentava imaginar o que dizer diante disso, Maksim disse:

— Desculpe-me por ser rude, mas meu pai não está se sentindo bem.

Mamãe se afastou de Meredith e Nina e foi até a cama.

Nina a acompanhou.

Mamãe olhou para Vasily, com o lado esquerdo do rosto totalmente relaxado por causa do derrame; havia lágrimas em suas têmporas e marcas de molhado no travesseiro onde elas haviam caído. Ela estendeu a mão e tocou o rosto dele, dizendo algo em russo.

Nina o viu tentar sorrir e, antes que percebesse, estava pensando no pai. Fechou os olhos em oração, possivelmente pela primeira vez na vida. Ou talvez não fosse oração. Na verdade, ela apenas pensou: *Obrigada, Papai*, e parou por aí. O resto, ele sabia. Ele estava escutando.

— Aqui — Maksim disse, o franzido na testa mais profundo ao oferecer para Mamãe uma pilha de fitas cassete. — Estou certo de que ele quer que você entregue isso para o ex-aluno dele. Phillip Kiselev não trabalha nesse projeto faz anos, mas ele tem muito do material original. E ele não está longe daqui. É só atravessar a água até Sitka.

— Sitka? — Mamãe disse. — Já estivemos lá. O navio não vai voltar.

— Na verdade — Meredith disse, olhando para o relógio —, o navio deixou Juneau há 40 minutos. Ele vai navegar o dia inteiro amanhã.

Vasily emitiu um som. Nina percebeu que ele estava agitado e frustrado por sua incapacidade de se fazer entender.

— Ele não pode mandar as fitas pelo correio? — Mamãe disse, e Nina imaginou se a mãe estava com medo de tocá-las.

— Phillip foi o braço direito dele durante anos nessa pesquisa. A mãe dele e meu pai se conheceram em Minsk.

Nina olhou para Vasily e pensou outra vez em seu pai e como uma coisa pequena podia significar tanto.

— Claro que podemos entregar as fitas — ela disse. — Vamos fazer isso agora mesmo. E teremos tempo mais que suficiente para pegar o navio em Skagway.

Meredith pegou a pilha de fitas e o papel com o endereço.

— Obrigada, dr. Adamovich. E Maksim.

— Não — Maksim disse solenemente —, obrigado a *vocês*. Estou honrado por ter conhecido você, Veronika Petrovna Marchenko Whitson.

Mamãe assentiu. Olhou rapidamente para a pilha de fitas nas mãos de Meredith e então abaixou-se para dizer alguma coisa no ouvido de Vasily. Quando ela se levantou, os olhos do velho estavam marejados. Ele tentava sorrir.

Nina pegou o braço da mãe e a conduziu até a porta. Quando chegaram à entrada do asilo, Meredith estava do outro lado da mãe. Elas emergiram juntas, conectadas, para a luz azulada e pálida do final de um dia de primavera. A chuva tinha parado, deixando para trás um mundo de possibilidades excitantes e brilhantes.

ELAS CHEGARAM EM SITKA ÀS 7h30.

— Eu poderia estar em Los Angeles agora — Nina disse enquanto seguia Meredith, saindo do avião.

— Para alguém que viaja pelo mundo todo, você reclama muito — Meredith disse, liderando o caminho pelo deque.

— Lembra quando ela era pequena? — Mamãe disse para Meredith. — Se as meias estivessem enrugadas dentro do sapato, ela apenas sentava e gritava. E se eu colocasse ketchup demais nos ovos dela, ou se não fosse o bastante, fazia biquinho.

— Isso não é verdade *mesmo* — Nina disse. — Eu era a filha boa. Você está pensando em Meredith. Lembra o escândalo que ela fez quando você não a deixou ir à festa de pijama do Karie Dovre?

— Aquilo não foi nada comparado com o modo como você fez todos nós pagarmos quando Mamãe não acenou para se despedir de você antes do torneio de *softball* — Meredith disse.

Nina parou no meio do deque e olhou para Mamãe.

— Foi o trem — ela disse. — Você não poderia me colocar em um trem e vê-lo partir, não é?

— Eu tentei ser forte — Mamãe disse suavemente. — Mas não podia ver... aquilo. Sei que magoei você. Me desculpe.

Meredith sabia que haveria dúzias de momentos como esses entre elas. Agora que começaram o processo de reparação, as lembranças teriam que ser reinterpretadas o tempo todo. Como no dia em que cavara no precioso jardim de inverno da Mamãe. Era como se ela tivesse tirado as lápides e as jogado de lado. Não era de admirar que Mamãe tivesse ficado um pouco maluca. E não era de admirar que os invernos sempre fossem difíceis.

E a peça. Meredith viu aquilo tudo pelo prisma do que sabia agora. Claro que Mamãe os impedira de seguir adiante com a peça. Ela e Jeff estavam representando alegremente a história de amor de Mamãe... A dor disso deve ter sido terrível.

— Chega de pedidos de desculpas — Meredith disse. — Vamos dizer agora, uma vez só, que lamentamos por todas as vezes que magoamos umas às outras porque não compreendíamos. Aí, paramos com isso. Combinado? — Ela olhou para a mãe, que assentiu, depois para Nina, que também assentiu.

Elas entraram em Sitka e alugaram quartos em uma pequena pousada no limite da cidade. De seus deques, podiam ver a plácida baía, os contornos verdes das ilhas mais próximas e até o cume nevado do Monte Edgecumbe. Enquanto Nina tomava um banho, Meredith sentou-se no deque, com os pés apoiados no corrimão. Uma águia solitária circulava sem esforço acima da água, as asas longas e negras como um fio girando e girando sobre o azul-escuro do mar.

Meredith fechou os olhos e se recostou na cadeira. Como acontecera durante o dia todo, sua mente era uma confusão de pensamentos, lembranças e realizações. Estava reexaminando sua infância, separando as peças, observando-as à luz do que agora sabia sobre a mãe. Estranhamente, a força que agora via na mãe estava se tornando parte de Meredith também. O comentário de Jeff — *Você é como ela, sabia?* — assumia um novo significado, dava a Meredith uma nova confiança. Se havia uma coisa que ela aprendera com tudo isso era que a vida — e o amor — podem acabar em um segundo. Quando você os tem, precisa se agarrar a eles com toda a força e saborear cada segundo.

A porta atrás dela deslizou, abrindo-se, e então veio o clique dela se fechando. Meredith pensou a princípio que era Nina, vindo dizer que o banheiro estava livre, mas então ela sentiu o cheiro doce de rosas do xampu de Mamãe.

— Oi — Meredith disse, sorrindo. — Pensei que tinha ido para a cama.

— Não consigo dormir.

— Talvez seja a cor da noite.

— Eu não posso dormir com as fitas no meu quarto — Mamãe disse, sentando-se na cadeira ao lado da de Meredith.

— Você pode deixá-las no nosso quarto.

Mamãe juntou as mãos em um gesto nervoso.

— Preciso entregá-las esta noite.

— Hoje? Mas são 9h15, Mãe.

— *Da.* Eu perguntei na portaria. Estamos a apenas três quadras de lá.

Meredith virou-se na cadeira.

— Você está falando sério. O que há de errado?

— Honestamente? Não sei. Estou sendo tola e velha. Sei disso. Mas eu quero terminar isso logo.

— Eu vou ligar para ele.

— Ele não está na lista. Eu liguei para Informações do meu quarto. Teremos que simplesmente ir até lá. Esta noite é melhor. Amanhã, ele pode estar no trabalho e teremos que esperar.

— Com as fitas.

Mamãe olhou para ela.

— Com as fitas — ela disse com calma, e Meredith viu a vulnerabilidade que Mamãe estava tentando ocultar. E o medo; ela viu isso também. Depois de tudo que Mamãe havia passado, alguém ter a evidência física de sua vida era a coisa que finalmente a assustava.

— Certo — Meredith disse. — Vou chamar Nina. Vamos nós três. — Ela levantou da cadeira e começou a andar na direção do quarto. Quando passou por Mamãe, ela parou apenas o suficiente para colocar uma mão no ombro da mãe. Através da lã do suéter feito à mão, ela sentiu o formato pontudo do osso.

Não podia passar pela mãe recentemente sem tocá-la. Depois de tantos anos estéreis e distantes, isso em si era um milagre. Ela abriu a porta de correr e entrou no pequeno quarto. Lá dentro, havia duas camas iguais, as duas com colchas de xadrez vermelho e verde, com travesseiros pretos no formato de alces. Nas paredes havia impressões em preto e branco do passado *tlingit* de Sitka. A cama de Nina já estava desfeita e cheia de roupas com o equipamento de fotografia em cima.

Meredith bateu na porta do banheiro, não obteve resposta e entrou.

Nina estava enxugando o cabelo e cantando *Crazy for You* de Madonna a toda voz. Com o cabelo preto curto e a pele perfeita, ela parecia ter 20 anos.

Meredith deu um tapinha no ombro dela. Nina deu um pulo de susto e quase derrubou o secador. Sorrindo, ela o desligou e se virou.

— Que susto você me deu! Eu preciso cortar o cabelo. Estou começando a ficar parecida com o Edward Mãos-de-Tesoura.

— Mamãe quer entregar as fitas esta noite.

— Ah. Está bem.

Meredith não pôde evitar sorrir diante disso. Ali, bem clara, estava a diferença entre elas. Nina não se importava com o horário, ou se era rude chegar à casa de um desconhecido sem ligar antes, ou se Mamãe tinha tido um dia difícil e deveria estar descansando.

Tudo que Nina ouviu foi o chamado da aventura e ela sempre respondia a esse chamado.

Era uma característica que Meredith estava determinada a cultivar.

Em menos de dez minutos, elas estavam a caminho, as três subindo a rua na direção que a dona da pensão indicara. A noite ainda não caíra totalmente. O céu estava roxo-escuro, com estrelas por todos os lados. Dali, elas pareciam próximas o bastante para serem tocadas. Uma brisa suave soprava entre os pinheiros, produzindo o único ruído real ali além dos passos delas no cimento da calçada. Em algum lugar distante soou o apito de neblina de um barco.

As casas naquela rua tinham aspecto antigo, com varandas na frente e tetos inclinados e altos. Os jardins estavam todos bem cuidados; o cheiro das rosas era forte no ar, adocicando o cheiro salgado do oceano próximo.

— É esta casa — Meredith disse. Ela se encarregara do mapa.

— As luzes estão acesas. Legal — Nina disse.

Mamãe ficou ali, olhando para a casa branca bem cuidada. O corrimão da varanda tinha o mesmo ornamento do corrimão da casa delas, e havia mais ornamentos nos beirais. A decoração dava ao lugar uma aparência de casinha de conto de fadas.

— Parece com a *dacha* do meu avô — Mamãe disse. — Bem russa, mas também americana.

Nina se aproximou de Mamãe, tomando seu braço.

— Você está certa de que quer fazer isso agora?

A resposta de Mamãe foi avançar de forma resoluta.

Diante da porta, Mamãe respirou fundo, endireitou os ombros e bateu com força. Duas vezes.

A porta foi aberta por um homem baixo, troncudo, com sobrancelhas grossas e um bigode grisalho. Se estava surpreso por ver três mulheres desconhecidas à sua porta às 9h30 da noite, ele não demonstrou.

— Olá — ele disse.

— Phillip Kiselev? — Mamãe disse, estendendo as mãos para o saco com as fitas nas mãos de Nina.

— Aí está um nome que não ouço faz um bom tempo — ele disse.

As mãos de Mamãe pararam.

— Você não é Phillip Kiselev?

— Não, não. Eu sou Gerald Koontz. Phillip é meu primo. Ele se foi.

— Ah. — Mamãe franziu a testa. — Desculpe por termos incomodado você. Recebemos a informação errada.

Meredith olhou para o pedaço de papel na mão da irmã. Não havia nenhum engano. Aquele era o endereço que receberam.

— O dr. Adamovich deve...

— Vasya? — O lábio de Gerald, coberto pelo bigode, curvou-se em um grande sorriso que mostrava bem seus dentes. Ele virou-se e gritou: — Elas são amigas de Vasya, meu bem.

— Não amigas, na verdade — Mamãe disse. — Lamentamos ter incomodado. Vamos conferir a informação.

Nesse momento, uma mulher veio apressada até eles; estava vestida com calça preta de seda e uma túnica larga. O cabelo grisalho cacheado fora preso atrás em um rabo de cavalo.

— Stacey? — Nina disse, surpresa. Um segundo depois, Meredith reconheceu a garçonete do restaurante russo.

— Ora, ora — Stacey disse, sorrindo abertamente. — Se não são minhas novas amigas russas. Entrem, entrem. — Para Gerald, ela acrescentou: — Elas passaram pelo restaurante no outro dia. Eu abri o caviar.

Gerald sorriu.

— Ela deve ter gostado de vocês de cara.

Nina foi a primeira a se mover, puxando Mamãe com ela.

— Aqui, aqui — Stacey disse. — Sentem-se. Vou fazer um chá e vocês podem contar como me acharam. — Ela as levou até uma sala com decoração confortável, incluindo um sofá otomano e um canto sagrado, onde três velas queimavam. Ela se assegurou de que as três estavam acomodadas, então, disse: — Gere disse que vocês são amigas de Vasily?

— Não amigas — Mamãe respondeu, sentada bem empertigada.

Houve um ruído de coisa quebrando em algum lugar e Gerald disse:

— Ops! Netos. — E saiu correndo da sala.

— Estamos cuidando dos filhos do nosso filho esta semana. Tinha esquecido como eles dão *trabalho* nessa idade. — Stacey sorriu. — Eu já volto com o chá. — Ela saiu da sala apressada.

— Será que o dr. Adamovich se enganou? Ou Maksim pegou o endereço errado? — Meredith disse assim que ficaram sozinhas.

— Que coincidência que eles sejam russos e que conheçam o doutor — Nina comentou.

Mamãe levantou tão subitamente que bateu na mesa de centro com a canela, mas não pareceu notar. Ela contornou a mesa e cruzou a sala, indo até o canto sagrado. De onde estava, Meredith pôde ver vários objetos incomuns: uma mesa que parecia um altar, dois ícones, uma ou duas fotos de família e algumas velas votivas queimando.

Stacey voltou para a sala e colocou a bandeja na mesa de centro. Serviu o chá e entregou uma xícara para Meredith.

— Aqui está.

— Você conhece o dr. Adamovich? — Nina perguntou.

— Conheço — Stacey disse. — Ele e meu pai eram grandes amigos. Eu o ajudei com um trabalho de pesquisa durante anos. Não uma ajuda acadêmica, claro. Digitação, cópias. Esse tipo de coisa.

— A pesquisa sobre o cerco? — Meredith perguntou.

— Exatamente — Stacey disse.

— Essas fitas — Nina disse, indicando o saco de papel a seus pés. — Mamãe acaba de contar a história dela para o dr. Adamovich e ele nos mandou aqui.

Stacey fez uma pausa.

— O que você quer dizer com "história dela"?

— Ela estava em Leningrado na época. Durante a guerra — Meredith disse.

— E ele as mandou aqui? — Stacey virou-se para olhar para Mamãe, que estava parada tão imóvel que parecia feita de mármore. — Por que ele faria isso?

Stacey foi até Mamãe, parou ao lado dela. A xícara tremeu sobre o pires.

— Chá? — ela perguntou, olhando para o perfil sério de Mamãe.

Meredith não sabia por que, mas se levantou. Ao lado dela, Nina fez o mesmo. Elas foram até Mamãe.

Meredith viu o que chamou a atenção da mãe. Havia duas fotos emolduradas no canto da mesa. Uma era em preto e branco, de um jovem casal. Nela, a mulher era alta e magra, com cabelo preto e um sorriso grande demais. O homem era loiro e atraente. Havia linhas brancas pálidas cortando a foto, como se tivesse ficado dobrada por muitos anos.

— Esses são meus pais — Stacey disse lentamente. — No dia do casamento deles. Minha mãe era uma mulher linda. O cabelo dela era tão macio e negro, e os olhos... eu ainda lembro dos olhos dela. Não é engraçado? Eram tão azuis, com dourado...

Mamãe virou-se lentamente.

Stacey olhou para os olhos de Mamãe e a xícara que estava segurando caiu no chão de madeira, derramando o líquido e quebrando-se em pedaços.

A mão gorducha de Stacey estava tremendo quando pegou algo na mesa, mas em nenhum instante ela desviou os olhos.

E então ela estava mostrando algo para Mamãe: uma pequena borboleta com pedras preciosas.

Mamãe caiu de joelhos no chão, dizendo:

— Ah, meu Deus...

Meredith quis ir ajudá-la, mas ela e Nina ficaram imóveis.

Foi Stacey quem se ajoelhou na frente dela.

— Eu sou Anastasia Aleksovna Marchenko Koontz, de Leningrado. Mama? É mesmo você?

Mamãe inspirou o ar com força e começou a chorar.

— Minha Anya...

Meredith sentiu que seu coração se partiria em pedaços e incharia e transbordaria, tudo ao mesmo tempo. Lágrimas desciam por seu rosto. Ela pensou em tudo que aquelas duas haviam passado e em todos os anos perdidos, e o milagre da reunião era quase mais do que conseguia acreditar. Ela foi ficar junto de Nina. As duas se abraçaram e ficaram vendo a mãe ganhar vida. Não havia outra palavra para isso. Era como se aquelas lágrimas — de felicidade, talvez pela primeira vez em décadas — estivessem molhando a alma esturricada dela.

— Como? — Mamãe perguntou.

— Papa e eu acordamos em um trem-hospital indo para o leste. Ele estava tão ferido... Bem, quando voltamos a Vologda... Nós esperamos — Stacey disse, enxugando os olhos. — Nós nunca paramos de procurar.

Mamãe engoliu com dificuldade. Meredith percebeu como ela se enrijeceu para perguntar:

— Nós?

Stacey estendeu a mão.

Mamãe a segurou, agarrou-a de fato, sem querer soltar.

Stacey levou-a pela sala e saíram pelas portas francesas. Além, ficava um jardim muito bem cuidado. O cheiro das flores era uma doçura no ar — lilases e madressilvas e jasmins. Stacey acionou um interruptor e uma série de luzes se acenderam por todo o jardim.

Foi então que Meredith viu o pequeno e quadrado jardim dentro do jardim lá no fundo. Mesmo dali, com a luz inconsistente, conseguiu perceber um trecho de cerca ornamentada.

Ela ouviu a mãe dizer algo em russo e elas avançaram novamente, todas elas, caminhando por uma passagem de pedras até um jardim que era quase que exatamente igual ao que Mamãe criara em casa. Uma cerca branca de ferro com arabescos e pontas enquadrando uma área de terra. Dentro, havia um banco de cobre polido de frente para três lápides de granito. Havia flores ao redor delas. Em cima, o céu irrompeu em cores impressionantes, mágicas. Fios de violeta e rosa e laranja brilhavam entre todas aquelas estrelas. A aurora boreal.

Mamãe sentou-se — de fato, ela mais desabou — no banco de cobre e Stacey sentou-se ao lado dela, segurando sua mão.

Meredith e Nina ficaram por trás dela; cada uma colocou a mão em um ombro de Mamãe.

VERONIKA PETROVNA MARCHENKO
1919-
Lembre-se de nossa limeira no Jardim de Verão
Eu vou encontrar você lá, meu amor

LEO ALEKSOVICH MARCHENKO
1938-1942
Nosso Leão
Que se foi tão cedo

Mas foi a última lápide que fez Meredith apertar o ombro da mãe.

ALEKSANDR ANDREYEVICH MARCHENKO
1917-2000
Amado marido e pai

— No ano passado? — Mamãe disse, virando-se para Stacey, cujos olhos se encheram de lágrimas.

— Ele esperou por você a vida toda — ela disse. — Mas o coração dele apenas... não aguentou no último inverno.

Mamãe fechou os olhos e baixou a cabeça.

Meredith não podia imaginar a dor daquilo, como deveria ser descobrir que o amor da vida dela estivera vivo e procurando por ela todos esses anos, para no fim perdê-lo por uma questão de meses. E ainda assim ele estava aqui de alguma forma, nesse jardim que era tão parecido com aquele que a mãe havia criado.

— Ele sempre disse que esperaria por você no Jardim de Verão.

Mamãe abriu os olhos lentamente.

— Nossa árvore — ela disse, olhando para a lápide dele por um longo tempo. Então, lentamente, ela fez o que sempre fazia, o que podia fazer, o que tão poucos conseguiam fazer: ela endireitou as costas, ergueu o queixo e conseguiu sorrir, por mais que fosse um sorriso incerto e trêmulo. — Venham — ela disse naquela voz mágica, aquela que havia mudado a vida de todas elas naquelas últimas semanas. — Vamos tomar chá. Temos muito sobre o que conversar. Anya, quero apresentar suas irmãs. Meredith costumava ser a organizada e Nina é um pouquinho maluca, mas estamos mudando, todas nós, e você vai nos transformar ainda mais. — Mamãe sorriu e, se havia uma sombra de tristeza em seus olhos, uma lembrança das palavras *Eu vou encontrar você lá*, era algo de se esperar, e isso foi suavizado pela alegria na voz dela. E talvez assim as coisas devessem ser, a forma como a vida se desdobra quando você a viveu o suficiente. Alegria e tristeza eram parte do pacote; o truque, talvez, fosse permitir-se sentir tudo, mas agarrar-se à alegria um pouquinho mais, porque nunca se sabe quando um coração forte pode desistir.

Meredith segurou a mão de sua nova irmã e disse:

— Estou tão feliz por conhecer você, Anya. Ouvimos tanto a seu respeito...

Nenhum céu estrangeiro a me conservar,
nenhuma asa de fora protegeu meu rosto.
Fico como testemunha do comum,
sobrevivente daquele tempo, daquele lugar.

ANNA AKHMATOVA

Epílogo
2010

O NOME DELA É VERA, E ELA É uma menina pobre. Uma ninguém.

Ninguém nos Estados Unidos pode realmente compreender essa menina ou o lugar onde ela vive. Sua amada Leningrado — a famosa Janela para o Oeste de Pedro — é como uma flor morrendo, ainda bela de se ver, mas podre por dentro.

Não que Vera já saiba disso. Ela é apenas uma menina, cheia de grandes sonhos.

Como é comum no verão, ela acorda no meio da noite, atraída por algum som que não consegue lembrar. Na janela, ela se curva, vendo a distância toda até a ponte. Em junho, quando o ar cheira a limas e flores novas e a noite é tão breve quanto o bater das asas de uma borboleta, ela mal pode dormir com a animação.

É a belye nochi. O período das brancas noites de verão, quando a escuridão nunca chega e as ruas nunca ficam quietas...

Não posso deixar de sorrir ao terminar este livro — meu livro. Depois de todos estes anos, eu terminei meu diário. Não um conto de fadas, não um faz de conta; minha história, tão verdadeira quanto posso contá-la. Meu pai teria orgulho de mim. Eu sou por fim uma escritora.

É meu presente para minhas filhas, apesar de elas terem dado muito mais para mim e, sem elas, claro, estas palavras ainda estariam presas em meu interior, envenenando-me por dentro.

Meredith está em casa com Jeff; eles estão se preparando para o casamento de Jillian e o planejamento ocupa todo o tempo deles. Maddy ainda está no trabalho, gerenciando as quatro lojas de presentes da mãe dela. Eu nunca vi

Meredith tão feliz. Atualmente, a agenda dela está cheia de coisas que ela adora fazer, e ela e Jeff viajam muito. Eles dizem que é pesquisa para os livros dele, que fazem tanto sucesso, mas acho que eles apenas amam estar juntos.

Nina está lá em cima com o Daniel dela, com quem ela nunca casou, mas que ama muito mais do que percebe. Eles seguiram um ao outro por todo o mundo em uma aventura incrível atrás da outra. Eles supostamente estão fazendo as malas para partir outra vez, mas desconfio de que estejam fazendo amor. Bom para eles.

E Anya — não me importo que ela tenha americanizado seu nome; ela sempre será Anya para mim — está na igreja com a família dela. Eles descem para nos visitar várias vezes por ano e enchem esta casa de risadas. Minha filha mais velha e eu passamos horas juntas na cozinha, falando uma com a outra em russo, lembrando dos fantasmas. Em palavras, olhares e sorrisos, nós os honramos por fim.

Abro meu diário uma última vez e escrevo: ***para minhas crianças*** em uma letra tão vigorosa quanto a idade permite. Então, eu o fecho e o coloco de lado.

Não posso evitar fechar os olhos. Dormir é algo que me acontece com tanta facilidade ultimamente, e o quarto está tão quente neste dia de final de dezembro...

Acho que escuto o som de uma criança rindo.

Ou talvez seja um resto de som que ficou de nosso jantar de Natal. Estamos juntos de novo este ano, todos nós, nesta nova versão de minha família.

Sou uma mulher de sorte. Nem sempre soube disso, mas agora eu sei. Com todos os erros que cometi, com todas as escolhas ruins e terríveis, eu ainda sou amada nesta idade avançada, e, talvez mais importante, eu amo.

Abro meus olhos, surpresa com alguma coisa. Algum ruído. Estou confusa, incerta sobre onde estou. Então, vejo a lareira familiar, a árvore de Natal ainda montada no canto e um quadro meu pendurado sobre a cornija.

Ele está pendurado onde antes eu tinha um quadro de uma *troika*. A princípio, não gostei da fotografia tirada por Nina. Eu pareço tão, tão terrivelmente triste.

Mas aos poucos passei a gostar dela. Foi o começo desta nova vida, o momento em que finalmente aprendi que, com o amor, vem o perdão. É uma fotografia famosa agora; as pessoas do mundo todo a viram e dizem que sou uma heroína. Ridículo. É apenas a imagem de uma mulher que jogou fora partes demais de sua vida e teve a sorte de recuperar um pouco daquilo.

No canto da sala, meu Canto Sagrado segue em frente. As velas queimam da manhã até a noite; as duas fotos de meus casamentos estão ali, lembrando-me todos os dias de que tive sorte. Junto da foto de Anya e Leo, um coelho de pelúcia cinza e sujo está sentado, meio caído de lado. Camarada Floppy. O pelo de mentira está gasto e ele não tem um olho, e às vezes eu o carrego comigo para me confortar.

Levanto-me. Meus joelhos doem e meus pés estão inchados, mas não me importo. Eu nunca liguei para coisas assim. Eu sou de Leningrado. Eu ando pela cozinha silenciosa e pela sala de jantar. Dali, posso ver meu jardim de inverno, onde tudo está coberto pela neve. O céu está da cor de cobre polido. Gelo e geada estão pendurados como brincos de diamante nos beirais acima da varanda. E penso em meu doce Evan, que me salvou quando precisei ser salva e tanto me deu. Foi ele quem me disse tantas vezes que o perdão podia ser meu se eu tentasse encontrá-lo. Eu daria tudo para ter escutado antes o que ele disse, mas sei que ele está me ouvindo agora.

Estou descalça e vestindo apenas uma camisola de flanela. Se for lá fora, Meredith e Nina vão se preocupar, temendo que eu esteja ficando louca novamente, que eu esteja tendo um lapso. Apenas Anya vai entender.

Ainda assim, abro a porta. A maçaneta vira facilmente em minha mão e o vento frio me atinge com tanta força que, por um belo, trágico segundo, estou de volta à minha bela cidade no Neva.

Caminho pela neve recém-caída, sentindo quando queima e gela a sola de meus pés.

Estou quase no jardim quando ele aparece. Um homem, vestido todo de preto, com cabelo dourado iluminado pelo sol.

Não pode ser ele. Eu sei disso.

Vou até o banco, seguro na cerca de ferro preto.

Ele vem até mim, quase deslizando, movendo-se com uma elegância que é nova ou da qual não me recordo. Quando ele está perto, ergo o rosto e fito os olhos verdes do homem que amei por mais de 70 anos.

Verdes.

A cor tira meu fôlego e faz com que eu fique jovem novamente.

Ele é real. E está aqui. Posso sentir sua presença quente e, quando ele me toca, eu tremo e me sento.

Há tanto a dizer, mas não consigo falar nada exceto o nome dele.

— Sasha...

— Nós esperamos — ele diz, e, com o som da voz dele, uma sombra se separa da escuridão de seu casaco e assume outra forma. Uma versão menor do homem.

— Leo — eu digo, incapaz de dizer qualquer outra coisa. Meus braços doem, querendo se estender para meu menino, para abraçá-lo. Ele parece tão saudável e robusto, as faces rosadas cheias de vida. Então, vejo a mesma face encolher e ficar cinza-azulada, brilhando com a geada. Escuto-o dizer: *Estou com fome, Mama... não me deixe...*

Com isso, a dor dispara em meu peito, fazendo com que eu arfe alto, mas Sasha está ali, segurando minha mão, dizendo:

— Venha, meu amor. Para o Jardim de Verão...

A dor sumiu.

Fito os olhos verdes, verdes de meu Sasha e lembro da grama em que nos ajoelhamos tanto tempo atrás. Foi ali que me apaixonei. Leo se agarra a mim como sempre fez e eu o ergo, rindo, esquecendo como uma vez fui incapaz de erguê-lo em meus braços.

— Venha — Sasha diz de novo, beijando-me, e eu o sigo.

Sei que, se eu olhar para trás, vou ver meu corpo, velho e mirrado, caído sobre o banco na neve; que, se esperar, vou ouvir minhas filhas descobrirem o que aconteceu e começarem a chorar.

Então, não olho para trás. Seguro meu Sasha e beijo o pescoço de meu leão.

Esperei tanto, mas tanto, por isso, para vê-los de novo. Para me sentir assim, e sei que minhas meninas ficarão bem agora. Elas são irmãs; uma família. Esse é o presente do pai delas. É isso que minha história deu a elas e, nos últimos dez anos, nos amamos o bastante para uma vida inteira.

Eu penso: *Adeus, minhas meninas. Eu amo vocês. Sempre as amei.*

E vou.

Agradecimentos

Escrever um romance pode ser uma atividade solitária, mas fazer com que "fique direito" e publicá-lo certamente não é. Este livro, em particular, recebeu a ajuda de muita gente. Antes de todos, gostaria de agradecer à minha brilhante editora, Jennifer Enderlin, e a toda a equipe da St. Martin, especialmente Matthew Shear, Sally Richardson, George Witte, Matt Baldacci, Nancy Trypuc, Anne Marie Tallberg, Lisa Senz, Sarah Goldstein, Kim Ludlum, Mike Storrings, Kathryn Parise, Alison Lazarus, Jeff Capshew, Ken Holland, Tom Siino, Martin Quinn, Steve Kleckner, Merrill Bergenfeld, Astra Berzinskas, John Edwards, Brian Heller, Christine Jaeger, Rob Renzler, toda a equipe de venda da Broadway, toda a equipe de venda da Quinta Avenida, Sara Goodman, Tahsha Hernandez e Stephen Lee. Obrigada por um grande ano!

Obrigada a Tom Hallman por seu trabalho em minhas belas capas.

Obrigada também à jornalista Sally Sara por sua valiosa assistência. Qualquer erro é apenas meu.

Obrigada a Mary Moro por sua ajuda em tudo que envolvia maçãs e o Vale Wenatchee.

Obrigada a Tom Adams por mencionar a Rússia certa noite...

Obrigada a Megan Chance e Kim Fisk por sempre saberem quando rir e quando chorar e por sempre serem rápidas para me dizer para tentar de novo.